D1125204

MALPHAS -1
LE CAS DES CASIERS CARNASSIERS

Du même auteur

5150, rue des Ormes. Roman.
    Laval: Guy Saint-Jean Éditeur, 1994 (épuisé).
    Beauport: Alire, Romans 045, 2001.
    Lévis: Alire, GF, 2009.

Le Passager. Roman.
    Laval: Guy Saint-Jean Éditeur, 1995 (épuisé).
    Lévis: Alire, Romans 066, 2003.

Sur le seuil. Roman.
    Beauport: Alire, Romans 015, 1998.
    Lévis: Alire, GF, 2003.

Aliss. Roman.
    Beauport: Alire, Romans 039, 2000.

Les Sept Jours du talion. Roman.
    Lévis: Alire, Romans 059, 2002.
    Lévis: Alire, GF, 2010.

Oniria. Roman.
    Lévis: Alire, Romans 076, 2004.

Le Vide. Roman.
    Lévis, Alire, GF, 2007.
   Le Vide 1. Vivre au Max
   Le Vide 2. Flambeaux
    Lévis, Alire, Romans 109-110, 2008.

Hell.com. Roman.
    Lévis, Alire, GF, 2009.
    Lévis: Alire, Romans 136, 2010.

MALPHAS −1

LE CAS DES
CASIERS CARNASSIERS

PATRICK SENÉCAL

Illustration de couverture : BERNARD DUCHESNE
Photographie : KARINE PATRY

Distributeurs exclusifs :

Canada et États-Unis :
Messageries ADP
2315, rue de la Province
Longueuil (Québec) Canada
J4G 1G4
Téléphone : 450-640-1237
Télécopieur : 450-674-6237

France et autres pays :
Interforum editis
Immeuble Paryseine
3, Allée de la Seine, 94854 Ivry Cedex
Tél. : 33 (0) 4 49 59 11 56/91
Télécopieur : 33 (0) 1 49 59 11 33
Service commande France Métropolitaine
Tél. : 33 (0) 2 38 32 71 00
Télécopieur : 33 (0) 2 38 32 71 28
Service commandes Export-DOM-TOM
Télécopieur : 33 (0) 2 38 32 78 86
Internet : www.interforum.fr
Courriel : cdes-export@interforum.fr

Suisse :
Interforum editis Suisse
Case postale 69 – CH 1701 Fribourg – Suisse
Téléphone : 41 (0) 26 460 80 60
Télécopieur : 41 (0) 26 460 80 68
Internet : www.interforumsuisse.ch
Courriel : office@interforumsuisse.ch
Distributeur : OLS S.A.
Zl. 3, Corminboeuf
Case postale 1061 – CH 1701 Fribourg – Suisse
Commandes :
Tél. : 41 (0) 26 467 53 33
Télécopieur : 41 (0) 26 467 55 66
Internet : www.olf.ch
Courriel : information@olf.ch

Belgique et Luxembourg :
Interforum Benelux S.A.
Fond Jean-Pâques, 6, B-1348 Louvain-La-Neuve
Tél. : 00 32 10 42 03 20
Télécopieur : 00 32 10 41 20 24
Internet : www.interforum.be
Courriel : info@interforum.be

Pour toute information supplémentaire
LES ÉDITIONS ALIRE INC.
C. P. 67, Succ. B, Québec (Qc) Canada G1K 7A1
Tél. : 418-835-4441   Fax : 418-838-4443
Courriel : info@alire.com
Internet : www.alire.com

Les Éditions Alire inc. bénéficient des programmes d'aide à l'édition de la
Société de développement des entreprises culturelles du Québec (SODEC),
du Conseil des Arts du Canada (CAC) et reconnaissent l'aide financière du
gouvernement du Canada par l'entremise du Fonds du Livre du Canada
(FLC) pour leurs activités d'édition. Nous remercions également le gouvernement du Canada de son soutien financier pour nos activités de traduction
dans le cadre du Programme national de traduction pour l'édition du livre.

Gouvernement du Québec – Programme de crédit d'impôt pour l'édition
de livres – Gestion Sodec.

Dépôt légal : 4e trimestre 2011
Bibliothèque nationale du Québec
Bibliothèque nationale du Canada

À René,
parce qu'on se trouve ben drôles

TABLE DES MATIÈRES

1980

PLAN LARGE

Pour trouver de l'animation dans la petite ville de Saint-Trailouin en cette fin d'après-midi du 28 juillet, il fallait se rendre au bout de la rue Georgia où se déroulait l'événement de l'année : l'inauguration officielle du cégep. Même si la plupart des habitants de l'endroit affichaient au départ un solide scepticisme (un cégep dans une ville de douze mille âmes ? Quelle idée absurde !), ils ressentaient maintenant beaucoup d'excitation si l'on se fiait à la foule considérable massée devant la façade du nouvel édifice qui s'élevait au centre de ce grand champ enfin utilisé à quelque chose. Sur une estrade érigée pour l'occasion, le directeur général de l'établissement, un grassouillet qui ne devait même pas avoir trente ans, livrait son discours, un peu perdu dans ses papiers et légèrement confus dans ses propos, ce qui n'empêchait pas tout le monde de l'écouter avec fierté : le maire, le capitaine de police accompagné de cinq ou six officiers, les notables de la ville, ainsi que près de trois cents habitants de Saint-Trailouin. Le soleil était au rendez-vous et éclairait généreusement le nom du nouveau cégep inscrit en lettres de pierre au-dessus de la grande porte principale : Malphas.

— *Je suis le premier directeur général de cette institution, clama le DG. Et j'espère bien en être le dernier!*

Réalisant la maladresse de sa formule, il rectifia le tir avec plus ou moins de succès, puis il présenta le directeur pédagogique, un homme connu de toute la ville, non seulement parce qu'il possédait la mine de fer de la région, mais parce qu'il s'était battu pendant six ans pour la création de ce cégep. Sous les applaudissements bien nourris, le héros du jour marcha vers le micro. L'homme en début de quarantaine, déjà presque chauve, souriait avec chaleur malgré son air hautain. Il remercia tout le monde, se dit particulièrement heureux d'avoir mené ce projet jusqu'au bout et d'être le premier directeur pédagogique de Malphas, même si pour cela il devait délaisser la direction de la mine.

— *Ceux qui me connaissent savent à quel point l'éducation a toujours été fondamentale pour moi. « Après le pain, l'éducation est le premier besoin d'un peuple », disait Danton. Et d'autres citoyens de cette ville, bien avant moi, considéraient l'instruction comme la base essentielle de l'*homo sapiens. *Au début du siècle, un notable de Saint-Trailouin s'est battu pour l'éducation obligatoire et accessible pour tous. Cet homme s'appelait Benoît Malphas et hélas! il a sombré dans l'oubli. Mais mon grand-père l'admirait, et il m'a parlé de lui durant toute mon enfance. Je n'ai pas oublié et j'ai tenu à poursuivre le combat de ce Malphas. C'est donc en son honneur que j'ai donné son nom à notre nouveau cégep. Je compte bien montrer au reste du Québec qu'un cégep en région éloignée peut être aussi performant et aussi prestigieux que ceux des grands centres urbains, et même plus encore!* Sol lucet omnibus! *Malphas deviendra un sémaphore* qui guidera des générations entières d'adolescents, un exemple à suivre pour tous! Et pour démontrer ma totale confiance dans cette mission, mon propre fils sera de la première cohorte d'élèves à la rentrée dans un mois!

Là-dessus, il pointa son doigt vers un groupe derrière lui sur l'estrade, au centre duquel on apercevait un adolescent d'environ dix-sept ans, ressemblant fort à son père mais en plus effacé. En entendant les applaudissements, l'adolescent leva une main en guise de remerciement, le sourire intimidé mais fier. À sa droite, sa mère gardait les mains croisées devant elle et observait son mari avec un dédain par trop évident.

On présenta le reste de l'équipe ainsi que les professeurs, présents sur l'estrade. On comptait parmi ceux-ci bon nombre de nouveaux venus dans la région et on les applaudit avec un mélange de curiosité et de méfiance. Enfin, on passa aux photos officielles. À l'avant-scène se réunirent le directeur général, le directeur pédagogique avec son fils et sa femme, le maire et quelques professeurs préalablement choisis. À l'exception de la femme du directeur pédagogique, tout le monde souriait au photographe. Lorsque ce dernier eut pris son cliché, il abaissa son appareil et fronça les sourcils, le regard dirigé en hauteur derrière le groupe.

— Tiens, c'est quoi, ça?

Les gens sur l'estrade se retournèrent tandis que la foule levait les yeux. Au loin dans l'azur, un nuage noir grossissait peu à peu, une masse formée de plusieurs petites taches sombres et mouvantes, telles des cendres voletantes.

— Ça ressemble à une volée d'oiseaux, proposa le directeur général.

Dans l'assistance, les gens étaient maintenant intrigués. Le capitaine de la police eut une petite moue et confia à l'un de ses hommes près de lui, un jeune lieutenant :

— On dirait des corbeaux...

La nuée opaque grossissait toujours, s'approchait, se dirigeait manifestement vers Malphas.

— Mais... ils sont des centaines ! s'étonna l'un des professeurs.

Tout le monde fixait le nuage vivant duquel provenait maintenant une cacophonie diffuse de croassements aériens. Tous les visages exprimaient la curiosité et l'étonnement, sauf celui du directeur pédagogique, impassible.

Et les corbeaux approchaient.

CHAPITRE UN

Qui tient lieu d'introduction et de mise en place

Ce gars-là n'a pas de vie sexuelle, j'en mettrais mon bras complet au feu. S'il en a une, il la consomme en solo. Je ne peux pas croire qu'il baise hebdomadairement une improbable épouse. Ou, alors, il n'a pas touché à sa femme depuis la publication du rapport Hite. Je sais qu'il ne faut pas se fier aux apparences, mais ce que dégage Rupert Archlax est aussi incompatible avec toute forme de libido qu'un hérisson l'est avec un lit d'eau. Non pas que ce quadragénaire avancé soit spécialement repoussant. Terne, oui, avec ses courts cheveux frisés poivre et sel, son menton large et flasque comme si tout le poids de son visage s'y concentrait, ses lunettes d'écaille d'un autre siècle qui agrandissent à peine ses petits yeux bruns inexpressifs, son complet beige un peu trop grand sur son corps plutôt mince. Mais pas spécialement laid. Seulement, son aura est à peu près aussi stimulante que celle d'un lave-vaisselle.

Il sonde mon CV depuis environ cinq minutes, en silence, la face impavide, et je songe sérieusement à claquer dans mes mains pour lui rappeler ma présence lorsqu'il parle enfin, d'une voix douce et agréable, les yeux toujours rivés sur le résumé de ma vie professionnelle.

— Julien Sarkozy, c'est votre vrai nom ?

— Absolument. Je m'appelle vraiment Julien.

Je suis tellement habitué à user de cette répartie que j'ai presque oublié qu'il s'agit d'une boutade. Mon nouveau patron étire ses lèvres vers le haut. Ce clone de Buster Keaton connaît donc le mode d'emploi du sourire ?

— Pas mal, pas mal. Non, je parlais, bien sûr, de votre patronyme.

J'avais compris, ma chouette, merci de la précision. Je pousse un petit soupir.

— Oui, je m'appelle Sarkozy.

Criss, j'ai vraiment pas de chance, quand même, avouez ! Tant qu'à être pris avec le nom d'un politicien célèbre, pourquoi pas Lévesque ou Mandela ? Mais non, il a fallu que je tombe sur un nabot de droite français qui, en accédant au pouvoir il y a quelques années, a rendu ma vie infernale. Heureusement que ma mère est devenue sénile avant que ledit connard soit élu, sinon elle en aurait fait une syncope.

Archlax, qui ne sourit plus (l'extraordinaire, par définition, est de courte durée), affiche une petite lippe hideuse, un rapprochement des lèvres vers l'avant qui évoque vaguement un baiser tout à fait incongru sur une bouche aussi asexuée.

— Les élèves vont sans doute réagir à un tel nom… Du moins, ceux qui auront un minimum de culture politique pour faire le lien.

Il me regarde enfin. Ça rassure.

— À votre ancien cégep, c'était le cas ?

— Il y en avait une couple qui se moquaient de mon nom, oui, mais c'était pas vraiment méchant.

Je ne précise pas qu'à ceux-là, je leur faisais rapidement passer l'envie de persister dans leurs sarcasmes. Archlax revient à mon CV.

— Votre ancien cégep, c'était celui de… Attendez…
Drummondville, c'est ça?

Puisque c'est écrit là, ma chouette. Tu veux me
faire passer un test pour t'assurer que je me souviens
de ma propre vie? Je me contente de répondre un
« C'est exact » tout à fait approprié. Même si cette
rencontre n'est pas une entrevue, même si l'on m'avait
déjà assuré que j'étais engagé, il m'apparaît prudent
de demeurer courtois, du moins pour cette première
rencontre, même si Archlax, qui connaît évidemment
mon dossier, doit se faire certaines idées sur l'homme
devant lui. D'ailleurs, comme s'il me testait, il demande :

— Pourquoi quitter une ville en plein centre du
Québec pour venir travailler dans notre région si
lointaine?

Je bouge légèrement mon cul sur la chaise, mouille
mes lèvres comme si je m'apprêtais à bouffer une
chatte et articule de la voix la plus neutre possible :

— Disons que j'avais pas vraiment le choix…

Il hoche la tête, comme s'il comprenait. Pourtant, je
ne sens aucun malaise ou jugement dans son attitude.
En fait, je le sens même un peu résigné, comme s'il était
habitué à ce genre de réponse. Je crois bon d'ajouter :

— Mais ça tombe bien. J'ai vécu un divorce derniè-
rement. L'éloignement et le calme vont m'être béné-
fiques.

— Pour ce qui est de l'éloignement, vous ne pouviez
pas mieux tomber qu'à Saint-Trailouin.

— Et le calme?

Il ne relève pas, concentré à nouveau sur mon CV.
Mais qu'est-ce qu'il espère y trouver, un code secret
lui expliquant l'origine des géoglyphes de Nazca? Je
reluque vers le petit présentoir sur son bureau: « Rupert
Archlax II, directeur pédagogique ». J'imagine que

le « II » fait plus alluré que « Jr ». Sur le mur, une photo encadrée montre Archlax deuxième du nom, souriant, entouré de cinq ou six étudiants. Archlax y arbore un sourire plutôt convaincant. La légende sous le cadre indique : « Rupert Archlax II, DP du cégep Malphas, entouré de quelques élèves de l'établissement ». Archlax junior sait-il que DP est aussi l'abréviation pour « double pénétration » ? Pas sûr. Je laisse mon regard errer ailleurs, vers la fenêtre, qui, malgré sa grandeur, illumine chichement la pièce. De l'autre côté, un corbeau est perché sur la corniche et me considère sans bouger. Effronté, le volatile.

Double-Pénétration dépose enfin mon CV sur le bureau, croise ses longs doigts et commence son boniment.

— Malphas est un petit cégep de 770 élèves, monsieur Sarkozy, donc à peu près tout le monde se connaît, ce qui crée une dynamique de franche camaraderie. Nous sommes le seul cégep dans une superficie de 7500 kilomètres carrés, nous avons donc des jeunes qui viennent de Saint-Trailouin, certes, mais une bonne partie provient des environs. Plusieurs nous arrivent même des quatre coins du Québec.

— Pourquoi venir de si loin ? Est-ce qu'il y a un programme particulier ici ?

— Non, pas vraiment. Disons que… bon nombre d'étudiants sont ici parce qu'aucun autre cégep ne les a acceptés.

Court silence qui exhale un vague fumet d'inconfort. Je hoche la tête en demeurant le plus neutre possible. Bref, la moitié de mes classes sera composée d'incultes blasés dont les membres féminins s'intéresseront plus à leur cellulaire qu'à mes cours et dont les membres masculins porteront une casquette en tout temps en grognant des mots incompréhensibles.

Eh ben, ça promet. Double-Pénétration toussote, puis :

— Ce qui nous donne une clientèle hétéroclite, disparate et pas toujours facile. Vous comprendrez que le français, en particulier le cours 102 que vous donnerez, n'est pas le plus populaire.

— Le français n'est jamais populaire, peu importe dans quel cégep.

Il renifle et se frotte le nez.

— Vous avez sans doute raison. Mais comme nous sommes en session d'automne et que le cours 102 régulier se donne l'hiver, vos élèves seront des étudiants qui ont coulé ce cours à la dernière session...

— Des doubleurs.

— Voilà. Une clientèle particulièrement difficile. Que voulez-vous, la jeunesse d'aujourd'hui ne s'intéresse plus à la grande culture, le nombre élevé de doubleurs en est la preuve.

— Ça rend le défi plus intéressant.

Je ne baratine pas. Je suis sincère. Même moi, j'ai un côté naïf et idéaliste, c'est comme ça. Double-Pénétration hoche la tête, le cou raide. J'entends presque un grincement de poulie rouillée.

— Content que vous voyiez les choses sous cet angle.

S'il est content en ce moment, ça doit être vraiment sinistre quand il n'est pas en forme. En fait, j'ai vu des infopubs américaines doublées en français plus convaincantes que son petit laïus. Ce que je perçois n'est pas de l'indifférence mais une sorte de vague spleen. Il se lève avec l'enthousiasme du journaliste responsable de la rubrique nécrologique.

— Bien. Je vais vous faire visiter le cégep, du moins l'essentiel. Suivez-moi. Oui, apportez votre mallette, nous ne reviendrons sûrement pas ici. Allons-y.

Même si cela m'humilie prodigieusement, j'articule avec gravité :

— Monsieur Archlax, à propos de mon dossier, de… Enfin, de ce qui s'est produit à Drummondville… Je vous jure que ça n'arrivera plus. Je venais de divorcer, j'étais dans une mauvaise passe et… Bref, ça ne se répétera jamais.

Il me considère presque avec indifférence, hoche la tête, puis :

— C'est parfait.

Il marche vers la porte. Sa réaction me soulage et me déroute en même temps. Si je me foutais à poil devant lui, daignerait-il enfin démontrer une émotion ? Avant de sortir, je lance un dernier regard vers la fenêtre : le corbeau n'a pas bougé, sauf sa tête qui s'est tournée vers moi. Peut-être qu'il était là lors de la fabrication du cégep et que ses pattes sont restées prises dans le ciment de la corniche…

Tandis que nous déambulons, DP m'explique qu'il s'agit du couloir administratif : secrétaires, conseillers pédagogiques, ressources humaines et, évidemment, bureau du directeur général, où justement (il y a des hasards formidables, tout de même) il m'amène de ce pas. Lorsqu'il demande à la secrétaire si Conrad est occupé, celle-ci le gratifie du même genre de *look* que je pourrais lancer à une fille qui, au petit matin dans mon lit, me demanderait si je vais la rappeler plus tard. D'ailleurs, la question n'était sans doute que pour la forme car Archlax se dirige vers la porte sans attendre la réponse. Trois petits coups, un « oui » distrait, puis on entre. La pièce est quelconque, administrativement banale, mais beaucoup plus éclairée que l'antre d'Archlax. Derrière un grand bureau massif, un homme d'environ soixante ans, petit mais corpulent, aux cheveux gris plats et gras, est concentré sur un cahier dans lequel il colle minutieusement des fleurs découpées.

— Bonjour, Conrad. Je viens te présenter le nouvel enseignant de français…

— Une minute…

Sa petite langue rose pointant entre ses lèvres tel un clitoris en pleine éclosion, il finit de coller sa fausse fleur sur la page, passe deux ou trois fois sa main dessus pour s'assurer qu'elle tient bien, puis soulève fièrement son cahier vers Double-Pénétration.

— T'as vu, Rupert ? J'en ai commencé un nouveau ! Celui de mes vacances de cet été avec Ingrid !

Au milieu de six ou sept fleurs collées, une photo représente le directeur général avec une femme obèse, tous deux croquant dans une pomme enrobée de sucre d'orge avec l'expression de ceux qui n'arrivent pas à croire à leur bonheur. Le genre de photos qui nous rappelle que l'essentiel tient à bien peu de choses. Bref, cet homme s'adonne au *scrapbooking*.

— Très joli, Conrad. Je voudrais te présenter Julien Sarkozy.

Le sourcil droit du directeur général se fronce, comme s'il se demandait si l'on se moque de lui. Mais un léger signe de dénégation de DP le rassure. Il enlève ses lunettes et me serre énergiquement la main.

— Enchanté, monsieur Sarkozy, enchanté ! Conrad Bouthot, directeur général de Malphas. Et vous enseignerez… ?

— Le français, que je réponds. Trois groupes du cours 102.

— Ah, oui. Le cours 102 qui est… ?

— Dissertation littéraire, répond Archlax. Le second cours de français obligatoire.

— Oui, oui, bien sûr… (Bouthot fronce cette fois le sourcil gauche.) Mais si c'est le second cours, pourquoi on le donne cet automne ? Ça devrait pas être le 101 ou le 103 ?

— On les donne aussi, Conrad, mais le 102, l'automne, c'est pour ceux qui ont doublé.

— Ah, oui, je comprends. (Cette fois, il fronce les deux sourcils.) On a l'équivalent de trois groupes qui ont doublé le cours 102 ?

— Quatre. Elmer en donne aussi un.

— Quatre ! C'est beaucoup de doubleurs !

— Oui… Comme chaque année.

— Ah, bon ? Ah bon…

Bouthot frotte ses mains un moment, jette un rapide regard d'envie vers son *scrapbook* puis sourit à pleines dents.

— Eh bien, monsieur Sarkozy, je vous souhaite la bienvenue parmi nous. Nos élèves sont très gentils et ils sont pas plus bêtes que ceux du reste du Québec, n'est-ce pas, Rupert ?

— En fait, notre cégep connaît l'un des taux de diplomation les plus bas de la province.

— Ah, bon ? Ah bon…

— De toute façon, que je précise, l'intelligence a rien à voir avec les diplômes. Il y a des gens sans instruction qui sont très brillants, et des universitaires qui sont parfaitement cons.

Les deux directeurs hochent la tête avec une certaine perplexité. L'odeur du malaise menace de réapparaître. Pour dissiper ces effluves, je crois bon d'ajouter :

— Regardez nos politiciens.

Archlax a un vague sourire poli. De son côté, le DG glousse comme un gamin, puis poursuit :

— Vous êtes chanceux : le département d'arts et lettres a été rénové, vous allez donc commencer votre séjour chez nous dans une ambiance stimulante et… Qu'est-ce qu'il y a, Rupert ?

— C'est le département de sciences humaines qui a été rénové.

— Ah, oui, c'est vrai, on l'a repeint l'hiver dernier.

— On ne l'a pas repeint, on a changé les bureaux.

— Les bureaux, oui.

— L'*automne* dernier.

— Oui...

Bouthot glisse toujours ses mains l'une sur l'autre. Il s'exclame enfin :

— Alors, bonne chance, monsieur Sarkozy. Et surtout, hésitez pas à venir me voir si vous avez des questions, je suis là pour rassurer le personnel de cet établissement. Après tout, je suis comme le père d'une grande famille, n'est-ce pas ?

Il rit. Archlax lui-même ricane. Pour ne pas être en reste, je ris aussi. Voilà, nous rions tous les trois, ah-ah-ah, au secours. Le DG redevient sérieux :

— Mais on a prévu de repeindre le département d'arts et lettres au printemps prochain, non ?

— Non.

Bouthot hoche la tête, concentré sur ses mains qu'il frotte comme s'il espérait qu'elles prennent feu. Puis :

— Bien ! Bonne journée, monsieur Sarkozy ! Vous allez donner votre premier cours aujourd'hui, j'imagine ?

— Les cours ne commencent que lundi, Conrad.

— Ah, bon ? Ah bon...

Il marche vers son bureau, hésite un moment, puis nous considère d'un air presque suppliant :

— J'imagine, Rupert, que tu fais visiter le cégep à notre ami. Est-ce que vous, heu... avez besoin de moi ou...

— Merci, Conrad, je vais me débrouiller sans problème.

Tout heureux, Bouthot s'assoit dans son fauteuil, remet ses lunettes et replonge dans son *scrapbook* comme si nous n'existions plus.

Retour dans le couloir. Tandis que nous marchons, je demande à DP :

— Ça fait longtemps qu'il est directeur général ?

— Depuis la création du cégep, il y a trente ans.

Sur le moment, je crois qu'il me charrie, mais son visage imperturbable me démontre bien que j'ai été fou de croire qu'il pouvait s'adonner à une quelconque forme de sarcasme.

— Et vous, ça fait longtemps que vous êtes directeur pédagogique ?

— Dix-huit ans. Par ici, monsieur Sarkozy.

Eh ben, le renouvellement du personnel ne semble pas une philosophie très prisée dans ce cégep. Je redoute tout à coup ma rencontre avec mes collègues du département, qui risque de ressembler à une réunion d'anciens combattants.

Nous arrivons dans le vaste hall d'entrée. Sur le mur a été dessinée une sorte d'immense fresque représentant des jeunes s'adonnant à toutes sortes d'activités : études, sports, jeux divers… À en juger par le style naïf, il s'agit sans doute de l'œuvre d'un ou de plusieurs élèves. Par contre, les jeunes dessinés ont tous un visage bizarre, avec des yeux immenses et des sourires un peu dingues, ce qui leur donne un air vaguement psychotique. Si le but de cette murale était de rendre le hall d'entrée sympathique et accueillant, c'est totalement raté.

À droite, l'entrée principale est congestionnée d'adolescents qui entrent et sortent. Plusieurs d'entre eux exhibent une mode vestimentaire qui date de quelques années, mais sinon ils n'ont l'air ni pires ni mieux que tous les étudiants que j'ai croisés en quatorze ans de carrière. Une longue ligne d'ados s'allonge devant le guichet du secrétariat pédagogique. DP m'explique que c'est aujourd'hui que les jeunes viennent chercher leur horaire de cours, le numéro de leur casier, la liste des trucs dont ils ont besoin pour lundi, tout le bataclan du parfait petit cégépien. Mon radar oculaire télescope plusieurs jolies filles, mais je m'efforce de revenir à Archlax qui précise que les deux portes sur le mur d'en face mènent à la salle de spectacle, une des fiertés du cégep. Nous dépassons la file d'attente. À notre gauche, c'est le café étudiant, avec radio étudiante, table de pool et casse-croûte. Comme les cours ne sont pas commencés, aucune musique rock, pop, alterno, indie, dance, électro ou métal ne gicle de la salle. Tout droit, ça mène au gymnase et aux locaux sportifs. À droite, c'est la café-téria, une vaste salle à aire ouverte dont l'horrible couleur verte a sans doute comme but premier de limiter l'appétit des élèves. Comme il est treize heures trente, à peu près personne ne mange, mais les tables sont tout de même pleines d'ados qui discutent, comparent leurs horaires, chialent déjà sur leurs heures de cours. Quelques-uns m'observent en marmonnant entre eux : tiens, regarde, un nouveau prof. Eh oui, les jeunes, un autre vieux qui va venir vous faire chier avec le français, les livres et la culture. Et pourtant, un certain enfièvrement me chatouille l'intestin grêle à leur vue et je me rends compte que, merde ! j'ai hâte de commencer. Parce que malgré la connerie que j'ai commise l'an passé, malgré le fait qu'il m'arrive d'avoir envie d'arroser ces p'tits criss au lance-flammes, j'aime enseigner, j'aime cette job de fous. Clientèle difficile ou pas.

Une drôle d'odeur plane dans l'air. Je l'avais déjà remarquée en arrivant et je n'arrive pas à déterminer ce que c'est. Ce n'est pas très fort, mais c'est assez désagréable, comme si tout le monde s'était mis un parfum de mauvaise qualité. Je tourne la tête vers

Archlax : peut-être est-ce lui qui dégage ce fumet.
Immobile, il considère les adolescents avec une
certaine lassitude, les mains croisées devant lui. Il
ressemble à un prêtre, ce qui n'est pas tout à fait un
compliment.

— Vous étiez comme eux, à leur âge, monsieur
Sarkozy ?

— Comme quoi, exactement ?

— Comme ça…

Et d'un léger mouvement des doigts, il désigne
les adolescents qui s'activent devant lui, qui parlent,
qui rient, qui gueulent, qui se *frenchent,* qui s'em-
merdent, qui s'excitent. Le désenchantement de sa
voix n'est pas teinté de mépris mais d'une émotion
difficile à cerner. Je ne comprends pas ce qu'il veut
dire par « comme ça » et je le lui dis. Il hausse les
épaules, marmonne que ce n'est pas important, puis
me propose de monter à l'étage.

On se remet en marche et, juste avant d'entrer
dans la cage d'escalier, il s'arrête devant un distributeur de friandises, du genre cacahuètes enrobées
de chocolat. Alors DP exécute une pantomime étrange
que l'on pourrait intituler « La Danse de la Tentation
Tourmentée ». C'est d'autant plus ridicule qu'il essaie
d'être discret et n'y arrive pas du tout avec ses pié-
tinements sur place, ses mordillements de lèvres, ses
regards qui vont du distributeur au plafond… Enfin,
il sort un vingt-cinq sous de sa poche, l'enfonce dans
le distributeur et tourne la petite manette comme s'il
voulait la casser. Une mini-cascade de *peanuts* dévale
au creux de sa main et il envoie le tout dans sa
bouche, mâchant longuement, fermant les yeux de
plaisir, au point que je me demande un instant s'il
existe des arachides à saveur d'ecstasy. Une fois son
festin consommé, Archlax prend conscience de ma

présence, regarde autour de lui comme un gosse qui s'assure que personne ne l'a vu se masturber, puis marmonne avec gêne :

— Ça ne m'arrive presque jamais…

Si je suis censé répliquer quelque chose à ça, faudra m'envoyer la réplique par courriel parce que sur le coup je ne trouve absolument rien. D'ailleurs, il n'attend manifestement aucune réaction de ma part car il se remet en marche vers l'escalier en essuyant furtivement sa main contre son pantalon, comme s'il venait de s'enfoncer les doigts dans un endroit peu hygiénique. Il désigne les marches qui descendent au sous-sol en expliquant qu'en bas il n'y a que la fournaise et des salles de rangement, donc rien qui est lié à l'enseignement. Nous commençons à monter et arrivons dans un vaste couloir qui s'allonge.

— Des classes. Celle pour les élèves d'arts et lettres est au fond, mais les cours de français généraux se donnent dans les classes d'en bas.

Deux ouvertures, à gauche et à droite. Il indique le couloir de droite :

— Audiovisuel, imprimerie et bibliothèque au fond. Vous voulez voir ?

En fait, j'ai hâte d'atteindre mon département et de me débarrasser de cette momie. On marche dans le couloir de gauche, traverse une mezzanine qui donne sur le hall d'entrée. Je jette un œil en bas. Étrangement, j'ai l'impression d'être très haut alors que tout à l'heure, d'en bas, la mezzanine ne me semblait pas si élevée. Un puits de lumière au plafond permet de voir le ciel ennuagé. Mes yeux reviennent en bas. Un gardien de sécurité (qui, de loin, semble vraiment avoir une sale gueule) passe entre les jeunes. La file d'étudiants piétine toujours devant le secrétariat pédagogique. Un d'eux, un grand barbu tout maigre aux cheveux courts, me paraît pas mal plus vieux que la moyenne. Il me voit et me suit des yeux d'un air soupçonneux, jusqu'à ce que nous sortions de la mezzanine. Le couloir tourne à droite et Archlax m'explique que c'est l'aile des départements. Nous passons devant le local des sciences humaines, ceux des mathématiques, de psycho, d'informatique, puis celui des arts et lettres. DP le désigne d'un ample geste, comme s'il inaugurait une statue officielle.

— Nous y voilà. Votre nouveau labo, si j'ose dire, là où œuvrent les alchimistes de la culture, qui transforment le plomb mental en or intellectuel.

Je me demande à combien de nouveaux profs il a livré cette formule suffisamment lourde pour creuser davantage le gouffre que je vois déjà entre lui et moi, et qui doit sans doute exister entre lui et les autres enseignants. Il entre en premier et je le suis.

Les autres départements d'arts et lettres où j'ai travaillé étaient plus vastes, mais c'est vrai que Malphas est un petit cégep. Les murs sont du même vert défraîchi que la cafétéria. Trois d'entre eux sont à moitié cachés par des classeurs et des bibliothèques. Je compte dans le local huit bureaux groupés deux par deux, face à face. Trois personnes présentes : une femme assise et un homme debout face à elle qui discutent là-bas, et un Black ou un Arabe, je ne sais trop, qui travaille au bureau du fond près des fenêtres. Les deux qui jasent doivent parler de quelque chose de drôle car la fille rit avec emphase. Celle-ci est jeune et son interlocuteur n'a sans doute pas encore cinquante ans. Je pousse un soupir mental de soulagement : les profs changent plus souvent que les membres de l'administration, on dirait. Trois grandes fenêtres s'ouvrent dans le mur du fond. Je constate qu'il fait beau soleil à l'extérieur, alors qu'il y a deux minutes le puits de lumière de la mezzanine montrait un ciel couvert.

Archlax toussote dans son poing fermé :

— Excusez-moi, je voudrais… Zoé ? S'il te plaît ?… Merci… Je viens vous présenter votre nouveau confrère.

Les deux bavards s'étonnent.

— Martial revient pas cette année ? demande la fille.

Ho ! La voix ! J'ai toujours pensé que les dessins animés avaient acheté les droits vocaux d'une telle tonalité pour utilisation exclusive. Je ne croyais pas qu'une gorge humaine pouvait naturellement émettre ce timbre surréaliste, qu'on aurait pu créer en mélangeant l'ADN d'une souris avec celui de Denise Bombardier. Mais, bon, j'aurais beau vous décrire le phénomène pendant six cents mots, ça ne vous donnerait qu'une très vague idée. Ça ne s'explique pas, ça s'entend.

— Heu… non, répond diplomatiquement DP. Martial est retourné à Montréal, pour, heu… raisons personnelles.

La souris bombardière a une moue déçue, tandis que son interlocuteur, les fesses appuyées contre un bureau, a un sourire entendu en croisant les bras.

— C'est dommage ! commente la fille.

Puis, comme si elle réalisait son manque de tact en ma présence, elle lève deux bras en éclatant à nouveau de son rire agricole et me lance :

— Voyons, qu'est-ce que je raconte là, c'est pas ça que je voulais dire ! On est super contents de te connaître ! Viens nous voir, viens !

Je change ma mallette de main et marche vers eux avec un petit sourire de circonstance. Au fond du local, le Black (ou l'Arabe, criss, c'est vraiment pas clair) lève un œil vers moi, un seul, puis se remet au travail. La fille se lève d'un bond, comme si elle voulait sauter par-dessus tous les bureaux, et me tend la main.

— Zoé Zazz, enchantée !

J'ai peur de lui casser la main tant elle est filiforme. D'ailleurs, je me demande comment cette fille de vingt-sept ou vingt-huit ans arrive à tenir debout. Elle est si maigre que logiquement le poids de sa tête devrait la faire plier en deux. Elle a beau avoir de splendides longs cheveux bruns, des vêtements griffés, un sourire éclatant et des yeux bleus plutôt jolis, elle évoque trop l'anorexie pour être attirante. Baiser une fille dont on a peur de casser le coccyx à chaque coup de bassin ne m'apparaît pas comme une activité très excitante. Et cette voix ! Dieu du ciel, si elle jouit comme elle parle, j'espère que son amant vient avant elle !

Elle fait alors de grands signes vers Archlax, toujours planté dans l'entrée :

— C'est beau, Rupert, on va s'en occuper, inquiète-toi pas !

— Aline n'est pas ici ? demande-t-il. C'est elle qui devait…

— Elle est en réunion, elle va être ici plus tard ! Allez, ouste, ouste !

Elle lui fait signe de partir en rigolant, comme si elle se trouvait bien drôle. Rupert, pas piqué du tout, me souhaite une bonne journée, me rappelle que je peux venir le voir en tout temps, puis sort. Ça me rassure : quand je demeure trop longtemps en présence des patrons, j'ai immanquablement peur de faire une crise d'urticaire.

Le gars, toujours appuyé au bureau, décroise un de ses bras et me tend une main. Je dois faire un pas pour l'atteindre et la serrer.

— Rémi Mortafer.

Grand, cheveux poivre et sel courts, coiffés sur le côté. Habillement propre mais quelconque. Une quinzaine de kilos en trop. Malgré tout, il dégage un certain charme. Sa poignée de main est chaleureuse.

— Notre plus ancien du département! ajoute joyeusement Zazz.

— Vraiment? que je demande en déposant ma mallette sur le sol. T'es pourtant pas vieux.

— Quarante-sept ans, quand même. Merci de me le rappeler.

— Moi, j'en ai juste vingt-sept! glisse Zazz, sans aucun rapport.

— C'est moi qui ai le plus d'ancienneté dans le département, mais je ne suis pas le plus vieux, l'honneur est sauf.

— C'est vrai! le coupe de nouveau sa collègue en hochant la tête avec exubérance, comme si elle témoignait au procès du siècle. Je pense qu'Aline a un an de plus que toi. Peut-être même deux? Je sais plus trop…

— Et notre confrère silencieux, derrière, a sûrement dans la cinquantaine…

D'un pouce négligent, il indique derrière lui le Blackarabe qui, penché sur ses feuilles, continue à nous ignorer.

— Et tu travailles ici depuis combien de temps? que je demande.

— Quinze ans.

— C'est quand même pas beaucoup pour un cégep qui existe depuis… 1980, c'est ça?

— Faut croire que Malphas a de la difficulté à conserver ses enseignants longtemps, et pas juste dans notre département.

Il énonce cela avec un sourire entendu. Qu'il est bien le seul à entendre, d'ailleurs. Zazz, qui croit sans doute qu'elle cessera d'exister si elle demeure silencieuse plus de vingt secondes, clame :

— Moi, ça fait juste deux ans que j'enseigne ici, pis… Ouf !

Ce « ouf » est si intense que mes cheveux noirs naturellement dépeignés le deviennent un peu plus encore.

— Tu t'es donné comme mission de terrifier notre nouveau confrère, Zoé ? J'espère qu'il a un nom, car l'appeler ainsi toute l'année risque d'être lourd…

Et voilà, on y est. Je me présente donc avec fatalisme. Et aussitôt, Zazz éclate de rire, sans gêne.

— Crime ! T'es vraiment pas chanceux !

Au lieu de me choquer, sa réaction m'amuse. C'est bien la première fois que mon nom produit un résultat si honnête. Je souris donc :

— Ç'aurait pu être pire. J'aurais pu m'appeler Harper.

Cette fois, Zazz rit tellement qu'elle se tape sur les cuisses, ce qui est carrément dangereux vu la maigreur de celles-ci. Mortafer, les bras toujours croisés, se contente de la considérer avec un petit rictus blasé, comme s'il était habitué.

— Ou bien : Mussolini ! ajoute ma nouvelle collègue, les larmes aux yeux.

Je ris poliment, mais elle, elle n'en peut carrément plus et elle renchérit :

— Ou encore pire : Hitler !

Et elle hennit tellement qu'elle en vomit presque. Cette fois, mon sourire se fige, déconcerté. Mortafer se lisse un sourcil en poussant un léger soupir. Pleurant de rire, Zazz veut continuer :

— Ou pire enc…

— Tiens, Aline arrive.

Une femme aux longs cheveux noirs plats entre dans le département, galope vers le premier bureau près des fenêtres et farfouille dans les centaines de papiers éparpillés sur le meuble, en marmonnant des mots incompréhensibles, comme si elle voulait se rappeler quelque chose. Zazz essuie ses yeux puis, quasiment sur le ton de la confidence, me glisse :

— C'est la coordonnatrice du département.

La dénommée Aline trouve enfin ce qu'elle cherche, puis fonce vers la sortie. C'est Mortafer qui l'interpelle :

— Hé, Aline, t'as pas remarqué un changement dans le décor ?

La coordonnatrice freine en laissant presque du caoutchouc brûlé sur le plancher et se tourne vivement vers nous, comme si on crevait sa bulle. Quand elle m'aperçoit, son visage se détend et elle met le cap vers moi en jonglant avec ses feuilles.

— Ah oui, Rupert m'avait prévenue. Monsieur Sarkozy, c'est ça ? Enchan... Attendez, je vais changer de... Voilà, enchantée !

Sa poignée est cordiale, insistante même, et elle me regarde droit dans les yeux. Elle doit avoir cinquante ans et devait être jolie avant, mais quelque chose de plus implacable que l'âge altère ses traits : le stress, ou l'angoisse, ou quelque chose de la même famille. Mais elle sourit, un sourire sincère.

— Aline Poichaux, coordonnatrice du département. Écoutez, je suis vraiment désolée, il faut que j'y aille... J'avais oublié des papiers et... D'ailleurs, où sont-ils ? Ah, je les ai, franchement ! Je suis tellement... Lundi, sans faute, on se reparle, d'accord ? Parce que là, j'ai des choses importantes à faire... Enfin, je veux pas dire que vous êtes pas important, c'est juste que... Lundi, ça vous va ? Vous me pardonnez ? Vous allez vous en sortir ?

Je la rassure, lui dis qu'il n'y a pas de problèmes, ça fait tout de même quatorze ans que j'enseigne. Elle paraît un peu rassurée (juste un peu), me remercie, puis sort du local. Une tornade me saisit le bras et me guide : c'est Zazz qui insiste pour me faire visiter le département, comme s'il s'agissait du MoMa. Sous l'œil ironique de Mortafer, qui demeure assis sur son bureau, ma nouvelle collègue explicite le rôle de chaque bibliothèque et de chaque classeur. D'ailleurs, je me cogne la jambe sur le tiroir d'un de ces derniers qui s'ouvre au moment où je passe. Zazz le referme en rigolant :

— Fais-toi-z-en pas, les classeurs s'ouvrent tout le temps, il y a quelque chose de brisé dans leur mécanisme. Pis avec les budgets coupés, on est pas près d'en avoir des neufs !

On se dirige vers le mur latéral de droite, dans lequel s'ouvrent deux portes qui communiquent chacune avec un petit local adjacent. On entre dans le premier : deux bureaux avec deux ordinateurs.

— Celui de gauche fonctionne mieux. Celui de droite fonctionne aussi, mais disons qu'il est... En tout cas, moi, il m'énerve, le gauche est mieux. On a Internet, mais à basse vitesse. C'est comme ça partout dans Saint-Trailouin : pas de haute vitesse. C'est la vie ! Mais c'est une ville agréable quand même, tu vas voir !

Et elle rit, pour rien. Elle me rafle à nouveau le bras et nous sortons du local comme si un incendie venait de s'y déclarer. Nous entrons dans le second local, vaste table avec plusieurs chaises, un distributeur d'eau dans le coin, un frigo dans l'autre et une large étagère contre un mur, à environ un mètre soixante-dix du sol. Zoé m'explique qu'ils désignent ce local comme le local-dîneur, qui sert d'endroit pour luncher (d'où le nom, croit-elle utile de préciser) mais aussi pour des rencontres individuelles avec les étudiants. Si j'ai un lunch, je peux le mettre dans ce frigo. Je remarque qu'il y en a un second, plus petit, juché là-haut, sur l'étagère. Zoé soupire en secouant la tête :

— C'est le frigo privé de notre parano national.

— Qui ?

Du menton, elle désigne le département, et je comprends qu'elle me montre le Blackarabe au fond, qui travaille toujours en silence. Je veux demander des explications supplémentaires mais peine perdue : ses maigres mais vigoureux doigts agrippent mon bras et je décolle à nouveau jusqu'à ce que j'atterrisse devant un bureau vide. Zoé m'explique :

— L'ancien bureau de Martial. J'imagine que c'est maintenant le tien. Je me demandais, ce matin, pourquoi il n'y avait aucun des livres de Martial dessus. Là, je comprends : il est parti !

Elle dit cela comme si son raisonnement relevait de l'exploit. Je commence à avoir une surdose de cette fille :

— Merci, Zoé, mais maintenant, je voudrais m'installer...

— Ah, oui ! J'imagine que ça fait pas longtemps que tu sais que t'enseignes ici ?

— Depuis quatre jours seulement. Il a fallu que je déménage et...

— Pis je gage que t'as pas encore eu le temps de préparer ton plan de cours.

— T'es perspicace, on dirait.

Elle rigole. Si chacun de ses éclats de rire pouvait être transformé en kilowatts, Hydro-Québec devrait se recycler en parc aquatique.

— En tout cas, hésite pas si t'as des questions ! J'ai déjà donné le cours 102, je connais ça !

Comptes-y pas trop, ma chouette. Travailler en équipe avec cette fille doit être assez épuisant. De toute façon, j'ai l'habitude de bosser en solo. Elle va rejoindre Mortafer et recommence à papoter, reprenant sans doute leur discussion interrompue. Je sors dehors griller une cigarette. En fumant, j'observe le terrain vague qui entoure le cégep et remarque à cent mètres un vieil autobus scolaire, échoué dans ce vaste champ. Accident oublié ou sculpture moderne qui m'échappe? Je remonte au département, prêt à me mettre au travail. Maintenant, Zazz parle avec Mortafer d'un film qu'elle a vu cet été, une comédie qu'elle a « a-do-rée! » Un peu embêté par cette bruyante discussion, je vais chercher ma mallette et m'installe à mon bureau lorsque Mortafer, remarquant sans doute mon air agacé, propose au bout de quelques secondes à sa collègue d'aller discuter dans le local-dîneur. Ils s'y enferment et le silence est maintenant total, déchiré à l'occasion par le rire impossible de Zazz en sour-dine. Je remarque que la vague odeur désagréable persiste toujours. Elle ne provenait donc pas d'Archlax. Il y a sans doute quelque part dans le cégep des travaux qui nécessitent des produits chimiques malodorants…

Je vais dans le classeur général du département et consulte les plans de cours des autres profs qui ont donné le 102. Ça ressemble pas mal à ce qu'on faisait dans les deux autres cégeps où j'ai enseigné. Sauf qu'ici le siècle étudié est le dix-neuvième, ce qui me con-vient parfaitement, c'est sans doute mon époque litté-raire préférée. Je travaille pendant une quinzaine de minutes lorsqu'un bruit de glissement métallique se fait entendre. Je lève la tête et remarque qu'un tiroir de classeur s'est ouvert. En me levant pour aller le refermer, je me souviens qu'il y a un autre prof avec moi dans la salle, cet homme aux origines équivoques, celui que Zoé a appelé « notre parano national ». Il est toujours penché sur ses feuilles, très concentré. Je me demande si je devrais aller me présenter. L'étiquette et les bonnes manières n'ont jamais été mon fort, et franchement, j'en ai rien à crisser s'il ne veut pas me parler, mais en cette première journée je pourrais montrer un peu de bonne volonté, non ? Je m'approche et tends la main vers lui en me présentant. Il lève les yeux et me toise avec suspicion. Même d'aussi près, je n'arrive pas à me décider sur son ethnie. Son teint, ses yeux et sa bouche me font clairement pencher pour la branche arabe, mais ses cheveux crépus et son nez camus évoquent plutôt les Noirs du Sénégal ou d'Haïti. Et ce n'est pas son costume trois pièces très classique qui va me fournir quelque indice que ce soit. Il me prend la main assez mollement et articule :

— Mahanaha Hamahana.

Pendant une seconde, je suis convaincu qu'il me parle dans sa langue mais lorsqu'il répète, je comprends qu'il s'agit de son nom. Merde, comment je vais retenir ça, moi ? Peut-être a-t-il un surnom, genre Jack, ou Bill. En tout cas, son nom me situe au moins sur ses racines.

— C'est arabe, c'est ça ?

— Pou'quoua vous meu deumandez ça ?

L'accent haïtien est prononcé jusqu'à la caricature. Ostie, me revoilà à la case départ.

— Juste par curiosité. Vous venez d'où ?

— Deu chez moua, une peutite maison à dix minutes d'ici. Ça 'épond à vot'e question ?

— Non, je voulais dire…

Mais son regard incendiaire me fait comprendre qu'insister serait une aussi bonne idée que de chier sur son bureau.

— Je vais vous laisser travailler, je pense.

Il retourne aussitôt à ses papiers et je m'éloigne en haussant les épaules. En voilà un qu'Immigration

Canada n'engagera pas pour sa prochaine pub sur l'entregent des nouveaux arrivants.

Je travaille durant une heure, puis décide de continuer chez moi. Je songe un instant à saluer la minorité visible mais inclassable du département, puis renonce. Je vais ouvrir la porte du local-dîneur où Zazz et Mortafer discutent toujours.

— Je veux commander les trois romans de mon cours. Vous pouvez me dire où est la COOP du cégep ?

J'ai droit à deux explications : celle de Zazz, longue et parsemée d'apartés, puis celle de Mortafer, minimaliste et claire. Je remercie et leur souhaite bon week-end. Au moment de franchir le seuil de la porte du département, une femme arrive en sens inverse et nous nous immobilisons, face à face.

— Oups, désolé, que je dis.

Mais je ne m'écarte pas. Comment peut-on vouloir s'éloigner d'une telle femme ?

— Je m'appelle Julien. Le nouveau prof.

— Ah, oui, j'avais entendu dire que Martial partait. Enchantée. Rachel.

Elle ne me donne pas la main mais sourit. Je ne me souviens pas de la dernière fois où un simple sourire féminin m'a rendu semi-dur, mais c'est ce qui se produit en ce moment. Elle doit avoir quarante ans et ne tente pas de le cacher, mais aucune midinette de vingt ans ne peut dégager une telle aura. Ses cheveux mi-longs d'un roux flamboyant sont de ceux dans lesquels on voudrait se brûler la face. Elle n'est pas particulièrement mince, mais son tailleur ajusté souligne d'affolantes courbes dessinées pour le plaisir de toutes les mains du monde. Ses yeux noirs sont entourés de quelques rides, mais ils sont surtout emplis de cette assurance propre aux regards qui ont tout vu et qui promettent de nous en faire voir plus encore. Bref, elle respire le sexe mais avec classe. Contraste des plus stimulants.

— Enchanté, Rachel. Vraiment.

— Vous partiez, on dirait.

— Entre collègues, on peut bien se tutoyer.

— Ho, mais vous êtes bien prompt, Julien. Un peu de retenue, mon cher.

Elle sourit de nouveau, un sourire malicieux et mystérieux qui, filmé en gros plan, assurerait le succès de tout film porno. Et cette voix! Éduquée, élégante, mais avec un petit *feedback* rauque à peine perceptible, une voix à double personnalité: le jour, nous entendons la voix de Jekyll, mais nous imaginons toutes les obscénités proférées la nuit par celle de Hyde…

— Je vous jure qu'en ce moment je fais preuve de beaucoup de retenue…

J'y vais un peu fort pour une première rencontre, j'avoue, mais je n'y peux rien, je n'ai jamais pu cacher mon jeu à une femme qui me plaît, même s'il s'agit d'une nouvelle collègue. Elle sourit toujours, ni offusquée ni flattée par mon allusion. Elle est sans doute habituée.

— Vous permettez? demande-t-elle.

— Mais bien sûr.

Je m'écarte enfin. Elle passe, m'effleure (ce qui complète tout à fait mon érection déjà enclenchée) et marche vers la petite salle d'ordinateurs. Si vous connaissez la télésérie *Madmen,* vous pouvez vous faire une idée: prenez le personnage de Joan, imaginez-la plus vieille d'une dizaine d'années, et c'est Rachel. Je lance:

— Je m'en vais à la COOP. Vous pourriez peut-être venir avec moi pour me montrer le chemin?

Elle ouvre la porte de la petite salle et se tourne vers moi, au ralenti, comme dans un film de Wong Kar-wai. Ou de Xavier Dolan, c'est selon.

— J'ai encore tellement de travail… Mais je suis sûre que vous allez vous en sortir.

Et de nouveau elle a ce sourire qui se moque et qui, pourtant, encourage en même temps. Un sourire qui, sur une fille de vingt ans, pourrait avoir l'air agace. Mais pas sur les lèvres de cette femme. Elle n'agace pas : elle règne.

— À lundi, Julien.

Elle entre et referme derrière elle. Je souris à mon tour et sors du département. Ce soir, je vais me masturber en fantasmant sur cette bombe. Pas l'ombre d'un doute là-dessus.

Je trouve la COOP, qui est tellement en désordre que je me demande comment on peut y trouver quoi que ce soit. Il y a deux comptoirs. Un pour les élèves, l'autre pour les profs. Je vais à celui des profs et commande cent quarante exemplaires des trois romans choisis pour mon cours. Pendant que la fille écrit la commande, j'observe la file d'élèves devant le second comptoir. Derrière celui-ci s'affaire un jeune laideron de dix-sept ou dix-huit ans, sans doute un étudiant qui fait ce boulot à temps partiel. Chaque étudiant décline son nom, le jeune employé consulte une liste puis donne un cadenas à cadran et un agenda. Je remarque que tout cela est gratuit. Ça ressemble à un travail à la chaîne, mais un cadenas de casier et un agenda gratuits pour chaque élève, c'est sympathique. À Montréal et Drummondville, il fallait payer pour cela. En fait, au rythme où vont les choses dans le monde de l'enseignement, j'ai l'impression que les profs vont bientôt payer pour leurs craies en classe.

Une fois ma commande passée, je sors de la COOP et quitte le cégep pour aller travailler chez moi.

◆

Le lendemain, samedi, je passe la journée à travailler. Le soir, pour me relaxer, je me roule un joint. Ma réserve baisse, va falloir que je trouve un dealer dans le coin. Risqué, ça, pour un prof dans une si petite ville. On verra bien.

Évidemment, comme chaque fois que je fume, j'ai envie de sortir, mais je me retiens : je ne suis pas pressé d'être identifié dans les bars de ce patelin comme « le nouveau ». Je reste donc dans mon appartement à écouter de la musique en terminant mon joint.

Dimanche, je m'occupe de mon modeste appart, le décore un peu, vide une ou deux boîtes. Je tombe sur mes exemplaires de *Bitume mentale* et *La Vérité qui ment*. Je les considère avec une certaine amertume. Sur les couvertures, mon nom est écrit en plus gros caractères que les titres, choix sans doute peu avisé de mon éditeur. En tout cas, cette prétention a donné des munitions supplémentaires aux critiques. Comme si elles en avaient besoin... Surtout Guillaume Bilodeau, ce fumier frustré qui doit éjaculer chaque fois qu'il traîne un écrivain dans la boue. Celui-là, si je le rencontre un jour, je lui botte le cul tellement fort que la merde va lui gicler par les oreilles. Mais ce serait fort improbable que nous nous croisions : je ne me tiens ni dans les cocktails mondains ni dans les saunas gais.

Après hésitation, je range mes deux livres avec les autres, dans ma grande bibliothèque. On ne sait jamais : si des gens viennent chez moi, ils vont peut-être les voir...

Je lis toute la soirée et je passe à travers la moitié des *Cerfs-volants* de Gary. Encore une fois, son talent m'éblouit tellement que j'en ai les larmes aux yeux.

Je m'arrête à contrecœur vers onze heures. Je ne suis pas un couche-tôt, mais comme c'est ma première journée demain et que mon cours est à huit heures, je m'oblige à plonger dans mon lit. Comme promis, petite branlette en fantasmant sur Rachel, puis, après m'être tourné, retourné et contorsionné pendant une couple d'heures, je m'endors enfin.

Je me trouve dans le département d'arts et lettres. Il est désert à l'exception de Rachel, en sous-vêtements. Je sais bien que je rêve, donc aussi bien en profiter. Je m'avance vers elle en déboutonnant ma braguette. Affichant son sourire vicieux, elle se dirige vers la porte en roulant avec art son cul rebondi, puis disparaît dans le couloir. Pas question que je la laisse filer, surtout pas en rêve. Je me précipite donc dans le couloir obscur. Pas de Rachel. À la place se tient sur le sol un corbeau qui me fixe de ses deux billes noires. Je ne sais pas pourquoi, mais je jurerais qu'il s'agit du même que celui perché à la fenêtre d'Archlax cet après-midi. Vexé, je remonte mon pantalon à moitié descendu et fais de grands signes avec mes mains pour effrayer le volatile.

— Décrisse! Je veux Rachel! C'est mon rêve, c'est moi qui commande!

— Parce que tu crois que tu commandes quoi que ce soit?

C'est le corbeau qui a parlé, d'une voix très rauque, très film d'horreur de série Z. Décidément, ce rêve devient de plus en plus stupide. Je soupire.

— Tant pis, aussi bien me réveiller…

— Tu imagines qu'enseigner ici va être la même chose que dans les autres cégeps, n'est-ce pas?

— J'ai dit que je veux me réveiller.

— Même si tu te réveilles, le cauchemar continuera.

— Quel cauchemar?

Un bruit se fait entendre au loin. À l'autre bout du couloir, une lumière rouge perce l'obscurité, une lueur infernale qui provient du tournant à gauche. Une rumeur malsaine plane entre les murs, des cris, des pleurs, des rires, des grognements, comme si la fin du monde approchait. Et sur les murs éclaboussés de lumière, des ombres grotesques, impossibles, se mettent à danser et grandissent. Le corbeau me regarde toujours et je jurerais que son bec esquisse un sourire. Sa voix rauque réussit à couvrir la rumeur apocalyptique qui devient assourdissante.

— Bienvenue à Malphas, Sarko.

CHAPITRE DEUX

Où l'on assiste à la rentrée, dans la joie et l'allégresse

Il en manque le tiers. Treize, pour être exact. Je le sais, je viens de prendre les présences. Vingt et un seulement ont marmonné « présent ». Pour un premier cours, c'est le plus haut taux d'absentéisme auquel j'ai fait face. Je m'assois sur mon bureau, ma position préférée quand j'arrose ma classe de mon savoir. Ils me reluquent tous avec curiosité, même si la plupart ont encore les yeux à demi fermés. Commencer la session à huit heures du matin avec un cours de français, ça fesse, hein, mes lapins ? Moi-même, malgré mon excitation, je nage quelque peu dans la guimauve. Après mon rêve absurde de cette nuit, je ne me suis pas vraiment rendormi. Et je ne pardonne pas encore à mon inconscient d'avoir choisi une discussion stupide avec un corbeau plutôt qu'une bonne baise avec la MILF du département.

J'examine la classe autour de moi. Les murs sont du même vert maladif que celui du département, de la cafétéria et de la plupart des couloirs que j'ai traversés. Est-ce que cette couleur était en solde chez le quincaillier au moment de la construction du cégep ? Et cette odeur vaguement écœurante que j'avais remarquée vendredi n'a toujours pas disparu. Peut-être est-ce cette foutue peinture qui la dégage... Je me tourne vers mon auditoire et me lance :

— Bonjour. Je vais vous dire mon nom et si vous voulez rire, c'est le moment, parce qu'après ça je ne tolérerai plus aucune blague sur ce sujet, d'accord ? (silence) Je m'appelle Julien Sarkozy.

Certains haussent les sourcils, quelques-uns ricanent, mais au moins la moitié demeure aussi marmoréenne qu'un fonctionnaire de la SAAQ. Je ne sais pas si un taux si élevé d'indifférence doit me faire plaisir ou m'inquiéter à propos du degré d'inculture de ma classe. Comme pour faire pencher la balance du côté de cette seconde possibilité, un garçon qui tente vainement de ressembler à Bizz des Loco Locass demande :

— Sarkozy, c'est pas le chef de l'Italie, ça ?

Je ris ou je pleure ? Au moins une dizaine d'élèves se foutent alors de sa gueule :

— De la France, épais !

— T'es ben con, de pas savoir ça !

La tête de Turc se lève, furieux :

— Vous avez pas le droit de rire de moi !

Et les poings serrés, comme un personnage de BD, il traverse la pièce et sort de la classe en claquant la porte. Je fixe celle-ci de longues secondes, pris au dépourvu, puis je reviens au reste de la tribu. Personne n'est vraiment surpris. Une fille demande un peu timidement :

— Finalement, Sarkozy, c'est le chef de la France ou de l'Italie ?

— De la France, que je réponds. Mais appelez-moi tout simplement Julien, et par pitié, tutoyez-moi. J'ai juste trente-huit ans, même si, certains matins, j'ai l'impression que j'en ai soixante-douze.

Quelques rires. Bon, ça se réveille tranquillement. Je me présente avec plus de détails, explique que j'enseigne depuis quatorze ans, trois ans dans un cégep de Montréal et le reste à Drummondville.

— Pourquoi vous êtes venu à Saint-Trailouin? demande une fille.

— Pour toutes sortes de raisons.

— Vous avez vraiment choisi de venir ici? insiste un garçon.

— Bien sûr.

Comme je mens assez bien, je me dis qu'on va me croire sans problème. Pourtant, quarante yeux se froncent d'incrédulité. Une autre élève, sorte d'émule *cheap* de Rihanna, rigole:

— Mauvaise décision, *man*!

Je reconnais ce gargouillement dans mon ventre, comme si mon acide gastrique se trouvait dans une bouilloire sifflante. Du calme, Sarko, tu vas quand même pas piquer une crise de colère dès ta première journée... Je me contente donc de répliquer froidement:

— On verra ça, pitoune.

Surprise générale, surtout de la part de la bimbo qui, insultée, caquette:

— Pourquoi tu me parles de même?

— J'ai le droit d'être aussi irrespectueux que tu l'es.

Marmonnements divers. J'ajoute d'une voix plus neutre:

— Si vous voulez me faire chier, je vais vous faire chier à mon tour, pis vous allez voir que je peux être un laxatif redoutable. Mais si vous êtes *cool*, je vais l'être.

Ils enregistrent. L'un d'eux, plus âgé que les autres, m'étudie avec plus d'insistance que ses camarades et je reconnais le grand barbu maigre de l'autre jour, celui qui, vendredi, attendait dans la ligne d'élèves et me considérait avec suspicion. D'ailleurs, il a toujours le même regard soupçonneux. T'as besoin de changer d'air, ma chouette, parce que j'endurerai pas tes allures à la Humphrey Bogart tellement longtemps…

Je continue mon laïus. Je leur dis être conscient qu'ils ont coulé le cours 102 et comprends parfaitement que l'adrénaline ne leur gicle pas par les oreilles à l'idée de le recommencer, mais je leur garantis que je vais rendre cela le plus agréable et le plus fascinant possible. On me toise avec scepticisme. Sauf une fille, une Noire plutôt jolie avec des cheveux attachés en queue de cheval, qui écoute mes paroles comme si je lui apprenais qu'elle allait faire le tour du monde.

— Vous aurez trois livres à lire, comme dans chaque cours de français. Ils devraient être disponibles à la COOP d'ici quelques jours. Je vous écris tout de suite les titres au tableau.

Je cherche une craie. Pas de craie. Je continue mes recherches et un gars finit par lancer d'un ton moqueur :

— Demande à Gus, je suis sûr que c'est lui qui a pris tes craies…

Et il indique du menton un gars aux cheveux longs dans le coin. Le dénommé Gus joue les outrés :

— Voyons, je les ai pas, moi, les craies !

Mais il paraît gêné et le délateur rigole en douce. Les autres élèves, tout comme moi, ne comprennent pas trop l'allusion. Je demande :

— Gus, c'est toi qui as les craies ?

— Pas pantoute ! Pourquoi je les aurais prises ?

Il est de plus en plus mal à l'aise, le Gus. Je hausse les épaules, renonce à comprendre et fouille dans mon bureau : un bout de craie roule dans le tiroir vide. Je vais donc au tableau et écris les trois titres : *Le Horla* de Maupassant, *Germinal* de Zola et *Les Fleurs du mal* de Baudelaire.

— Je les ai lues, *Les Fleurs du mal*, la session passée ! soupire quelqu'un.

— Moi aussi, renchérit un autre chialeux.

— Eh bien, vous les relirez, que je rétorque. Manifestement, vous les avez pas comprises la première fois puisque vous êtes ici.

Je reçois un pot-pourri de regards, certains amusés, d'autres piqués. Comme d'habitude, mon côté baveux et arrogant plaît à certains et en choque d'autres. C'est comme ça, mes lapins, va falloir vous y faire.

— Sont-tu longs, ces livres-là ? demande une fille.

Si on m'avait enlevé un cheveu chaque fois qu'un étudiant m'a posé cette question, je serais chauve depuis belle lurette, moi qui suis pourtant pourvu d'une épaisse crinière.

— Baudelaire, ce sont des poèmes, nous n'en lirons qu'une trentaine. *Le Horla,* c'est une nouvelle d'une quarantaine de pages.

L'espoir embaume l'air, mais je le dissipe rapidement :

— *Germinal*, c'est cinq cents pages.

Exclamations, gémissements et grincements de dents s'unissent en une symphonie que Moussorgski n'aurait pas reniée. Un garçon éclate en sanglots, une fille s'arrache les cheveux à pleines poignées et un grand à lunettes, au centre de la deuxième rangée, tente de se faire hara-kiri avec son crayon, heureusement mal aiguisé. Certes, les manifestations de profond désespoir me sont familières depuis longtemps, mais je trouve tout de même que celles-ci sont un brin excessives. Seule la Black à la queue de cheval inscrit les titres des livres avec un large sourire et un stylo. Si elle aime tant lire, pourquoi a-t-elle échoué le cours l'an passé ? Son français écrit est sans doute catastrophique.

— Ça y est ? que je dis patiemment, avec un sourire en coin. Vous vous êtes bien exprimés ? Vous m'avez voué, moi et mes descendants, aux feux de l'enfer ? Ne craignez rien, vous allez survivre. Du moins, la plupart d'entre vous. Et si vous vous ouvrez l'esprit, vous allez peut-être même vous surprendre à aimer ce livre, pourquoi pas ?

Je commence à passer le plan de cours et nous le lisons ensemble. Juste avant la première pause (le cours dure quatre heures et il y a trois pauses de dix minutes), je demande s'il y a des questions. Mon barbu méfiant lève la main et je lui fais signe qu'il peut parler.

— T'aurais pas écrit la rédaction de romans, par hasard ?

La dernière fois que j'ai été si estomaqué, c'est lorsque mon ex-femme m'a avoué qu'elle savait que j'avais couché avec certaines de ses meilleures amies. Après quelques secondes de stupéfaction, je réponds au barbu les mêmes mots que j'avais balbutiés à mon ex :

— Heu… oui, deux.

Tout le monde me considère maintenant avec un nouvel intérêt et, ma foi, ce n'est pas désagréable.

— Ah, c'est ça… Je me rappelais plus le souvenir de ton nom, mais la face de ton visage me disait quelque chose en me le rappelant… J'ai vu tes photos sur l'arrière du dos de tes romans.

Si ce gars écrit comme il parle, la correction de ses textes s'apparentera à du sport extrême.

— Ah, bon ? Tu les as lus ?

— Oui.

Criss de saperlipopette ! À l'exception de mon ex et de deux ou trois amis, je n'ai jamais rencontré aucun de mes lecteurs ! Il est vrai que les chances de vivre une telle expérience sont minces : quarante-six personnes à travers tout le Québec, c'est assez dispersé. Mon cœur se met à battre comme celui d'un fan qui trouve le premier caleçon de Michael Jackson sur eBay. Mais pas question de montrer mon excitation. C'est donc d'un air détaché au point d'en être décollé que je demande :

— Ah… Et tu les as trouvés comment ?

— Poches.

Il prononce ce bref jugement sans accent d'arrogance ou de moquerie. Il aurait dit le mot « escabeau » sur le même ton. Personne ne bouge, tous attendent ma réaction. Dans toutes les occasions, je peux réagir, répondre, me fâcher, perdre les pédales. Toutes, sauf une : quand on critique mes livres. Quand cela arrive, je rugis intérieurement, mais de l'extérieur, je gèle, pris d'une pudeur tout à fait inhabituelle. Peut-être parce qu'au fond je doute moi-même de la qualité de mes romans… Je me racle donc la gorge comme si non seulement elle renfermait un chat mais toute sa portée et j'annonce d'une voix blanche :

— Pause de dix minutes.

◆

Le reste du cours se passe heureusement sans autre humiliation du genre. Au retour de la pause, je remarque que ma seule et unique craie a disparu. Lorsque le dénommé Gus revient en classe, je ne peux m'empêcher de lui demander si c'est lui qui l'a prise. Il me jure que non et je n'insiste pas, me trouvant ridicule. Je disparais donc une minute pour dénicher une craie dans une autre classe vide.

Puis, nous commençons à étudier le Romantisme du début du dix-neuvième siècle, ce qui donne le signal d'envoi à quelques étudiants pour entamer leur long vol vers la lune. Mais comme j'explique avec beaucoup de dynamisme, la plupart m'écoutent, surpris de trouver un peu d'intérêt à ce que je raconte. Ça, c'est ma fierté : je suis un bon communicateur, un bon animateur. Un bon prof, j'en sais crissement rien, parfois j'espère. Mais je donne un *show* de qualité. Réussir à soutenir l'attention de jeunes qui, normalement, trouvent ennuyant tout événement sans hémoglobine, ni sexe ni explosion, c'est déjà pas mal.

Après la seconde pause, l'élève qui était sorti au début du cours, celui qui s'était senti insulté, revient dans la tribu. Assis derrière sa table, les bras croisés, il affirme très sérieusement qu'il consent à donner une seconde chance à la classe. Tout le monde semble s'en balancer autant que de la dernière prophétie de Nostradamus.

Lorsqu'il ne reste qu'une demi-heure de cours, je demande à mes étudiants de m'écrire un court texte, d'environ cent cinquante mots, sur le dernier film qu'ils ont vu. Il s'agit en fait, pour moi, d'un texte diagnostique, pour vérifier quelles sont leurs plus grandes lacunes en français, pour identifier les élèves les plus faibles afin de mieux les aider. Lorsqu'ils auront terminé leur texte, ils pourront partir, mais je leur demande tout de même de s'appliquer dans leur français, sinon l'exercice est superfétatoire. Au bout de dix minutes, les premiers élèves sortent. Manifestement, ceux-là ont accordé à cette activité autant d'importance qu'à l'évacuation de besoins naturels. À un moment, la Noire à la queue de cheval se lève, vient déposer sa copie sur la pile et, toute contente, me confie à voix basse :

— J'ai hâte de lire les livres, je suis sûre que ça va être super bon !

Je la remercie d'un petit sourire et elle sort. Voilà le genre de commentaire qui redonne foi en notre profession. Je vérifie son nom sur sa copie : Nadine Limon. J'ai hâte de lire sa copie. Si elle est aussi brillante qu'elle est *cute*… Bon, elle a l'air un peu trop schtroumpfette, du genre qui doit sentir toutes les fleurs qu'elle croise en couinant de bonheur, mais jolie quand même. Et une schtroumpfette noire, c'est pas banal.

À la fin, il ne reste que le barbu, qui s'applique sur sa copie comme un enfant qui écrit au père Noël. Je regarde ma montre : onze heures cinquante-deux.

— Le cours est fini depuis deux minutes.

— Une micro-seconde…

Il écrit à toute vitesse, puis :

— J'ai… fini.

Et il se lève, sac dans une main, copie dans l'autre. Je tente de n'afficher aucune animosité tandis qu'il approche, mais j'ai encore sa brève et assassine critique de mes livres en travers de la gorge. Il dépose la copie en ricanant, embarrassé.

— J'ai peut-être été un peu *heavy* dans ma dureté de tout à l'heure…

— Peut-être. En fait, l'étape suivante dans l'échelle de l'insulte, c'est le crachat, je pense…

— C'est juste que les romans qui mêlent l'entre-croisement de l'humour pis du genre policier, c'est pas ma tasse de café…

— Je suis pourtant pas le premier à écrire du roman policier avec une ambiance humoristique.

— Je le sais. Je parle juste des goûts de mes préférences. Pis moi, je suis comme de même : j'énonce ce qui me traverse l'esprit quand je pense mes idées.

Le pire, c'est qu'on ne peut pas évoquer l'excuse de la langue seconde pour expliquer un tel massacre syntaxique : il n'a aucun accent, il est aussi Québécois que moi. Il ajoute :

— Ça doit être à cause de la faute de ma déformation professionnelle.

— Déformation *professionnelle* ?

— Je suis journaliste. Rédacteur en chef du journal étudiant de Malphas, pour être précis en exactitude.

Il dit cela comme s'il espérait m'impressionner. Je jette un œil sur sa copie : Simon Gracq.

— T'as l'air plus vieux que les autres, Simon.

— Je le suis. Je compte vingt-cinq ans à mon âge.

— Retour aux études ?

— Non, non, je suis étudiant dans l'endroit d'ici depuis que j'ai dix-sept ans.

— T'as pas encore réussi à obtenir ton diplôme ?

— Je prends juste un cours par session chacune. J'ai pas le choix d'autres options si je veux m'occuper professionnellement comme il faut du journal. Moi, je m'adonne jamais à faire quelque chose à moitié.

— Sauf tes études.

— Oui, mais, bon…

— À un seul cours par session, tu trouves le moyen de couler ton français 102 ?

— J'ai aussi effectué la doublure de mon 101 en le refaisant.

— Je vois.

— Je sais, je sais, je fais l'application de mes études tout croche, mais je suis prêt à payer le prix du sacrifice que je fais pour ça. Parce que si je néglige mon attention au journal, qui va informer les étudiants des choses qui se passent dans le quotidien de l'actualité au cégep ?

Je hoche doucement la tête. Je dois trouver une copie de la dernière édition du journal étudiant : je vais sans doute me bidonner un bon coup. Tout à coup, son air soupçonneux revient et, tout en fouillant dans la poche de son vieux veston trop grand, il me demande :

— Vous avez affirmé l'aveu que vous avez choisi de venir enseigner dans l'endroit ici ?

Il sort une cigarette ratatinée de sa poche et se la fiche entre les lèvres. Je le préviens que s'il fume dans le cégep, il va s'attirer des ennuis.

— Non, non, je fume point. C'est juste qu'avoir une cigarette entre les lèvres de ma bouche, ça m'aide à me concentrer sur les réflexions de mes idées.

Vraiment ? Dommage que ça ne t'aide pas aussi à parler. Il continue :

— Alors, pas de *joke*, vous êtes venu ici par le choix de votre propre chef ?

— J'ai dit tout à l'heure qu'on pouvait me tutoyer.

— Quand je suis en tant qu'élève, pas de problème, mais là, je suis dans mon chapeau de journaliste. L'éthique du travail, vous saisissez la compréhension ?

Je ne dis rien. Il répète :

— Donc, vous êtes ici par… ?

— Par le choix de mon propre chef, exactement.

Il rétrécit ses yeux avec scepticisme, éloigne la cigarette de sa bouche et fait semblant de rejeter de la fumée vers moi. Pendant une seconde, je songe à faire semblant de m'étouffer, mais je ne suis pas certain qu'il saisirait l'ironie. Il replante la cigarette entre ses lèvres :

— Tout le monde a esclaffé un ricanement tout à l'heure, quand vous l'avez dit, vous vous rappelez du souvenir ?

— Oui, mais j'y peux rien.

— Moi, je ris point.

Eh oui, c'est bien ça le pire.

— Je ris point parce que je crois pas que les profs se retrouvent à venir ici par choix de leur propre chef.

— Tu crois que personne va travailler en région de son plein gré ? T'as des préjugés pires que ceux des citadins.

— Non, je parle pas de la région proprement en général, je parle d'*ici*. De Malphas.

OK, ma chouette, tu commences à me lasser, avec ta cigarette éteinte et tes phrases dignes d'une traduction électronique. Je range donc mes choses dans ma mallette :

— Bon, on va aller manger tous les deux chacun de notre côté, d'accord ? Moi, mes sandwichs, et toi, tes médicaments.

— T'es sûr dans ta conviction que tu veux pas m'accorder une entrevue sur les raisons du pourquoi que t'es ici ? Ça captiverait l'intérêt des lecteurs.

— À la semaine prochaine, Simon.

Je sors. Il va être lourd, celui-là.

Au département, je vais chercher mon lunch et me dirige vers le local-dîneur. S'y trouvent déjà, autour de la table, Mortafer, Zazz et Poichaux, en train de bouffer leur lunch. Zazz m'accueille comme si j'étais le fils prodigue de retour d'une longue épopée et Mortafer m'invite sobrement à me joindre à eux. Je prends mon lunch dans le frigo et m'installe. Poichaux s'excuse à nouveau pour vendredi, affirmant qu'elle était vraiment, vraiment occupée. Je lui répète qu'il n'y a aucun, aucun problème. Ça la rassure. Elle me demande si je viens de donner mon premier cours. Affirmatif, madame la coordonnatrice. Je précise que ça s'est plutôt bien passé.

— Il y a quelques élèves étranges… Comme ce Simon Gracq…

— Ah ! Notre grand journaliste, commente Mortafer. Laisse-moi deviner : il a voulu t'interviewer.

— Heu… Exactement…

— Il fait le coup à tous les nouveaux profs, précise Zazz, la bouche pleine d'une maigre salade. Il croit que c'est impossible qu'on vienne enseigner ici par choix !

— Oui, un peu parano, que je dis avec un rire un peu forcé, du genre hooo-haha.

— L'est-il vraiment ?

Mortafer pose la question avec son petit sourire qui cherche à installer l'inconfort. Poichaux, le visage inquiet, commence à rouler une mèche de ses cheveux noirs autour de son index. C'était la gestuelle de mon ex lorsque je lui demandais si elle avait envie d'essayer l'échangisme et qu'elle ne savait plus comment me répondre non.

— Ben voyons ! rétorque Zazz. Moi, c'est pas compliqué : je suis une fille de Saint-Trailouin, pis j'avais envie de revenir ici !

Et elle engouffre un morceau de sa salade qui n'a l'air ni grasse, ni sucrée, ni bonne. Mortafer ajoute :

— Tu es la seule, dans le département, qui est de la région…

Au même moment, Mahachose, le prof à l'ethnie floue, entre dans le département. Sans un bonjour pour personne, il va à son petit frigo privé juché sur l'étagère du fond près du plafond, lève les bras pour l'ouvrir et en sort un sac de plastique. Il regarde à l'intérieur, puis, furieux, demande à la ronde :

— Qui a fouillé dans mon f'igo pe'sonnel ?

Zazz et Mortafer ne font aucun effort pour camoufler leur exaspération. L'enseignante soupire :

— Personne, Mahanaha, personne…

— Neu meu mentez pas ! Mes aliments n'étaient pas disposés commeu ça dans mon sac !

— D'accord, j'avoue, c'est moi, fait Mortafer d'une voix égale. J'avais une subite envie de bouffe casher, je n'ai pas pu résister et je suis venu dévaliser ton frigo en cachette pendant une pause.

Bouffe casher ? Il serait donc Juif ? Mais Hamahana ne trouve pas son collègue comique du tout. Il pointe un doigt vers lui :

— Toua, Mo'tafe', neu commence pas l'année commeu ça !

Notre coordonnatrice, elle, paraît plus soucieuse qu'agacée, tellement que si elle n'arrête pas d'entortiller ses cheveux autour de son doigt, elle va s'auto-scalper d'ici peu. Aux derniers mots de Hamahana, elle se lève en dressant deux mains apaisantes :

— Tout va bien, d'accord ? Commençons l'année du bon pied, s'il vous plaît ! Rémi voulait seulement faire une blague, Mahanaha, voyons, c'est pas de l'antisémitisme ! On peut faire des blagues de bon ton sur les us et coutumes juives, moi-même j'en connais plein ! Enfin, plein, je veux dire deux ou trois... Mais elles sont de bon goût ! Si Rémi, par exemple, avait dit que, pour faire monter vingt Juifs dans une voiture, on a juste à les brûler et à les mettre dans le cendrier, alors là, oui, ç'aurait été très déplacé, et... Enfin, je voulais pas raconter une blague raciste, là, mais c'était juste pour donner un exemple de ce qui serait vraiment inacceptable, donc... De toute façon, jamais Rémi aurait raconté une blague comme ça devant toi, Mahanaha, il aurait attendu que tu sois pas là... Enfin, non, je veux pas dire qu'il est hypocrite, t'es pas hypocrite, Rémi, loin de là ! T'as ben des défauts, mais pas l'hypocrisie ! Tu ris toujours du monde en pleine face, pas dans leur dos... Ben là, je veux pas dire que tu ris du monde, mais si tu le faisais, tu le ferais sans te... sans t'en... C'est juste que, comme Mahanaha est parano, tu évites en général de le... J'veux dire, t'es pas vraiment parano, Mahanaha, c'est juste que des fois tu... tu...

Elle se tait, se passe longuement la main sur le front en fixant le sol comme si elle espérait qu'il s'ouvre sous ses pieds, puis annonce d'une voix atone :

— Je vais aller aux toilettes, moi...

Et elle s'éclipse sans regarder personne. Mahanaha reporte son attention vers nous, moi compris, et prévient en désignant le petit frigo sur l'étagère :

— Pe'sonne neu fouille dans mon f'igo !

Et il sort à son tour, sac à lunch en main.

— Il est Juif ? que je demande, incrédule.

— Oui, répond Mortafer en poursuivant calmement son repas. On le sait parce qu'il nous le rappelle constamment.

— Mais il est Haïtien ou Arabe ?

— On le sait pas, fait Zazz en haussant ses épaules avec tant d'exagération qu'elles dépassent presque sa tête. On sait pas grand-chose sur lui...

Je regarde vers le département : Mahanaha mange seul à son bureau, l'air buté. Je mords dans mon sandwich et reviens à mes collègues. Eux ne donnent leur premier cours que cet après-midi, à treize heures trente. Je demande si la dénommée Rachel enseigne aujourd'hui. La question est posée avec désinvolture, comme si je m'informais de la température, mais Mortafer n'est pas dupe et j'ai de nouveau droit à son petit sourire effronté :

— Tu as déjà rencontré Rachel ?

— Oui. Je suis tombé sur elle vendredi... En fait, j'aurais aimé mieux tomber *dans* elle, mais, bon...

Le meilleur moyen de savoir à qui l'on a affaire, c'est de lâcher des blagues salaces. La réaction des auditeurs en dit long sur eux. Par exemple, Mortafer se met à rigoler, et même si je vois très bien dans son regard qu'il trouve ma blague très drôle (alors qu'après tout elle était très facile), il tempère son ricanement. Diagnostic : bon vivant mais attentif à son image. Quant à Zazz, qui cherche normalement toutes les occasions pour se décrocher la mâchoire, elle se contente de sourire assez froidement. Diagnostic : jalouse ou pudique. Je penche pour la première possibilité.

— Elle enseigne cet après-midi, je crois, en même temps que Zoé et moi. Mais elle ne dîne jamais au cégep.

Voilà une bien triste nouvelle. Puis je change de sujet :

— C'est quoi, au juste, cette odeur bizarre ? Je suis le seul qui la sens ou… ?

— Non, non, t'as raison, y a une mauvaise odeur dans le cégep, confirme Zazz. Elle est toujours là.

— Toujours ?

— Ça fait quinze ans que je suis ici et ça fait quinze ans que ça sent *ça,* dit Mortafer. Tu vas voir, on s'habitue. Moi, je ne la remarque plus vraiment.

— Mais… C'est quoi qui produit cette odeur ?

— On sait pas, répond Zazz.

Je veux insister, mais une femme entre alors dans notre petite salle. Enfin, je devrais plutôt dire un être humain qui a laissé sa féminité à la maison. Une crinière brune et longue, sans coupe précise, si en désordre qu'on jurerait qu'aucun cheveu ne touche à un autre. Des lunettes à la Woody Allen. Une peau assez vilaine qu'aucun maquillage ne tente d'améliorer. Elle doit mesurer à peine cinq pieds. La première moitié de son corps, celle du haut, est mince et perdue dans un t-shirt noir trop grand, tandis que la seconde moitié, celle du bas, est très large et boudinée dans un jeans trop étroit. Elle ressemble à une peinture cubiste. Mais soyons juste : même si elle s'arrangeait mieux, elle ne serait sans doute pas tellement plus jolie.

— Salut, Megan, fait Mortafer. Tu livres ton premier combat tout à l'heure ou c'est déjà fait ?

La nouvelle venue lance son sac à lunch sur la table mais ne s'assoit pas :

— Je viens juste de donner mon premier cours. Je suis restée un peu pour faire signer ma pétition aux élèves.

Étonnamment, la voix est féminine et plaisante. Comme si un éboueur chantait de l'opéra.

— Quelle pétition ? demande Zazz.

— Celle qui demande à la direction d'enlever les cours de mise à niveau.

— Mais… C'est pas ce cours-là que tu viens de donner ?

— Justement ! Sur quatre groupes, j'en ai deux qui sont des osties de mises à niveau ! *Ils* m'ont donné ça ! À moi ! C'est un complot, câlice ! Un criss de complot à marde !

L'éboueur chante peut-être de l'opéra, mais le livret a été écrit par Plume Latraverse (celui des années 70, soyons juste). Zazz et Mortafer ne paraissent pas du tout interloqués par les éclats de leur collègue. Même que Zazz, pimpante comme à son habitude, me désigne du doigt :

— Tiens, je te présente un nouveau prof ! Il remplace Martial.

L'échevelée me voit pour la première fois et se calme, ce qui ne l'empêche pas de conserver un visage sévère. Je suis convaincu qu'elle dort les sourcils froncés. Elle remonte ses lunettes sur son nez et me tend la main. Vu sa petitesse, je n'ai même pas à me lever pour la lui serrer.

— Megan Valaire, ça me fait plaisir.

Merci de le préciser.

— Enchanté. Julien.

— Julien comment?

Zazz pouffe derrière sa main. Je réponds avec lassitude :

— Sarkozy.

Zazz sourit à pleines dents et attend la réaction de sa collègue. Valaire hausse d'abord les sourcils puis, sans me lâcher la main, les fronce en marmonnant :

— J'espère que tu le portes très mal…

— Quoi, ça?

— Ton nom.

Je souris. Finalement, je la trouve plutôt sympathique, cette harpie.

— Je peux te garantir que je le porte extrêmement mal.

Elle hoche lentement la tête, toujours sans sourire.

Tout à coup, une rumeur parvient jusqu'à nous : exclamations, bruits de course, même quelques cris. Surpris, nous tournons d'abord la tête puis sortons du local-dîneur. Par la porte ouverte du département, nous voyons des étudiants passer à toute vitesse et même des professeurs d'autres disciplines. Que se passe-t-il? On distribue du pot gratuit à la cafétéria? Au même moment, Poichaux revient des toilettes :

— Il paraît qu'il s'est passé quelque chose de grave, en bas !

Nous nous dirigeons tous vers la porte, sauf Hamahana qui poursuit son repas, seul à son bureau. Derrière moi, j'entends Mortafer soupirer :

— Déjà? Et nous ne sommes que la première journée…

TROIS MINUTES PLUS TÔT

Julie Thibodeau, ses cahiers sous le bras, marche vers la section des casiers en se plaignant d'un air théâtral.

— Déjà que philo, c'est plate à mort, mais avec ce prof-là, ça va être trop mortel, j'te jure !

À ses côtés, son amie Fanny approuve, comme toujours :

— C'est vrai que c'est plate, la philo !

— Mais… l'année passée, tu m'as dit que t'aimais ça !

— Oui, mais… Heu… J'ai changé d'idée cet été.

Julie roule des yeux et se fraie un chemin à travers la masse d'élèves qui, tout comme elle en cette heure de dîner, vont ranger ou chercher leurs affaires. Elle s'arrête devant son casier puis tend ses cahiers à Fanny, qui comprend tout de suite et prend le tout. Les mains libres, Julie fouille dans son sac à main :

— Je vais essayer de dîner avec Ben…

— Ben ? Le meilleur ami de Nico ?

Julie ne dit rien et sort de son sac le numéro de son cadenas. Elle le consulte, puis commence à tourner les chiffres du cadran tandis que Fanny, d'un air entendu, marmonne :

— Tu veux rendre Nico jaloux, c'est ça ?

— Pas pantoute ! Je l'ai laissé justement pour pouvoir avoir Ben ! Nico, c'est fini !

Elle ouvre son cadenas et ajoute :

— Il viendrait se jeter à mes pieds que je voudrais plus de lui !

Elle ouvre son casier. Une marée rouge jaillit du compartiment et éclabousse les pieds de l'adolescente en une longue cascade poisseuse formée de sang, de morceaux de chair, de membres tranchés et d'organes divers. *Pétrifiée, Julie fixe avec horreur une moitié de tête qui oscille quelques secondes sur ses souliers avant de s'immobiliser. Fanny écarquille les yeux et s'écrie :*

— Nico ! Mon Dieu, Julie, c'est Nico !

Julie hoquette d'épouvante, donne un coup de pied et la demi-tête, après un bref vol plané, rebondit contre un autre casier fermé avant de retomber sur le plancher en un bruit flasque. Julie recule rapidement, jusqu'à ce que son dos percute la rangée de casiers derrière elle, puis elle se met à crier. Tous les élèves se sont approchés : certains demeurent figés d'ahurissement, d'autres se sauvent en criant, certains prennent des photos avec leur cellulaire.

Julie, elle, toujours appuyée contre les casiers, ne peut arrêter de hurler, son regard fou fixé sur les restes déchiquetés de son ex.

CHAPITRE TROIS

Où il est démontré qu'une telle journée ne pouvait se terminer qu'en bad trip

Mortafer, Valaire, Zazz, Poichaux et moi, on suit le courant qui nous transporte en bas jusqu'au secteur des casiers (qui, bien sûr, sont tous verts, mais plus foncés que les murs, tout de même). Une masse d'une cinquantaine d'élèves s'y trouve, mais quelques-uns s'en détachent pour fuir, comme s'ils avaient vu un monstre à trois têtes ou, pire, le défilé du père Noël. Quelqu'un n'arrête pas de crier, une fille encore invisible. On se faufile tant bien que mal et on finit par voir une immense mare rouge sur le plancher, avec toutes sortes de trucs qui gisent dedans. Mais… c'est un bout de bras, ça… Et là, on dirait vraiment un intestin, ou quelque chose du genre, mon cours de bio est plutôt loin… Et cette horreur qui me fixe d'un œil, ce ne serait pas un morceau de tête ? Mon estomac se met à gargouiller de manière inquiétante, exactement comme il y a trois mois, lorsque j'ai sniffé de la coke merdique qu'un trou du cul m'avait vendue. Je vacille un peu et Mortafer me prend le bras pour me maintenir.

— Ça va aller ?

— Je… Ça devrait…

Et effectivement, je réussis à convaincre mon dîner de demeurer bien sagement dans mon estomac.

Poichaux, elle, ne prend pas de risque : en hoquetant un « Ho, mon Dieu ! » digne du plus dramatique des téléromans, elle se sauve vers les toilettes les plus proches. Zazz devient surexcitée, ce qui, dans son cas, relève de l'hystérie :

— La police, est-ce que quelqu'un a prévenu la police ? Je vais y aller, bougez pas, restez tous ici, la police va vouloir vous interroger, c'est sûr, quelqu'un a prévenu la police ? Bougez pas, j'y vais, je vais prévenir la police !

Et elle s'éloigne rapidement. Dix contre un qu'elle va prévenir la police.

J'entrevois le gardien de sécurité de dos qui tente de faire reculer la foule de curieux. Je découvre enfin la source des hurlements : une jolie adolescente blonde appuyée contre les casiers, toute raide, qui a les yeux écarquillés d'horreur, comme une actrice de films d'horreur italiens. Valaire s'approche alors de la sirène humaine et lui balance une claque en plein visage :

— Ça suffit, Julie ! Prends sur toi, câlice !

La méthode manque de diplomatie mais non d'efficacité : la dénommée Julie éteint sa sirène, se blottit contre l'enseignante et se met à pleurer. C'est déjà un progrès, du moins pour nos oreilles. Tout en lui caressant les cheveux, Valaire, d'une voix un brin moins rude, demande ce qui s'est passé. Mais l'ado ne peut pas répondre, trop en état de choc. C'est une autre fille qui explique tout, fébrile mais cohérente :

— J'ai tout vu, moi, j'étais avec Julie, je suis son amie ! Elle a ouvert son casier pis Nico en est sorti… En tout cas, les restes de Nico. C'est lui, c'est sûr, regardez, on voit une partie de sa face, là… Pis vous voyez, le doigt qui traîne, là, juste à côté du foie, ou du rein, je sais pas trop… En tout cas, la bague, autour du doigt, c'est celle de Nico ! Je la reconnais !

Dans le groupe d'étudiants, des marmonnements d'acquiescement se font entendre. Mortafer, à mes côtés, approuve gravement en silence : Nico est sans doute un de ses anciens étudiants. Au même moment, Archlax et Bouthot font leur apparition, demandent qu'on les laisse passer. Ils aperçoivent d'abord la fille en pleurs dans les bras de Valaire, puis les restes semi-liquides du jeune. Bouthot lève une main tremblante devant sa bouche tremblante puis pointe un doigt tremblant vers le carnage. Bref, il tremble beaucoup. Pour être conséquente, sa voix tremble aussi lorsqu'il demande :

— Seigneur Dieu, c'est... c'est quoi, ça ?

— Nicholas Fermont, répond Mortafer calmement. Étudiant de deuxième année. Élève médiocre.

Bouthot vomit directement dans le dos d'un garçon devant lui. Puis, en essuyant sa bouche, il s'excuse, défaillant d'horreur, et s'éloigne rapidement, tandis que l'élève éclaboussé court vers la salle de bain en jurant. Manifestement, nous avons un directeur général qui sait faire face aux problèmes avec sang-froid. Je l'imagine retourner dans son bureau à son *scrapbooking*, en espérant que tout soit terminé quand il en sortira... Archlax, le visage sombre, considère les restes humains un moment, puis demande discrètement à Mortafer si la police a été prévenue. Mon collègue lui répond que Zazz s'en est occupée. DP a un claquement de langue embêté :

— Zoé... Si c'est elle qui accueille la police, on va l'arrêter en croyant qu'elle est folle à lier. Je vais aller la rejoindre à l'entrée...

Avant de s'éloigner, il me voit enfin, prend un air contrit :

— J'espère, monsieur Sarkozy, que cette première journée agitée ne donnera pas une image trop sombre de notre établissement...

Agitée ? Pour que cette journée ait eu droit à l'épi-thète « dramatique », il aurait sans doute fallu qu'une météorite détruise la moitié du cégep. Sans attendre ma réponse, il s'éloigne. Je le suis des yeux un moment, impressionné par son calme. Il s'arrête alors devant une machine à *peanuts*. Comme l'autre jour, il se tortille d'incertitude et, rapidement, comme s'il pinçait la fesse d'une élève, se prend une portion d'arachides qu'il avale d'un coup. Gêné, il se remet en marche.

La tête me tourne. Autour de moi, les élèves dis-cutent et commentent, certains en larmes, d'autres excités, il y en a même deux ou trois qui semblent trouver tout cela très amusant. Des enseignants des autres départements sont apparus, bouleversés. Julie se vide toujours de son réservoir de larmes dans le giron de Valaire, qui démontre une patience inat-tendue. Parmi la petite foule, je remarque un visage connu : mon pseudo-journaliste maigrichon et barbu, Simon Gracq. Je le vois prendre des notes, sans doute en songeant au papier qu'il va pondre là-dessus. Eh ben, ma chouette, tu ne perds pas le nord, on dirait ! Tout à coup, un jeune s'approche des restes humains, fasciné. Il veut faire quoi, au juste ? Ramasser un doigt pour l'ajouter à sa collection personnelle ? Je m'écrie :

— Non, non, approchez pas, personne ! Il faut toucher à rien tant que la police est pas là !

J'imagine ce que diraient les critiques qui ont as-sassiné mes deux livres s'ils me voyaient : « À défaut d'écrire de bons romans policiers, l'auteur raté tente de se prendre pour un flic dans la vraie vie. » Et ils se bidonneraient davantage s'ils savaient qu'effec-tivement, plus jeune, j'ai songé sérieusement à devenir flic. Néanmoins, la plupart des étudiants sur place semblent approuver mes paroles, sauf le jeune qui s'est approché : en haussant dédaigneusement les épaules, il poursuit son avancée. Je veux répéter ma consigne, mais la voix de Valaire explose :

— Si tu fais un autre pas, je t'en câlice une !

Autre preuve éclatante de la capacité des femmes à s'adonner à plusieurs activités en même temps : Valaire réussit à proférer une telle menace tout en caressant doucement la tête en pleurs de Julie. Le jeune, effrayé, recule immédiatement, et si je me fie aux expressions dociles des autres élèves, Megan Valaire a sans doute démontré plus d'une fois dans ce cégep qu'on avait intérêt à la prendre au sérieux.

Enfin, la cavalerie arrive, accompagnée d'un Archlax toujours digne et calme et d'une Zazz qui sautille littéralement autour des flics, comme un chihuahua qui veut attirer l'attention par ses jappements agaçants. La police demande aux gens de reculer, constate le cas, s'horrifie mais pas trop (on est des pros, après tout), décrète que le cégep sera fermé pour le reste de la journée puis ordonne à tout le monde de partir sauf les témoins directs. La foule s'éparpille sauf Archlax, deux ou trois élèves-témoins dont l'amie de Julie, et Julie elle-même, toute flageolante maintenant qu'elle n'a plus d'épaule sur laquelle s'épancher. D'ailleurs, tandis que nous marchons vers l'escalier, Valaire se tourne vers l'étudiante et grogne pour elle-même :

— Ils ont besoin d'être fins avec elle, gang de sauvages…

— Pourquoi ? que je m'étonne. Les flics de Saint-Trailouin sont des brutes ?

Elle me dévisage comme si j'étais un débile mental.

— Qu'ils soient de Saint-Trailouin, de Montréal ou de l'île de Pâques, des flics, c'est des flics, Sarkozy, voyons !

En temps normal, je ne me serais pas gêné pour lui dire qu'elle généralisait un peu beaucoup, mais je ne me sens vraiment pas en état pour me lancer dans une discussion sociale engagée.

De retour au département, Poichaux, en larmes, nous demande des précisions. Zazz veut tout raconter, mais Mortafer réussit à la convaincre de le laisser faire. Il explique donc à notre coordonnatrice le peu qu'on sait. Elle l'écoute en secouant la tête, incrédule, en tordant ses doigts avec tant d'acharnement que j'ai peur qu'elle n'arrive plus jamais à les démêler. Je remarque qu'à son bureau Hamahana termine son lunch en lisant des notes, comme si rien ne s'était produit.

— C'est épouvantable! répète sans cesse Poichaux. C'est vraiment épouvantable!

Voilà un constat que personne ne risque de contredire. Zazz approuve avec un « Mets-en! » des plus convaincus. Valaire ajoute que le cégep est fermé pour le reste de la journée et qu'il faut partir. À ces mots, Hamahana ferme son sac à lunch, fourre des papiers dans sa serviette, puis se lève. Il marche vers la porte, sans un regard pour personne, et d'ailleurs personne ne le regarde. Moi, ça m'agace trop, impossible de ne pas réagir. Je lui lance donc tandis qu'il passe près de moi:

— Pis toi, Mahanaha, ça t'intéresse pas, ce qui s'est passé?

Mettons que la température de ma voix est de plusieurs degrés plus basse que celle de la pièce. Mon sympathique collègue daigne tout de même s'arrêter.

— J'ai entendu vot'e discussion, jeu suis au cou'ant.

— Tu trouves pas ça horrible?

Il me toise avec une telle morgue que je dois ravaler la salive qui s'agglutine dans ma bouche en un beau crachat qui, hélas! ne se concrétisera pas. Pas aujourd'hui, en tout cas.

— Oui, c'est ho'ible, mais jamais autant queu la Shoah.

Je cligne des yeux. Allez, Mahaconnard, je te donne une seconde chance, répare la sombre idiotie que tu viens de proférer et j'oublie tout. Mais il n'ajoute rien et son regard me met au défi de répliquer quelque chose. Cette fois, ce n'est pas que ma salive que je dois retenir, c'est aussi mon poing déjà en forme de boule de ciment. Mais frapper un collègue d'une autre ethnie au cours de ma première journée de travail n'est sans doute pas une bonne idée. Je me contente donc de marmonner:

— C'est sûr.

Il hoche la tête avec satisfaction puis sort. Mes collègues se préparent à partir, silencieux: nous sommes tous secoués. Même Zazz conserve le silence. À un moment, Poichaux nous demande si ça va bien, si nous nous sentons capables d'affronter cela.

— S'il y a quelque chose, si vous voulez en parler, venez me voir, hésitez pas, d'accord? Je suis là pour vous aider. Vous avez mon numéro de téléphone à la maison, alors vous pouvez m'appeler à tout moment. Enfin, pas cet après-midi, parce que là, j'ai vraiment besoin d'aller voir ma psychologue. Ben là, quand je dis *ma* psychologue... c'est pas que je la vois souvent, juste quand j'en ai besoin, comme cet après-midi, mais... Et puis, non, même cet après-midi, je serai disponible, tant pis pour moi, c'est pas grave, alors vous hésitez pas, OK? Appelez-moi sans hésitation, pis laissez le téléphone sonner longtemps parce que quand je suis angoissée, j'écoute la musique très forte, chez moi, alors j'entends pas toujours, pis comme ma famille sera pas de retour avant le souper... Ils reviennent toujours tard, je sais pas pourquoi, surtout mon mari, des fois, je me dis que...

Elle se tait, se passe une main dans les cheveux et conclut :

— Si vous avez besoin d'aide, je suis là.

Et elle sort. Un tiroir de classeur s'ouvre en couinant. Zazz le referme, puis quitte à son tour en lançant un « À demain » moyennement enthousiaste. Valaire, à son bureau, cherche quelque chose dans ses tiroirs en sacrant. Je m'approche de Mortafer qui range des livres dans sa mallette.

— Rémi, tout à l'heure, quand Poichaux nous a dit qu'il se passait quelque chose de grave en bas, t'as répliqué « Déjà ? », tu te souviens ?

— Je ne me souviens plus. C'est possible.

— Pourquoi t'as dit ça ?

Il referme sa mallette tandis que son petit sourire ironique apparaît sur ses lèvres.

— Disons que Malphas est souvent le théâtre d'évé-nements qui sortent de l'ordinaire.

Il se met en marche. Je le suis et nous nous re-trouvons dans le couloir.

— Comme quoi ? que j'insiste.

— Mon Dieu, comme quoi... Ça dépend. Il y a les événements mineurs. L'an passé, par exemple, deux élèves ont disparu en plein cours d'anglais : ils ont quitté le local pour leur pause comme tout le monde et ne sont jamais revenus pour la suite du cours. Personne ne les a vus sortir du cégep et on ne les a jamais retrouvés. Il y a deux ans et demi, une des secrétaires en bas est devenue complètement folle : elle se promenait toute nue dans le cégep en affirmant qu'elle devait coucher avec le descendant du roi Arthur... L'histoire ne dit pas si elle l'a trouvé. Il y a quatre ans, un professeur de mathématiques a été congédié parce qu'il expliquait à ses élèves comment fabriquer des poupées vaudous à l'effigie des gens qu'ils n'aimaient pas... Dieu merci, je n'étais pas un de leurs profs. Mais il y a aussi les événements majeurs, comme celui d'aujourd'hui. Heureusement, ceux-ci arrivent moins souvent...

— Comment ça, moins *souvent* ? que je m'étonne tandis qu'on descend l'escalier. Il y a déjà eu des drames aussi graves ?

— En quinze ans de carrière ici, j'en ai connu au moins trois. Pendant ma première année, une étudiante a tué trois professeurs à coups de revolver. Il y a onze ans, une dizaine d'étudiants avaient formé une secte satanique et avaient sacrifié une jeune fille. Et il y a cinq ans, un professeur avait violé deux élèves avant de les tuer et d'emplir leurs cadavres de bouse de vache. Attention, il y a du café sur cette marche...

Je le regarde, médusé. Et dire qu'au cégep montréalais où j'ai travaillé au début de ma carrière, l'événement le plus extraordinaire avait été la manifestation des étudiants contre le retrait de la poutine à la cafétéria. Valaire, qui a sans doute tout entendu, nous rattrape en pédalant de ses courtes jambes.

— Arrête donc de vouloir faire peur au nouveau, Mortafer ! Fais-toi-z-en pas, Sarkozy ! Rémi aime ça impressionner le monde !

— Il m'a posé une question, j'ai répondu, c'est tout.

— Mais... C'est vrai, tout ça, ou pas ? que je demande.

— Ben oui, c'est vrai, mais qu'est-ce que tu veux ? répond Valaire en levant deux bras fatalistes. C'est des hasards, c'est tout ! Pis dans un cégep plein de profs pis d'élèves *fuckés*, faut pas s'étonner que ça disjoncte de temps en temps !

Que veut-elle dire ? Je sais que beaucoup d'étudiants ici ont été refusés ailleurs, mais pourquoi parle-t-elle des profs ? Nous arrivons dans le hall d'entrée. Le cégep est maintenant presque aussi désert que le programme de l'ADQ. On devine seulement au loin, dans la section des casiers, les discussions animées des policiers. Mortafer conclut :

— De toute façon, c'est terrible ce qui est arrivé à ce Nicholas Fermont. Même s'il était incapable d'écrire trois mots sans faire une faute. Allez, bonne journée malgré tout et à demain.

Il se dirige vers l'entrée nord du cégep, suivi de Valaire. Sonné, je marche vers l'entrée principale, sous les regards psychotiques des immenses personnages de la fresque sur le mur.

Criss ! Tu parles d'une première journée !

Dehors, un policier est en train d'expliquer à une femme qu'elle ne peut pas entrer. C'est Rachel. Même au milieu de la foule à Times Square, je l'aurais reconnue sans hésiter. En m'allumant une cigarette, je m'approche alors que l'enseignante, un rien exaspérée, dit au flic :

— Vous pouvez au moins me dire pourquoi le cégep est fermé !

— Je peux pas, madame… Pis croyez-moi, ça me fend le cœur de vous refuser quelque chose, mais… je peux pas.

Et il contemple Rachel avec l'air de celui qui regrette de ne pas être devenu prof de cégep. Ma collègue me voit approcher :

— Ah, bonjour Jules…

— Julien.

— Oui, Julien, c'est vrai. Tiens, vous fumez…

Je perçois la réprobation.

— Un de mes rares défauts. Les hommes trop parfaits sont ennuyants, non ?

— Vous auriez l'obligeance de m'expliquer ce qui se passe ?

Elle a une robe BCBG mais qui semble avoir été cousue à même son corps. Comment peut-on avoir l'air si *class* et si allumeuse en même temps ? Je lui propose de me suivre vers le stationnement pour tout lui expliquer. En chemin, je lui résume l'événement. Elle écoute avec intérêt mais ne paraît pas si horrifiée.

— C'est terrible, dit-elle.

— C'est tout l'effet que ça vous fait ?

— Vous souhaitez me faire de l'effet, Julien ?

Ouais, ouais, bien joué… J'imagine qu'elle balance souvent ce genre d'allusions juste pour le plaisir de voir son interlocuteur se tordre de gêne et de désir. Mais elle n'a pas affaire à un amateur et c'est avec un large sourire que je réplique :

— Bien sûr, mais pas en vous racontant des histoires sanglantes. Il y a des moyens plus intéressants.

Elle sourit, puis réfléchit :

— Nicholas Fermont… Je l'ai eu en 101 l'hiver dernier, dans mon groupe de doubleurs…

— Un piètre élève, selon Mortafer.

— Il s'était beaucoup amélioré dans mon cours.

Ça, je n'en doute pas une seconde. Elle est sûrement le genre de prof capable de donner envie à ses étudiants de lire toute l'œuvre de Tolstoï. Je suis convaincu que, malgré ses quarante et quelques années, elle peuple l'imaginaire nocturne de bien des adolescents de Malphas.

— Il paraît que ce n'est pas la première fois que le cégep est le théâtre d'événements si dramatiques.

— Qui vous a dit ça ?

— Rémi.

— Ah, oui… Il a déjà commencé à vous faire son petit numéro du doyen du département qui a tout vu…

— En tout cas, il a l'air d'en savoir pas mal…

— Il *croit* en savoir pas mal.

Je fronce les sourcils alors que ma collègue arrive à son automobile. Je ne connais rien dans ce domaine, mais c'est une auto sport, propre et rouge. Le genre de bagnole qu'on verrait davantage dans le stationnement d'un studio de cinéma que dans celui d'un cégep. Elle ouvre la portière :

— On dirait bien que je ne vais commencer que demain matin. Et vous ?

— J'ai eu un cours ce matin, mais j'en ai un autre demain après-midi. On va se croiser pour le dîner.

— Je ne dîne jamais au cégep.

— Je vois. Un conjoint chanceux partage vos dîners en tête à tête.

— Je n'ai pas de conjoint.

C'est trop beau. Peut-être que Dieu existe, après tout.

— Dans ce cas, vous pourriez me montrer demain midi où vous avez l'habitude de dîner ?

— J'ai surtout l'habitude de dîner seule. Au revoir, Julien.

Elle monte. Quand elle se penche, sa robe se tend à craquer sur sa croupe d'une rondeur qui élève la géométrie au rang de l'art. Je me courbe vers la vitre baissée.

— Et si on arrêtait ces vouvoiements ridicules ?

— J'espère que vous n'êtes pas aussi pressé dans tous les domaines, sinon vous devez créer bien des frustrations…

Elle démarre. Je regarde la voiture disparaître au bout du stationnement puis je jette mon mégot.

Deux mois. Deux mois et je la fourre. C'est le maximum de temps que je pourrai endurer sans me jeter en bas d'un pont.

◆

Pour me sortir cette tragédie sanglante de l'esprit, je dois occuper celui-ci à quelque chose de plus cérébral. Je m'efforce donc de travailler et je passe une partie de l'après-midi à corriger les textes diagnostiques de mes élèves de ce matin. Comme prévu, le français est généralement atterrant. Chez certains, on devine des idées intéressantes et des arguments valables, mais défendus avec une langue si pitoyable que la clarté en est grandement affectée. Dans quelques cas, je n'arrive même pas à saisir s'ils ont aimé ou non le film dont ils parlent, ou alors ils sont si confus qu'ils auraient pu écrire le même texte en parlant d'une cafetière. Le texte le plus hallucinant est l'analyse de *Rapides et Dangereux* qui tente de démontrer qu'il s'agit d'une métaphore philosophique sur la confusion identitaire des prolétariens à la recherche de sens dans une époque post-marxiste. Je me demande ce que cette élève va bien pouvoir déceler dans Baudelaire : un complot misogyne contre les charmeuses de serpents ?

J'arrive au texte de Simon Gracq. Pas de surprise : la langue est tellement tarabiscotée que je dois souvent relire la phrase deux ou trois fois pour en comprendre la teneur. Dommage, car les idées ne sont pas trop bêtes, quoique paranos : il voit une sorte de théorie du complot dans le film *Les Trois Petits Cochons*. De nouveau, je me dis que je dois absolument mettre la main sur un exemplaire du journal étudiant.

Puis, je tombe sur le papier de Nadine Limon, la schtroumpfette black qui semble tellement aimer la lecture. Première surprise : elle critique *Un prophète*, un excellent film français dont la plupart des adolescents doivent ignorer l'existence. Seconde surprise : vocabulaire précis, syntaxe cohérente et idées pertinentes. Comment se fait-il que cette fille ait échoué son cours 102 l'an dernier ?

Je me prépare un souper de célibataire : pâtes et bière. C'est à peu près le mieux que je peux accomplir seul dans une cuisine, du moins en ce qui a trait à la chose culinaire. J'écoute la télé pour voir ce qu'on raconte sur la tragédie. On en parle, certes, mais pour l'instant on ne sait pas grand-chose.

Dans la soirée, je lis un brin, mais en vain : je n'arrête pas de penser au drame de ce midi. Et dire que ce n'est pas la première fois que de telles horreurs surviennent ici ! Je me rappelle vaguement avoir lu, dans le passé, des articles de journaux sur des profs assassinés ou le sacrifice humain d'une pseudo-secte, mais je n'avais pas fait le lien avec ce cégep. Il y a des gens plus malchanceux que d'autres, c'est connu. Pourquoi n'y aurait-il pas des endroits accablés de la même tare ? Malphas est peut-être l'un d'entre eux.

L'alarme de mon cellulaire sonne et je le consulte : un rappel pour appeler Émile. Merde, c'est vrai. Mais ce soir, franchement, je suis trop secoué pour parler à tête reposée avec mon fils. Je programme donc une seconde alarme pour le week-end prochain. À ce moment, je serai plus disponible mentalement et émotivement. Et si j'ai le temps d'ici là, je l'appellerai avant.

J'ai besoin de me changer les idées. Moment idéal pour faire ma première sortie en ville, pourquoi pas ?

Vingt et une heures trente. Dernière semaine d'août, c'est encore la grosse chaleur dehors. Je monte dans ma voiture et roule dans les rues de Saint-Trailouin. La ville est petite et sans relief ; aucune colline, aucune montagne, aucune véritable pente nulle part : plat comme la poitrine de mon ex-belle-sœur (qui, heureusement, compensait ce défaut par des pipes spectaculaires). J'ai lu quelque part que la mine de fer était l'employeur principal du coin : près de vingt pour cent des hommes y travaillent. Mais il paraît qu'il y a aussi un autre vingt pour cent de chômage. Je roule dans des rues résidentielles flanquées de bungalows ou de cottages quelconques, qui ressemblent à tous les quartiers résidentiels banals du Québec. Le coin a autant de charme qu'un catalogue Sears. Il doit bien y avoir un petit coin de ville plus joli, plus invitant ? Va falloir que je le trouve et que j'y emménage. Enfin, ça, c'est si je décide de rester ici pour un bout de temps... mais ai-je vraiment le choix ? Pas d'illusions, mon vieux Sarko : aucun cégep du Québec ne voudra plus de toi comme prof.

À part celui d'ici, on dirait.

Qu'a dit Valaire, tout à l'heure ? Un cégep plein d'élèves et de profs *fuckés* ?

Allons, Saint-Trailouin n'est peut-être pas si déprimant qu'il en a l'air. J'ai déjà couché avec quelques filles qui, au départ, étaient aussi excitantes qu'une visite chez le dentiste et qui, une fois dans l'action, se transformaient en pistons à énergie renouvelable (tout comme j'ai déjà aussi vécu l'inverse, hélas... Rachel est-elle dans cette seconde catégorie ? Non, impossible...) Et puis, j'ai déjà visité des petites villes de région vraiment charmantes : Roberval, La Malbaie, les villages de la Gaspésie... Il faut que je me donne une chance, tout de même.

Et au moins, dans un coin si tranquille, j'aurai le temps d'écrire. Même si personne ne me lit.

J'arrive au centre-ville. Enfin, j'imagine que ces trois rues tiennent lieu de *downtown* : magasins divers, une banque, deux ou trois restaus... Quelques rares piétons déambulent dans les rues maintenant obscures, éclairées par des réverbères qui n'ont sans doute pas été changés depuis la fondation de la ville. Je finis par trouver une façade qui ressemble à celle d'un bar et cherche un endroit pour me stationner. En fait, j'ai tellement le choix que c'en est presque angoissant. Je marche vers le bar en question et examine l'affiche qui proclame le nom de l'endroit : L'ami ne deux faire. Qu'est-ce que c'est que ce charabia ? Le propriétaire a choisi cinq mots au hasard dans le dictionnaire ou quoi ? Pourquoi pas Le copain te quatre suivre, tant qu'à y être ? Je relis l'affiche six fois et finis par comprendre. Répétez le nom à haute voix… Vous y êtes ? Eh oui : la mine de fer… Un jeu de mots faisant référence à l'employeur principal de la région. Je songe un moment à tourner les talons et à m'éloigner : entrer dans un bar qui affiche de prime abord un humour si fin comporte sans doute son lot de risques. Celui, par exemple, de se fêler une côte flottante à force de rire. Mais allons, soyons brave et découvrons.

La première chose qui frappe quand on entre, outre la musique suffisamment forte pour nous amener à considérer la surdité comme un handicap somme toute mineur, c'est l'extrême jeunesse de la clientèle, dont au moins le quart ne doit pas avoir l'âge de voter contre le règlement leur refusant d'entrer dans cet établissement. La presque totalité ne dépasse pas vingt, vingt et un ans. Cet état de fait explique sans doute la deuxième chose qui saute aux yeux : le décor. Si on peut appeler ce foutoir de styles et d'accessoires un décor. Il y a du baroque qui cohabite avec du rococo, du rétro avec du contemporain, il y a même un coin avec des colonnes grecques ! Sur les murs, des masques africains côtoient des laminés de films hollywoodiens récents, des têtes de chevreuils alternent avec des tableaux de pop-art, les tables sont en bois rustique mais le bar tout en rondeurs évoque Gaudi. Bref, c'est n'importe quoi, mais ça fait plus chic d'appeler ça du post-modernisme.

Je ne déteste pas, de temps à autre, fréquenter mes élèves, mais être le seul vieux dans un club de jeunes, ça fait tout de même un peu *looser*. Je songe à tourner les talons lorsque je vois, au bar, Megan Valaire en train de discuter avec un homme d'à peu près mon âge. Comme si leur présence me donnait la permission de rester, je me mets en marche vers eux. Des dizaines de regards me suivent : le nouveau ne passe évidemment pas inaperçu. Plus de la moitié de la clientèle se compose sans doute d'étudiants du cégep et je crois même en reconnaître un ou deux qui étaient dans mon cours ce matin. Valaire, en prenant une gorgée de sa bière, me voit arriver et me fait un petit signe. Elle me présente le gars avec elle, un dénommé Dorian qui enseigne la philosophie au cégep. Je commande un gin tonic tandis que Valaire me félicite :

— T'as choisi le bar des jeunes, Sarkozy, c'est bien !

— J'ai pas de mérite : je suis entré dans le premier que j'ai croisé. Il y a d'autres options ?

— Beaucoup de profs préfèrent aller au Vitriol, un bar de vieux.

— De vieux comme nous, que j'ajoute avec un petit sourire ironique.

— Je parle pas de vieux en âge, criss ! Je parle de vieux dans leur tête ! Avec les jeunes, au moins, ça grouille, ça bouge, ça veut changer le monde, ça vit, ciboire !

— Même si les trois quarts d'entre eux vont devenir plus tard de bons citoyens conformistes ? fait Dorian avec cynisme.

Valaire a une grimace d'inconfort, comme si une langue entre ses jambes n'arrivait pas à trouver son clitoris. Elle grommelle :

— On peut en sauver une couple…

Je souris en payant mon gin tonic à la barmaid, dont le style vestimentaire est un improbable croisement entre Lady Gaga et Pauline Marois, puis considère la tribu ambiante. À une table, je vois Zoé Zazz qui discute avec un adolescent, sans doute un de ses élèves. Je la désigne du menton :

— On est pas les seuls vrais adultes, on dirait…

Nouvelle grimace de Valaire, mais différente de la précédente, comme si la langue de tout à l'heure avait enfin trouvé l'endroit mais s'y prenait comme un manche. J'ai l'impression que cette femme possède tout un arsenal de grimaces diverses.

— Zoé ? Elle vient pour d'autres choses…

En voyant les sourires dont Zazz gratifie son jeune interlocuteur, je saisis parfaitement l'allusion de Valaire. Mais ce n'est pas moi qui vais juger ma jeune collègue là-dessus, je serais très mal placé. Justement, elle me voit enfin et, pour exprimer sa surprise, écarquille tout ce qui est écarquillable dans son visage et même plus (je n'avais encore jamais vu de pores de peau écarquillés) puis, enthousiaste, m'invite à m'approcher. Je lui fais un signe, du genre : « Un peu plus tard », puis continue d'observer la foule en essayant de ne pas laisser mon regard traîner trop longtemps sur les belles filles. On sent une certaine tension parmi les consommateurs qui, bien sûr, ont tous entendu parler de la mort de Fermont. Des bribes de discussions me parviennent et le propos est évidemment le même partout.

— Tout le monde parle de ce qui s'est passé ce midi, que je dis à mes deux compagnons. J'imagine que vous deux aussi, vous parliez de ça…

— Non ! glapit Valaire. Je parlais des deux osties de cours de mise à niveau que les lobotomisés de la direction m'ont donnés ! Pis arrête de sourire, Dorian, câlice, tu le sais que j'ai raison !

Et elle se lance dans une diatribe contre ce type de cours qui, selon elle, ne fait qu'ostraciser davantage les élèves ayant de la difficulté en français plutôt que de les encourager. Si on les intégrait avec tout le monde, ils se sentiraient moins jugés, ils auraient moins l'impression d'être des « osties de nuls » (*dixit* Valaire) et c'est donc pour cette raison qu'elle veut faire signer une pétition à ses deux groupes de mise à niveau. Mais elle prévoit déjà qu'Archlax va s'en « crémer le batte » (Valaire, *op. cit.*) et, comme d'habitude, ne donnera aucune suite à ses revendications. Dorian, sans doute habitué aux récriminations de sa collègue, se lève sans un mot et se dirige vers les toilettes. Je crois que Valaire ne s'en est même pas rendu compte. En fait, je soupçonne que le bar au complet pourrait se vider en quelques secondes sans pour autant affecter le discours de ma collègue.

— Une criss de chance que j'ai aussi deux cours en arts et lettres, sinon je me câlisserais en bas d'un pont en me tranchant la gorge !

— Megan...

— Ça me fait trois préparations différentes, c'est vrai, c'est beaucoup, mais j'm'en criss ! Les cours en arts et lettres, au moins, je peux dire ce que je veux, je peux botter des culs pis brasser de la marde ! J'peux...

— Megan !

— Quoi, tabarnac ? T'es ben stressant, câlice !

— Pourquoi t'as dit que c'était un cégep plein d'élèves et de profs *fuckés* ?

— Les trois quarts des étudiants ont été refusés ailleurs dans le reste du Québec.

— Ça, je le sais… mais les profs ?

Elle se gratte une oreille furieusement :

— On m'a dit que les seuls enseignants qui sont restés plus de vingt ans, c'est ceux qui ont commencé en même temps que l'ouverture du cégep, en 80. Pis même parmi ceux-là, il y en a eu un paquet qui ont préféré renoncer à leur carrière pis qu'y ont décrissé… Heille, ma grande ! Amène-moi une autre bière !… Mais c'est assez clair que, depuis un bon boutte, ceux qui viennent enseigner ici, c'est parce qu'ils ont pas le choix…

— Qu'est-ce que tu veux dire ?

Elle me considère avec un ricanement moqueur, petit bout de femme qui, même juchée sur un tabouret, rejoint à peine ma poitrine.

— Tu le sais ce que je veux dire, Sarkozy ! Là, tu fais comme tous les nouveaux profs qui arrivent : tu joues les innocents, tu clames haut et fort que t'avais le goût d'un nouveau décor, de la tranquillité… Pourquoi pas la Côte-Nord, d'abord ? Ou Charlevoix ? Pourquoi Saint-Trailouin, un trou tellement *nowhere* que le seul disquaire de la place vient tout juste de recevoir le dernier disque de Led Zeppelin ? Par choix ? Arrête, criss, on l'a tous jouée, cette *game*-là, jusqu'à temps qu'on se rende compte qu'on était tous dans le même ostie de bateau.

Elle prend une gorgée de sa nouvelle bière et me fixe avec une sorte de fierté rageuse :

— Moi, par exemple, j'ai travaillé dans quatre cégeps en quatre ans avant d'aboutir ici ! Je me suis fait renvoyer des quatre ! Faut le faire, hein, alors que c'est aussi difficile de *clairer* un prof de cégep que de trouver un film européen dans un club vidéo de Saint-Trailouin ! J'étais trop rebelle, j'incitais trop les élèves à la révolte. À la fin, y a plus un cégep qui voulait de moi, j'étais barrée partout ! Il y a juste une place où ils ont voulu me prendre : ici, à Malphas. Parce qu'ici, ils peuvent pas se permettre de refuser des profs ! Pis six ans plus tard, je suis encore ici !

— Et comment tu trouves ça ?

Elle examine sa bière un moment, affichant une nouvelle grimace à son visage. Pas une grimace provoquée cette fois par une langue distraite ou maladroite, mais par l'absence de langue tout court.

— C'est pas si pire. Mais y en a eu des moins *toughs* que moi. Martial, par exemple, le gars que tu remplaces…

— Y est retourné enseigner à Montréal, il paraît…

— À Montréal, oui, mais sûrement pas enseigner. Je te le dis : ceux qui viennent ici, c'est parce qu'ils peuvent plus enseigner ailleurs.

— Voyons, Megan, tu te rends compte de ce que tu insinues ? Tous les profs du cégep sont des parias ? Tous nos collègues du département ?

— J'aime pas parler dans le dos du monde, même si j'haïs une couple de morrons qui travaillent avec moi, réplique-t-elle en me regardant droit dans les globes oculaires. Fait que parlons de toi, à la place… Qu'est-ce que t'as fait pour te ramasser ici, Julien Sarkozy ?

Je n'ai pas l'habitude de jouer les purs ni de prétendre être plus propre que je ne le suis. Je n'ai pas grand-chose à cacher, même si je ne cherche pas à étaler mes vices tels des vêtements griffés. Sauf qu'en cette fin de première journée de travail (de première, bordel !), j'ai vu les restes d'un élève qui a manifestement été confondu par son assassin avec du fromage parmesan, j'ai rencontré quelques profs qui, pour dire le moins, ne sont pas tout à fait banals, et on me demande maintenant de révéler mon passé dans un bar rempli d'adolescents. Bref, ça va un peu trop vite. En ne sachant donc trop quoi dire, je me demande si je réponds un mensonge direct et peu convaincant (« Mais rien du tout, voyons, quelle idée ! ») ou une allusion évasive à une partie remise (« Je te raconterai ça un de ces quatre… »), mais toute décision m'est évitée par le retour bienheureux de Dorian qui, en s'assoyant, demande en clignant de l'œil :

— Alors ? Tu t'es déchargée sur ton pauvre nouveau collègue ? On peut parler d'autre chose, maintenant ?

— C'est ça, le problème, on finit toujours par parler d'autre chose ! repart Valaire, comme si Dorian l'avait littéralement remontée avec une clé. Les osties de décisions incompétentes de nos imbéciles de patrons nous font chier, on dégueule notre rage devant une bière, pis après, on se la ferme pis on endure ! Mais pas moi ! Moi, j'endu… J't'ai dit de pas sourire, mon ostie, tu veux me pomper, hein ? Moi, j'endure pas ! Jamais !

Et elle se relance dans son intention de faire signer sa pétition. Incroyable à quel point elle arrive à agir comme si rien ne s'était produit ce midi. Je me lève en affirmant que je vais me coucher. Dorian me souhaite bonne nuit, mais Valaire se préoccupe de moi autant que d'une pub de détergent et ne ralentit pas sa cadence verbale, même lorsque je m'éloigne. Je cherche Zazz des yeux, mais elle et son jeune cavalier ne sont plus à la table. Déjà partis ? Elle est vraiment rapide dans tous les domaines, cette fille. Le rêve de tout éjaculateur précoce.

Dehors, je m'allume une cigarette et marche vers ma voiture, étonné de partir si tôt d'un bar. Mais franchement, cette journée de dingue m'a vidé, et l'appel aux armes de Valaire a extrait les quelques gouttelettes de jus de résistance qu'il me restait. Cependant, après une dizaine de pas, j'entends un rire en provenance de l'arrière du bar. Seulement deux entités peuvent émettre un tel son : une brebis en train de mettre bas avec une trompette dans la gueule et Zoé Zazz. Comme il y a peu de chances de rencontrer dans le coin une brebis musicienne accouchant, j'en tire la conclusion qui s'impose. Je tourne dans une ruelle et marche vers l'arrière du bar, trop amusé à l'idée de tomber sur ma collègue en train de se faire enfiler contre un mur de briques.

Je me suis trompé à moitié : il y a bien un mur de briques faiblement éclairé, Zazz est bien là, mais le seul phallus qui entre en elle est une cigarette, qu'elle partage avec son compagnon adolescent appuyé contre le mur. En fait, il me faut à peine deux secondes pour réaliser qu'il s'agit d'un joint. L'ado semble un peu embêté de me voir, et Zazz, elle, devient carrément nerveuse, ce qui (Dieu, aie pitié de nous !) la rend encore plus volubile.

— Hééééé, Julien ! Crime, tu fais pas de bruit, toi, quand tu marches ! C'est pas comme moi, quand je me déplace, il paraît que tout le monde le sait ! Je suis pas grosse, mais on m'entend ! Quoique je pense que j'ai engraissé un peu…

— Du calme, Zoé.

Je dis ça doucement, m'avance en jetant ma cigarette, puis lui prends le joint des mains et en aspire une touche. Cela la rassure autant que si je venais de lui apprendre que la vie a désormais un sens et elle dit :

— Ça relaxe, hein ? Surtout après une journée comme aujourd'hui ! Je revois tout le sang pis… Brrrrr ! Moi, un petit joint, ça m'aide à me changer les idées !

Puis elle me présente l'adolescent : Guillaume Duval. Grand, beau bonhomme, le genre de mec qu'on engage pour une pub de dentifrice.

— Guillaume est un élève de sciences pures que j'ai eu la session passée en français. On s'est rencontrés par hasard ce soir, pis, heu… On a pris une bière en parlant des livres qu'il a lus dans mon cours… Il les avait bien aimés… Hein, Guillaume ?

— Oui, oui… Surtout la pièce de théâtre, là, *Rhubarbe*…

— *Ruy Blas*.

— Ouais, c'est ça…

Duval ne paraît pas très confortable en ma présence. J'essaie de lui montrer qu'il n'a pas à s'en faire avec moi et je lui tends le joint en demandant :

— Terrible, ce qui est arrivé au gars ce midi…

— Ouais, ouais, répond Duval en refusant le joint.

— Fermont, c'est ça ? Tu le connaissais ?

— C'était un gars né ici, comme moi, on se connaît tous un peu…

Zazz est vraiment satisfaite de mon comportement, mais le pauvre Duval n'arrive pas à prendre ça *cool*. Voyons, ma chouette, je t'ai quand même pas pris avec ta bite dans le cul de la prof ! Et même si cela avait été le cas, j'en ai rien à cirer, si tu savais ! Mais rien à faire, l'étudiant finit par marmonner :

— Bon, ben, *bye*…

— *Hey*, *hey*, tu te sauves pas, toi là, hein ? s'inquiète Zazz.

— Non, non, je vais être en d'dans.

Il disparaît en quelques secondes. Ma collègue se sent encore obligée de se justifier :

— Je veux pas qu'il se sauve parce qu'on était justement en train de parler de l'œuvre de Hugo, pis c'est tellement rare qu'on a ce genre de conversation avec un étudiant, tu comprends ?

— Bien sûr.

Je lui tends le joint et elle le prend rapidement, trop heureuse d'en tirer une bonne touche. Elle est si maigre que j'ai l'impression que toute sa peau se gonfle de fumée. Elle sourit :

— Je suis contente de voir que t'es un prof *cool* ! C'est vrai que la plupart des enseignants de Malphas sont relax, mais il y en a qui sont pas mal sérieux ! Juste dans notre département, y en a deux ou trois qui seraient ben choqués de nous voir en ce moment !

— Qui, ça ?

— Mahanaha ! Il ferait bien une syncope ! Pis Aline, elle doit penser que le pot donne le sida ! Pis Rachel ! Elle est tellement *straight* !

— Pas sûr qu'elle est si *straight*, elle...

En fait, c'est plus un souhait qu'une conviction, mais, bon...

— En tout cas, elle est snob pis elle pète plus haut que le trou !

— Je sais pas s'ils seraient choqués de voir ce qu'on fait, mais ils le seraient sûrement d'entendre ce que tu dis...

Elle explose de rire, pas du tout ébranlée par mon allusion.

— T'es drôle, Julien ! T'es pas mal drôle !

Provenant d'une fille qui doit trouver que même son fer à repasser a de l'humour, le compliment m'apparaît peu digne de crédit. Elle n'a pas fini de rire qu'une voix féminine éclate en provenance du ciel, telle une présence céleste furieuse :

— Avez-vous fini de faire du tapage, gang de sauvages ! Laissez le monde dormir !

Je lève la tête à la recherche de la fenêtre de la plaignarde, mais en vain. Zazz fait un signe nonchalant de sa main :

— Fais-toi-z-en pas, c'est une vieille qui se plaint souvent. Elle est aveugle, elle peut même pas nous voir...

Elle me tend le joint. J'hésite le temps d'un clignement d'œil. Moi qui voulais rentrer il y a deux secondes… Mais comment refuser du si bon pot ? Sauf que si je fume trop, je vais m'emballer. Allons, une dernière touche et je rentre. Je prends donc le joint et ose demander :

— Toi, Zoé, pourquoi t'es venue enseigner à Malphas ?

— Je te l'ai dit, je suis une fille de la région. Je suis née ici, j'ai étudié à Malphas ! J'ai fait mon bac à Québec pis…

— Pis après, t'es revenue à Saint-Trailouin ?

— Pas tout de suite après. J'ai enseigné dans un cégep de Québec pendant un an, mais je m'ennuyais trop de la région, donc je suis revenue il y a deux ans.

De quoi s'ennuyait-elle donc ? De l'exaltante contemplation de la mosaïque des fils électriques ?

— C'est juste pour ça que t'es revenue ?

— Mais oui !

Pas très convaincue, malgré son large sourire aveuglant. Elle ne dit pas tout. Valaire aurait-elle donc raison ?

— Pis t'aimes vraiment ça, enseigner ici ? que j'insiste.

— Ici ou ailleurs, l'enseignement, c'est pas la joie, hein ?

Tiens, tiens, un peu d'amertume, peut-être ?

— Tu trouves ? Moi, j'adore enseigner…

Elle hausse une épaule, s'empresse de prendre une autre touche du joint, comme pour étouffer ce qu'elle vient de dire, puis me l'offre à nouveau. Je refuse mais tends une perche :

— C'est ton pot ?

— Oui.

— T'as un vendeur ?

— Oui, oui. Super *cool*.

Elle rit, comme si elle accomplissait un mauvais coup dont elle était fière. Je tends ma perche de plus en plus loin :

— Il est facile à joindre, ton *dealer* ?

— Pourquoi ? Tu veux aller au cinéma avec lui ?

Et elle s'esclaffe. Son rire, sous l'influence de la drogue, a maintenant des résonances galactiques, et je me dis qu'on risque d'ameuter les pompiers si elle continue. D'ailleurs, la voix de la vieille aveugle nous tombe dessus à nouveau :

— Ça va faire, là ! Si vous baissez pas le ton, je vous envoie mon chien !

Je renonce à questionner Zazz plus avant sur son *dealer* : dans deux minutes, elle ne sera même plus capable de me dire l'heure. Et puis, son jeunot patiente dans le bar, il doit ronger son frein en attendant de se mettre autre chose sous la dent. Et puis, moi-même, je commence à sentir un *buzz* : aussi bien que j'arrête maintenant si je ne veux pas me coucher aux petites heures…

— Merci, Zoé, c'était du bon *shit*. À demain.

— De rien, Julien, à de… à de…

Son regard se fige, devient très lointain. Ça y est, elle est partie. Seigneur, j'espère que son cavalier a des tendances nécrophiles… Mais lorsqu'elle parle, ses lèvres bougent à peine :

— C'est pas fini…

— Je sais, mais moi, je suis claqué et…

— Ça va continuer…

Mais de quoi parle-t-elle ? Son regard est vraiment insolite, maintenant. Il est fixé sur moi, mais c'est clair qu'elle ne me voit pas. Et sa voix… On dirait qu'elle est dédoublée, comme si…

— Ça va continuer…

… comme si une autre voix tentait de faire surface. Je penche la tête sur le côté.

— De quoi tu parles, coudon ?

La main droite de Zazz se tord, ses doigts se recroquevillent, au point que le joint glisse et tombe sur le sol.

— D'autres sont déjà condamnés…

Pas de doute, une deuxième voix se fait entendre simultanément, plus sourde, plus crépusculaire.

— Zoé…

— *D'autres iront en enfer !*

Cette fois, seule la voix ténébreuse surgit de la bouche de l'enseignante et j'en recule d'effroi. Aussitôt, Zazz cligne des yeux, comme si elle se réveillait.

— Ça va ? que je demande bêtement.

— Ben… oui. Pourquoi ?

— Tu… Tu te souviens de ce que tu viens de me dire ?

— Heu… oui. Je viens de te dire bonsoir et à demain… Me semble… Tiens, j'ai échappé mon joint…

Elle rit en se penchant. Elle ressemble maintenant à une fille gelée ordinaire : hilare, mollo et stupide. Elle ne bluffe pas : elle a vraiment eu une sorte d'absence, sans s'en rendre compte. Je ne dis rien, dérouté. Elle regarde son joint, en prend une dernière touche et l'écrase sur le mur :

— Bon, c'est assez pour moi aussi… Je vais retourner dans le bar pour continuer ma discussion avec Guillaume… Notre discussion sur… Victor Hugo, évidemment !

Elle pouffe de rire, comme l'ado qu'elle était il y a quelques années à peine. Elle me salue d'une main aléatoire, puis s'éloigne. Je demeure seul dans la ruelle obscure. Qu'est-ce que c'était que cette imitation de *L'Exorciste* ? Je n'ai jamais vu du pot qui déclenchait de tels *bad trips*… Et puis, cette voix rauque qui sortait de sa bouche, à la fin… Je l'ai déjà entendue… Mais où ? Je réfléchis, puis me souviens.

C'est la même voix que celle du corbeau de mon stupide rêve de la nuit dernière.

QUATRE-VINGT-TROIS MINUTES PLUS TARD

Ludovic Rivard et Amélie Farer sortent du restaurant en riant.

— *Il était temps qu'on parte, je pense qu'ils allaient nous mettre dehors ! remarque Ludovic en rigolant.*

— *Mets-en ! Notre serveur était en train de s'endormir dans son coin !*

Sur le trottoir, les deux adolescents s'arrêtent et se prennent les mains. À pareille heure un lundi soir, les rues de Saint-Trailouin sont désertes.

— *C'était super* cool, *Ludo. Merci pour le souper romantique !*

— *Deux ans, ça se fête, non ?*

Ils s'embrassent. Elle s'assombrit.

— *C'est terrible qu'un meurtre aussi épouvantable que celui de ce midi arrive la même journée que notre anniversaire…*

— *Voyons, pense pas à ça…*

Il la serre dans ses bras, puis lui demande si elle veut qu'il aille la reconduire.

— *Non, j'aime mieux marcher, ça va me faire digérer.*

Le cellulaire de Ludovic sonne et il soupire.

— *Ça, c'est mes parents.*

Il répond.

— *Allô… Oui, m'man… On en sort, justement… Tu m'avais dit minuit, y'est onze heures cinquante-trois… Ben, à ma montre, y'est cinquante-trois, fais arranger l'horloge du salon!… Je suis dans le temps!… Oui, oui, j'arrive…* Bye…

Il raccroche. Sa copine se moque gentiment:

— *Faudrait que tes parents comprennent que t'as dix-huit ans…*

— *Oui, mais tant que je vis chez eux… Pis c'est le* char *de mon père, fait que… On se voit au cégep demain? J'ai deux cours.*

— *Moi, un demain après-midi. Midi à la cafétéria?*

Ils s'embrassent à nouveau, plus longuement, plus langoureusement, puis Amélie se met en marche en envoyant la main à son amoureux. Ludovic va à la vieille Honda Civic stationnée tout près, monte, puis son cellulaire sonne derechef. À bout, il répond.

— *Coudon, m'man, tu charries, là!… J'suis dans l'auto, là!* Hey, *au pire, j'vais être en retard de deux minutes, tu vas pas me faire chier pour ça!… Ben non, j'te manque pas de respect, c'est juste que… J'arrive, là, OK?* Bye*!*

En soupirant, il lance son cellulaire sur le siège du passager et démarre.

Trois minutes plus tard, à trois kilomètres de là, juste à la sortie du centre-ville, Mario Saint-Xynon ne trouve pas le sommeil dans son lit, comme cela lui arrive au moins trois fois par semaine. Pour se changer les idées, il va fureter sur son site Internet préféré, Razor Blades Lovers. *Il est en train de bander devant la vidéo basse résolution d'un homme s'enfonçant des lames de rasoir sous les ongles lorsqu'un fracas épouvantable le fait sursauter. Il demeure immobile une longue minute, attendant la suite de ce boucan inhabituel. Mais le silence est revenu. Tout de même intrigué, il se lève et va à la fenêtre de son appartement. Dans la rue déserte, une voiture a embouti un poteau de téléphone. Saint-Xynon enfile un manteau par-dessus son pyjama et sort. Il s'approche de la Honda Civic, dont le moteur tourne toujours. Le devant enfoncé de la voiture indique que le choc a été solide, mais jamais assez pour tuer le chauffeur. Saint-Xynon s'attend donc à le trouver au pire assommé, le nez en sang, au mieux seulement étourdi.*

Mais il n'y a personne derrière le volant. Ni ailleurs dans la voiture. Il n'y a qu'un cellulaire sur le siège du passager avant.

Saint-Xynon regarde autour de lui, sûr de voir le conducteur tituber dans la rue pour reprendre ses esprits. Mais non. Quelques fenêtres, aux duplex environnants, s'illuminent et des silhouettes curieuses apparaissent. Saint-Xynon se gratte la tête : peut-être que le conducteur était soûl et qu'il s'est sauvé avant l'arrivée des flics. Mais c'est con, comme idée, la police va l'identifier sans problème par la voiture. Deux autres résidents du quartier sortent enfin et s'approchent à leur tour.

Sur le siège du passager, le cellulaire se met à sonner. D'abord incertain, Saint-Xynon finit par le prendre et l'ouvrir. Il n'a pas dit un mot qu'une voix de femme furieuse explose :

— Qu'est-ce que tu fais, Ludo ? Je te préviens : si t'as eu un accrochage avec le char*, ton père va te tuer !*

CHAPITRE QUATRE

Où il est démontré que la foudre peut frapper deux fois (presque) au même endroit

Me rendant au cégep en fin de matinée, je m'attends à le trouver fermé à cause du drame de la veille : pas du tout, il est ouvert. Même l'odeur désagréable est fidèle au poste. Ça me semble assez incroyable et je veux m'en informer auprès de Bouthot. Sa secrétaire me dit qu'il est occupé (avec ses *scrapbooks*, j'imagine) mais me confirme qu'effectivement les cours ont lieu comme d'habitude. Le cégep ayant été fouillé hier de fond en comble, la direction considère que tout danger est écarté. Ah, bon.

Mon cours n'est que cet après-midi, mais j'arrive au département à midi moins vingt pour m'assurer d'être sur place quand les profs de français enseignant ce matin y reviendront. Enfin, quand l'un d'entre eux reviendra. Enfin, l'une. À mon bureau, je mets de l'ordre dans mes affaires en reluquant souvent vers l'entrée du département jusqu'à ce que l'apparition tant attendue daigne enfin se révéler : Rachel entre, suivie de deux adolescents qui portent son sac et ses livres. Elle va directement à son bureau et sa seule présence élève la température de la pièce de plusieurs degrés.

— Déposez ça ici, messieurs.

Les deux étudiants s'exécutent, bien dressés. Elle leur aurait demandé d'imiter un poulet unijambiste qu'ils auraient obéi.

— Autre chose, madame Red ?

— Non, ça va aller, merci.

Les deux toutous s'éloignent rapidement, non sans jeter des regards emplis de désir vers celle qui envahira leurs rêves au cours des quinze prochaines semaines. Je m'approche, l'air désinvolte. Je fredonne même mentalement *Walk on the Wild Side* pour me mettre dans l'ambiance. Elle me voit arriver.

— Ah, bonjour, Alain…

— Julien.

Je jurerais qu'elle le fait exprès, mais pas question que cela provoque la moindre fausse note dans ma ritournelle mentale. Je m'appuie de la main contre son bureau.

— Alors, ce premier cours ?

— Très bien. Mais ce n'était pas un cours de français obligatoire, c'était un cours de notre Programme : *Les Grands Courants artistiques*. Les étudiants du Programme arts et lettres sont tout de même plus intéressés que ceux qui suivent les cours de français obligatoires…

— Surtout si c'est vous le prof.

Ah ! Ce sourire qui ferait fondre même un contrôleur fiscal ! Elle ramasse son sac de suède :

— On se voit à la réunion de demain ?

— Allons, dînez avec nous ! Je serai pas seul, je serai donc pas très menaçant.

— Parce que vous croyez m'effrayer ?

— Dans ce cas, allons en ville, dans ce restau où vous mangez seule.

— Peut-être que je mange chez moi…

— Alors faites-moi découvrir votre salle à manger. J'adore les grandes tables.

— Vous seriez déçu : la mienne est lilliputienne.

— On se tassera…

Elle sourit à nouveau et, jugeant que notre petit pastiche du duo Bogart/Bacall a assez duré, elle s'éloigne en me souhaitant bon appétit. Je lance dans son dos, toujours appuyé contre son bureau :

— Si j'arrête pas de vous inviter à dîner, allez-vous finir par accepter ?

— Il n'y a qu'un moyen de le savoir, mon cher.

Tout de même satisfait, je vais au local-dîneur. Poichaux, Valaire et Zazz sont déjà en train de bouffer leur lunch. Il y a avec eux un inconnu que Poichaux s'empresse de me présenter :

— Julien, voici Elmer Davidas. Je pense que c'est le seul prof du département que t'avais pas encore rencontré.

Davidas me serre mollement la main. D'ailleurs, tout ce qui se dégage de cet homme d'une quarantaine d'années est mou : ses cheveux châtains frisés sans coupe précise, ses joues, ses paupières pesantes, ses lèvres, son menton bas, son petit ventre. Même sa voix qui, sans être basse, est dénuée de toute vibration :

— Bienvenue, Julien. Tu donnes trois cours de 102, c'est ça ?

— Exact, que je réponds en allant chercher mon lunch dans le frigo.

— Moi aussi, j'ai un groupe de 102, cet après-midi. Si t'as besoin d'aide ou de conseils, hésite pas à venir me voir.

Je le remercie en m'installant. Du coin de l'œil, j'observe Zazz qui mange son tofu. Si sa discussion sur Hugo avec son jeune s'est intensifiée au cours de la nuit, elle n'en garde aucune séquelle, à part peut-être une vague fatigue dans le regard. Je songe à nouveau à son *bad trip* d'hier soir, puis m'intéresse à Valaire.

Je ne sais pas si elle est rentrée tard, mais elle a le même air que la veille : en forme et en criss.

— On m'a raconté ce qui s'est passé hier, fait Davidas, l'air sombre. Quel épouvantable début de session. Vraiment atroce.

— Ah, mon Dieu, y a pas de mots ! fait Poichaux en se passant une main dans les cheveux.

— Quelqu'un a du nouveau là-dessus ? que je demande.

— Ils en parlent dans les journaux, précise Zazz. Il paraît qu'il manque des morceaux aux restes de Fermont.

— Il manque des morceaux ?

— Le corps était déchiqueté, presque liquéfié, mais… il n'est pas complet. Dégueu, hein ?

— On mange, là ! soupire Poichaux.

— Il paraît que les cochons ont questionné la fille qui a découvert les restes de Fermont, Julie Thibodeau, explique Valaire. Ils l'ont relâchée en lui demandant de rester disponible pour tout autre interrogatoire. À mon avis, elle reviendra pas au cégep de la semaine, la pauvre…

— Sûrement qu'elle a rien à voir là-d'dans, que je commente.

— C'est pas à nous de décider ça ! remarque Poichaux en secouant énergiquement sa boîte de jus comme si elle voulait la faire venir. Laissons la police effectuer son travail !

— Le plus bizarre, c'est que personne a vu de sang sur le casier avant qu'on l'ouvre, que je continue. Vous avez vu les restes du corps : on aurait dit qu'un dinosaure l'avait mâché avant de le recracher. Du sang devait suinter du casier, certain.

Davidas a un sourire en parfaite harmonie avec son aura : mou.

— On dirait que ça t'allume, ce genre d'histoires…

Je hausse les épaules avec un petit sourire d'excuse.

— Ouais… Je suis un grand amateur de littérature policière…

Je passe à deux auriculaires d'ajouter : « J'en ai même écrit deux ! » mais je me retiens.

— Les romans policiers, marmonne Davidas. C'est vrai que c'est un divertissement agréable. Bon, c'est pas de la grande littérature, mais quand même…

Ça y est, un autre lettré qui se pince le nez en parlant de culture populaire. J'ai enduré ces snobs durant tout mon bac en littérature. Ce sont les mêmes qui n'aimaient que les films suédois sous-titrés en turc et qui *cruisaient* les filles en leur parlant de Sartre. Froidement, je dégaine :

— Il y a quand même de grands auteurs de romans policiers, on peut pas nier ça…

— Oui, quelques-uns, comme Dan Brown, mais on parle d'exception, là.

Je le dévisage, médusé. Il a vraiment dit Dan Brown ? Je me retiens pour ne pas éclater de rire mais remets les pendules à l'heure :

— Heu… Je pensais surtout à Hammett, Chandler, Simenon ou, plus récents, Ellroy et Lehane…

— Ellroy… J'ai vu le film *Le Dalhia Noir*, c'est pas très fort…

— Mais le roman est vraiment meilleur !

— Bof, ça revient au même : c'est la même histoire, alors…

Et il rit, un rire fort mais mou, il rit en regardant tout le monde, comme pour s'assurer qu'il vient de sortir un argument imparable. Mais personne ne rit avec lui. Zazz continue à brouter son tofu, Poichaux a un simple sourire poli et Valaire, sans gêne, lance à son collègue flasque :

— Voyons, Elmer, pis Poe, c'est qui, un rédacteur de faits divers ? Il a inventé la première vraie histoire policière, ciboire !

— Oui, j'ai déjà entendu ça, cette rumeur-là...

Cette *rumeur-là* ? Mais de quoi il parle ? Il se trouvait dans une file au supermarché quand il a soudain entendu les gens devant lui marmonner : « *Hey*, vous savez pas quoi ? Il paraît que Poe a inventé la littérature policière ! C'est ma belle-sœur qui m'a dit ça ! » Moi qui croyais, il y a une minute, que Davidas était un hyper-cultivé méprisant, je commence à me rendre compte que la première moitié de mon jugement était sans doute précipitée. Mais Davidas ne s'arrête pas là :

— De toute façon, Poe, je l'ai juste lu en français. Les traductions, ça donne pas une vraie idée de l'auteur...

— C'est quand même Baudelaire qui l'a traduit, que je fais remarquer, de plus en plus ouvertement agacé.

Davidas a une petite moue. Molle, évidemment. Je pense que la seule chose qui pourrait être dure sur lui, c'est mon poing. Il rétorque avec le ton de celui qui avance une évidence littéraire :

— Un poète qui traduit un auteur de fiction, c'est quand même pas l'idéal. On traduit pas de la fiction comme on écrit des vers, c'est évident. Les gens ont tendance à oublier ça.

La fatigue dans le regard de Zazz se teinte de découragement. Valaire, elle, vient d'atteindre sa limite : sans ranger les restes de son lunch, elle se lève en poussant un soupir qu'elle ne s'efforce même pas de modérer et sort rapidement de la pièce en laissant ondoyer derrière elle une vapeur noire. Poichaux, évidemment, s'affole :

— Megan! Megan, voyons, reste avec nous! *Come on*, chiale un peu! Ben, non, chiale pas, mais… Envoie, reste donc!

Davidas, en développant la seconde moitié de son sandwich au fromage orange Kraft, rétorque avec clémence :

— C'est pas grave, Aline… Il y a des gens qui, quand ils n'ont plus d'arguments, préfèrent partir.

Et il mange son sandwich, la mastication spongieuse, fixant le vide d'un regard fangeux. Je le toise un moment et décide que, moi aussi, j'ai fait mon effort de tolérance. Je me lève donc en affirmant que je vais à la cafétéria me chercher un dessert. J'ignore le regard inquiet et implorant de Poichaux et quitte la pièce.

Dans le couloir, je tombe sur Valaire, hissée sur le bout de ses pieds, en train de boire à la fontaine. Quand elle m'aperçoit, elle a un regard entendu en jetant par-derrière ses cheveux, ne réussissant qu'à les dépeigner davantage :

— Tiens, t'en pouvais plus toi non plus?

— Tu parles de Davidas?

— Câlice qu'il est con, ça se peut pas! C'est l'être le plus imbécile que j'ai connu dans ma vie, pis j'en ai vu une ostie de trâlée! Si j'étais prise sur une île déserte avec lui, j'aimerais mieux fourrer le palmier, calvaire!

— Pour une fille qui aime pas parler dans le dos du monde…

— Inquiète-toi pas, il le sait ce que je pense de lui, je lui ai dit assez souvent! Mais là, je voulais pas faire brailler Aline, fait que je suis sortie avant d'exploser.

— Donc, à midi, c'était pas une exception? Il est toujours comme ça?

Elle essuie sa bouche avec un petit ricanement dédaigneux.

— Écoute ça : Mortafer, Zazz pis moi, on lui a déjà fait croire que Racine était l'inventeur de la racinette !

— Tu me niaises ?

— J'te l'jure sur la tête de Marx ! On lui a dit que, entre l'écriture de deux tragédies, il faisait des expériences dans les caves de Versailles pis qu'à un moment donné, il avait créé la recette de la racinette ! Pis il nous a crus ! Pendant une semaine ! Jusqu'à temps qu'Aline en entende parler pis lui dise la vérité. Elle lui a dit que c'était juste « une bonne blague amicale ». Ah !

Je suis soufflé. Bon Dieu ! Et s'ils lui avaient dit que Molière avait inventé la Molson, il y aurait cru aussi ? Valaire a un sourire moqueur. Étrange de voir un visage si sévère sourire. C'est comme si la Joconde faisait la moue.

— T'es chanceux, Sarkozy : c'est le seul autre, avec toi, qui donne du 102 cet automne, il t'a même offert de l'aide ! Pis en plus, il a le bureau en face du tien. Vous allez faire toute une équipe !

Elle lève le bras à sa pleine extension pour me donner deux petites tapes sur l'épaule, puis retourne dans le département. Je me dirige vers l'escalier, bourru. Je sens que les flammèches ne seront pas longues à fuser entre moi et mon collègue mollusque. Il y a deux ans, j'avais dit à un prof qu'il était si incompétent qu'il ne réussirait sans doute pas ses propres examens. Ça promet donc avec Davidas…

Tant qu'à être en bas, aussi bien aller me chercher un dessert pour vrai. Mais comme je n'ai pas de liquide sur moi, je m'informe auprès d'un élève s'il y a un guichet automatique dans l'école. Oui, près des casiers. Je passe donc devant le café étudiant (maintenant plein à craquer), marche dans le couloir vert, croise des ados dont une me dit bonjour (sans doute une élève de mon cours d'hier), puis arrive dans la section des casiers. Quatre personnes attendent devant le guichet automatique. Celui-ci doit dater car chaque fois qu'il crache de l'argent, il produit un bruit métallique si intense qu'on le croirait sur le point d'exploser. Je rejoins la file et me tourne vers les casiers. Sur l'un d'eux, dans la troisième rangée, une bandelette jaune de la police a été apposée. Les nombreux étudiants qui vont et viennent marmonnent entre eux en jetant des coups d'œil vers le tragique casier. À nouveau, je trouve étonnant que le cégep soit ouvert aujourd'hui. Étonnant aussi qu'aucun psychologue n'ait adressé de message aux élèves, qu'il n'y ait pas de réunion spéciale ni quoi que ce soit de ce genre. Mortafer dirait sans doute, avec son sourire ironique, que c'est comme ça, à Malphas... D'ailleurs, si la théorie de Valaire est vraie, je me demande bien pourquoi Mortafer est ici. Depuis quinze ans, en plus...

Près de moi se trouve la première rangée de casiers. Deux étudiantes s'approchent et je peux entendre ce qu'elles disent. L'une s'inquiète :

— ... pis comme il était pas à la café à midi, j'ai appelé chez eux. Sa mère capotait grave. Il est pas rentré cette nuit ! Ses parents ont pas de nouvelles depuis hier ! J'aime pas ça !

Malgré moi, je dresse l'oreille, vaguement amusé. Un autre jeune qui a découché sans prévenir ses vieux.

— Mais toi, t'étais avec lui, hier soir ! fait l'autre fille.

— Ben oui, on est sortis du restau y'était presque minuit ! On s'est donné rendez-vous à midi, je suis partie à pied, lui en *char*... pis il a disparu ! On a juste trouvé sa Honda sur un poteau de téléphone ! Mais pas lui !

Devant moi, deux personnes attendent encore pour le guichet. Je regarde vaguement vers les deux adolescentes. La copine du disparu, une jolie fille aux cheveux courts noirs, consulte un papier dans sa main et commence à tourner les chiffres du cadenas de son casier.

— Je stresse ben raide, Val ! Sa mère a appelé la police pis…

— Inquiète-toi pas, voyons.

La fille ouvre le casier…

Je le sais que vous le voyez venir, je sais que vous avez compris ce qui va arriver. Parce que je prends la peine de décrire en détail ce qui se passe et que vous savez bien que je n'insiste pas sur ces précisions inutilement. Mais moi, moi, je ne pouvais pas savoir, je regardais ces filles un peu par hasard. Parce qu'elles étaient jolies, oui, bon, d'accord, mais surtout parce que j'écoutais machinalement leur conversation, pas parce que je me doutais que quelque chose allait se passer. On ne peut pas se douter de ça. Que ça va arriver une seconde fois.

C'est comme si on levait la trappe d'un barrage et que le fleuve retenu se déversait enfin avec un grand « splash » étonnamment bruyant. Comme si ce fleuve était rouge. Comme si plusieurs tronçons de bois flottaient sur ce fleuve. Et tout se déverse sur le sol, aux pieds des deux filles. Rapidement, on distingue mieux certains tronçons : un bras, un organe interne, un morceau de tête. Plusieurs cris en même temps, dont le mien, puis la fuite de la propriétaire du casier, hystérique, qui disparaît hors de la salle en trois secondes, ne laissant derrière elle que l'écho de ses hurlements. Sa copine, elle, demeure paralysée sur place tandis qu'une trentaine d'élèves s'approchent. Alors, j'interviens rapidement, m'élance et m'écrie :

— Touchez à rien ! Pis appelez la police, quelqu'un !

Une quinzaine de cellulaires sont dégainés. Brouhaha, gémissements, cris d'effroi – pendant une seconde, je me dis que je viens de voyager dans le temps et que je suis à nouveau lundi midi. Mais, pour l'instant, je suis le seul adulte sur place (celui qui attendait avec moi dans la file devant le guichet automatique a perdu connaissance, il est là, sur le plancher, étendu de tout son long, très digne) et je me sens tout à coup responsable de la situation. Et je dois bien admettre que cela ne me déplaît pas. J'ordonne donc à tout le monde de reculer, de rester calme et, ma parole, ils obéissent. J'aperçois sur le sol, près du carnage, le sac à main de la fuyarde ainsi qu'un bout de papier blanc. Je me penche et ramasse le tout, dans l'intention de les donner aux flics. Sur le papier sont inscrits trois nombres séparés par un tiret. Le numéro du cadenas du casier, sans doute.

Je me penche un peu vers l'amie de la fuyarde, toujours paralysée. Ma voix est calme.

— Ta *chum*, elle s'appelle comment ?

Silence. Tétanisée, la fille. Paralysée, statufiée, et autres synonymes. Je parle encore plus doucement :

— Tout va bien, y a pas de danger. On veut juste comprendre. Elle s'appelle comment, ton amie ?

L'ado me voit enfin, réagit un peu. Merde, j'aurais fait un bon flic, on dirait ! Elle balbutie :

— Amélie… Amélie Farer…

— OK. Et le, heu… le corps, là, tu peux, heu… le reconnaître ?

Parmi la compote de restes humains patauge une tête dont il manque toute la partie inférieure, mais on voit le nez et les yeux. C'est parfaitement horrible, je sens un cri de démence qui monte en moi mais je garde le contrôle. La fille détourne les yeux et, entre deux sanglots, lâche :

— C'est Ludo! Ludovic Rivard! Le... le *chum* d'Amélie!

Et elle se sauve à son tour en pleurant. Ce mec est le disparu de la veille dont elles parlaient tout à l'heure? Toutes ces infos tournent dans ma tête, je me sens dégoûté et excité en même temps, ça forme un mélange vraiment hétéroclite dont l'effet se concentre en un terrible étourdissement. Une idée me frappe au milieu de ce maelström: aucune goutte de sang ne suintait du casier juste avant qu'il ne soit ouvert. Je le sais, j'étais juste à côté, je l'aurais vu, tout comme Farer l'aurait remarqué aussi avant de l'ouvrir... Comment est-ce possible?

Parmi la tribu qui s'est rassemblée, beaucoup de profs, dont mes collègues du département, tout aussi secoués et incrédules que les autres. De nouveau, cette impression de voyage dans le temps... Alors c'est ça, la routine de Malphas? Un cours le matin, un dîner rapide, et pour dessert, hop! un cadavre en morceaux dans un casier! Au milieu des curieux, je reconnais Simon Gracq, qui prend des notes. Il me considère d'un œil intéressé.

La police arrive enfin, trois officiers accompagnés d'Archlax qui, malgré sa pâleur extrême, demeure évidemment très digne. Bouthot n'est pas avec eux: il doit être occupé à vomir quelque part. Et c'est reparti: les flics décrètent que l'établissement sera fermé pour le reste de la journée, obligent tout le monde à quitter le cégep, sauf ceux qui ont été directement témoins de l'événement. Trois élèves restent donc sur place ainsi que moi-même. Un flic s'approche de moi, l'air endormi, et je lui lance tout de go:

— J'étais dans la file pour le guichet automatique et, par hasard, j'ai tout vu et tout entendu. Le cadavre en morceaux est sorti du casier, comme hier. La fille à qui appartient le casier s'appelle Amélie Farer. Le cadavre est son amoureux, Ludovic Rivard. Amélie s'est sauvée en hurlant, par là-bas.

Le flic blasé note mon témoignage en bâillant sans gêne. Il a pris une brosse la veille ou quoi ? Moi, je me sens stupidement fier et je continue donc mon petit numéro de flic amateur :

— J'ai dit à tout le monde de toucher à rien. J'ai ramassé le sac à main de la petite Farer.

Je le lui donne. Il le prend mollement, l'examine d'un œil terne et marmonne :

— Je sais pas si j'en ai vraiment besoin…

— Ben voyons, c'est une pièce à conviction, un élément qui appartient à l'une des personnes impliquées !

— Ah, ouais, pas fou…

Je le dévisage en penchant la tête sur le côté. Si je me fais tuer un jour, j'espère qu'il ne participera pas à l'enquête. Je lui tends aussi le petit papier :

— Ça, je pense que c'est le numéro du cadenas du casier.

— Ouais, pis ?

— Je sais pas, moi ! Vous pourriez au moins noter le numéro !

Il soupire, comme si on lui avait demandé de recopier le dictionnaire au complet. Il daigne regarder le papier de son œil éteint et, sans me le prendre des mains, note le numéro dans son calepin. Je lis les nombres en même temps que lui : 9-27-12. Il articule ensuite d'une voix lasse :

— Bon, ben, merci. Vous pouvez partir…

— Vous voulez pas que je reste ? Au cas où vous…

— Non, non… Si on a besoin d'autres infos, on va vous appeler…

— Faudrait peut-être que vous connaissiez mon nom et mon numéro de téléphone.

— Ah, ouais, pas fou…

Exaspéré, je décline mes coordonnées. Il inscrit le tout et, même en entendant mon patronyme, n'a aucune réaction. Je lui aurais dit m'appeler Patof qu'il n'aurait sans doute pas sourcillé. Il s'éloigne sans prendre le bout de papier que je tends toujours. Je lui lance :

— Vous croyez pouvoir retrouver le chemin du poste de police ?

S'il m'a entendu, il n'en montre rien. Je me sens vexé. Alors, c'est déjà tout ? Je donne plein de renseignements sur la fille, sur le cadavre, je récupère le sac à main, et on ne m'accorde pas plus d'égards que ça ? Il est vrai que je suis tombé sur le flic le plus incompétent de la galaxie. Mais je suis bien naïf : je m'attends à quoi, au juste ? Dépité, je cherche une poubelle pour jeter le papier et, n'en trouvant pas, le glisse distraitement dans une poche de mon jeans. Je jette un dernier coup d'œil à la salade d'entrailles sur le sol, grimace, puis m'éloigne vers l'escalier principal, toujours fébrile, pour aller chercher mes affaires. On dirait bien que je ne rencontrerai pas mon second groupe cet après-midi…

Alors que je suis sur le point de monter, Gracq s'approche de moi.

— Hé, Julien ! Tu as tout vu l'événement de ce qui s'est passé, il paraît ?

Manquait plus que lui…

— Oui, j'attendais au guichet.

Il se fiche une cigarette éteinte entre les lèvres et, plissant les yeux, poursuit d'une voix qu'il veut plus profonde :

— Pis vous étiez là aussi hier matin à l'endroit sur place, non ?

Bon, s'il me vouvoie, c'est qu'il a mis son chapeau de journaliste. Ce gars-là a sans doute lu *L'Avare* dans son cours de français 101 et, depuis, il souffre du syndrome de Maître Jacques.

— Non, hier, je suis arrivé après, comme tout le monde.

— Inquiétant, ces deux morts violentes pis semblablement pareilles en deux jours, hein ?

— Simon, si tu veux une entrevue pour ton journal sur ce sujet, tu perds ton temps.

— OK, pas d'entrevue comme proprement dite, mais je vais faire l'enclenchement de ma propre enquête. Pis je t'en parle en discutant parce que je le sais que ce genre d'affaires-là qui vient d'arriver t'intéresse. Je t'ai vu agir dans l'action de ce que tu faisais, tout à l'heure, tu te débrouilles comme un poisson qui coule de source. T'as pas écrit la rédaction de deux romans policiers pour rien...

— Tu vas enquêter, toi ?

— Ben ouais, c'est la responsabilité de mon boulot de journaliste ! Pis j'ai déjà établi une concordance de lien entre les deux victimes de mort.

Il s'avance encore plus près de moi, comme s'il allait me livrer la révélation du siècle. Dans sa tête, il doit même entendre la musique dramatique qui accompagne ses paroles. Il chuchote donc :

— Fermont pis Rivard sont deux gars de la région du coin. Quand ils s'adonnaient aux études secondaires, ils fréquentaient la même polyvalente à l'école...

— Il y a combien d'écoles secondaires à Saint-Trailouin, Simon ?

— Une.

Je hoche la tête en silence. Je veux me remettre en marche, mais Gracq m'attrape le bras.

— Attends, tu comprends point !

— Avec ta syntaxe, c'est pas évident.

— Écoute : plus de quatre-vingts pour cent des étudiants de Malphas proviennent d'ailleurs que de l'intérieur du coin d'ici. Y avait donc pas tant de chances probables que les deux élèves victimisées aient été à la polyvalente de Saint-Trailouin !

— T'as raison, Simon. Continue ton enquête : tu vas peut-être découvrir que tous les deux avaient le même âge. À quelques mois près, bien sûr…

Et je monte enfin l'escalier, parmi une foule bouleversée et pressée.

Chapitre cinq

Où apparaissent des hasards qui, ma foi, sont plutôt troublants

Eh oui : mercredi, le cégep est ouvert, avec ses élèves, ses murs verts et son odeur ! Que doit-il donc se passer pour qu'on le ferme ? Un tsunami ? Mais la tension est palpable partout dans l'établissement, comme si tout le monde s'attendait à une autre abomination. Il est maintenant treize heures et rien ne s'est produit : aucun cadavre dans aucun casier, ni à quelque autre endroit. Aurons-nous droit à une journée normale ?

Le mercredi après-midi, aucun prof du département d'arts et lettres n'a de cours afin que nous puissions tenir des réunions. Nous nous retrouvons donc, à treize heures trente, dans une salle de cours où nous plaçons les tables en rond. Les huit professeurs sont présents et même un neuvième, une femme qu'on me présente : Judith Ruglas. Elle ne donne qu'un seul cours le jeudi matin, le cours de théâtre pour les élèves qui suivent notre programme Lettres, Cinéma et Théâtre. Nous ne risquons donc pas de nous croiser souvent, ce qui ne sera pas une grande perte si j'en juge par son air pincé et hautain qui la fait ressembler à une écrivaine parisienne, son grand foulard autour du cou et son faux accent radio-canadien. Poichaux, après une longue consultation de ses feuilles, lisse ses cheveux noirs puis ouvre la réunion :

— Avant qu'on commence, est-ce que quelqu'un ressent le besoin de parler des terribles événements des deux dernières journées ? Je suis là pour vous écouter, alors n'hésitez pas…

— On a une psychologue, dans le cégep, Aline, intervient Valaire avec impatience. Laisse-la faire sa job, pis toi, fais la tienne, celle de coordonnatrice. *Let's go*, on commence la réunion.

Tout le monde a l'air bien d'accord. Non seulement Poichaux n'est pas froissée, mais elle paraît même rassurée. Elle débute donc en me souhaitant officiellement la bienvenue au département, même si elle se dit désolée que j'aie à vivre un début de session si éprouvant. Je remercie sobrement, peu enclin à ce genre de formalités. Ensuite, elle consulte ses papiers :

— Bon. Malgré les deux drames de cette semaine, il faut continuer le travail, alors allons-y. Cet automne, en concentration Lettres, Cinéma et Théâtre, on a onze nouveaux inscrits. Deux de moins que l'année dernière. Je vous rappelle que si on descend en bas de dix nouvelles inscriptions, le cégep fermera le programme. Il faut donc trouver des stratégies pour attirer les élèves. Des idées, quelqu'un ?

Zazz lève la main :

— C'est toujours les mêmes profs qui donnent les cours du programme : moi, Rémi, Megan, Rachel pis Mahanaha. Si d'autres profs acceptaient de nous remplacer, des fois, ça changerait peut-être la dynamique.

— Moi, l'éparpillement, ça me convient pas, fait Davidas de sa voix d'amibe, le regard ailleurs. J'aime approfondir les choses, n'est-ce pas ? C'est souvent mieux de se concentrer sur les deux mêmes cours plutôt que de tirer dans toutes les directions. Les gens ont tendance à oublier ça.

C'est grâce à ton souci de la spécialisation que tu as cru que Racine avait inventé la racinette, ma chouette ? À cette pensée, je me mords la lèvre inférieure pour ne pas éclater de rire.

— Oui, comme ça, on fait moins de préparation d'année en année, n'est-ce pas, Elmer ? dit Mortafer, mine de rien.

L'indolence du regard de Davidas, qui se tourne vers Mortafer, se durcit alors quelque peu. Le signal « danger » doit s'allumer dans la tête de Poichaux car elle s'empresse d'intervenir :

— Cinq profs sur huit qui donnent des cours du programme, c'est quand même beaucoup, Zoé, je suis pas sûre que le problème soit là. Mais je dis pas que ton intervention était pas bonne, là, au contraire, je la respecte, comme je te respecte aussi comme enseignante, faut pas croire que...

— Moi, j'aimerais ben ça donner le cours d'analyse cinématographique ou de production cinématographique, mais vous voulez jamais !

— Voyons, Megan, tu sais bien pourquoi ! soupire Rémi en se déplaçant sur sa chaise avec lassitude. Zoé et moi, nous sommes les deux seuls profs ici qui avons étudié aussi en cinéma. Va faire un certificat en cinéma, et tu pourras ens...

— Des certificats, des diplômes ! coupe Valaire. Comme si c'étaient des osties de papiers qui faisaient de nous autres des bons profs ou non ! Pour le cours de... Laisse-moi finir, Aline ! Pour le cours de production cinématographique, OK, je connais pas la technique, mais pour le cours d'analyse de films, je pourrais le donner autant que toi ou Zoé, je suis sûre !

— Ah oui ? réagit Zazz, piquée. Es-tu capable de me dire la couleur du t-shirt de Megan Fox quand elle répare le moteur de l'auto, dans *Transformer* ?

Valaire roule des yeux exaspérés. Moi, je réponds spontanément:

— Orange.

Tout le monde me dévisage comme si je venais de surgir du plancher. Je hausse les épaules et ajoute:

— C'est la seule scène du film dont je me souviens.

Quelques ricanements. Valaire elle-même a un petit sourire. Zoé, par contre, pince les lèvres avec froideur.

Poichaux ramène l'ordre en affirmant que seuls ceux qui ont des études en cinéma peuvent donner les deux cours de cinéma. C'est d'ailleurs pour cette raison qu'ils ont engagé Judith Ruglas pour donner le cours de théâtre, puisque aucun prof du département n'avait de diplôme en théâtre. La Ruglas en question acquiesce d'un sourire hautain. Valaire croise les bras, boudeuse.

Puis, notre coordonnatrice nous présente les nouveaux articles apportés au projet éducatif du cégep, l'horaire des réunions syndicales de l'année, les nouvelles coupures imposées autant par le cégep que par le Ministère... Bref, le même pot-pourri de vieilles rengaines que j'ai entendu dans toutes les réunions départementales auxquelles j'ai assisté en quatorze ans. Tout le monde a l'air vaguement ennuyé, comme lorsqu'on écoute notre conjoint ou notre conjointe nous raconter sa journée au boulot. Davidas, lui, n'écoute carrément pas, cela est évident par le vide intersidéral de son regard. Moi, je ne peux m'empêcher de reluquer Rachel à tout bout de champ. Elle écoute Poichaux sans la quitter des yeux, en notant des trucs de temps à autre. Pas une seule fois elle ne regarde vers moi. Je gagerais mes droits d'auteur (donc environ cent vingt dollars) qu'elle le fait exprès. Au bout d'une demi-heure, Poichaux dépose ses papiers et observe toute sa petite famille:

— Bon. Pour terminer, j'aimerais vous entendre. En ce début de session, avez-vous des demandes particulières ?

J'en ai bien une ou deux, mais comme elles ne concernent que Rachel, je me tais. Hamahana, qui n'a pas émis un son de toute la réunion, lève aussitôt la main, si rapidement que j'entends presque le sifflement de l'air fendu par son mouvement. Tout le monde adopte alors une expression de douce résignation, et dès les premiers mots de mon collègue, je comprends pourquoi :

— Il y a du monde qui fouille dans mon f'igo pe'sonnel !

— Criss, Hamahana, personne fouille dans ton ostie de frigidaire ! s'énerve Valaire. On en a rien à branler de ta câlice de bouffe casher pas mangeable !

L'Arabo-Haïtien juif dirige un doigt tremblant d'indignation vers elle, tout en bredouillant vers Poichaux :

— Vous l'avez entendue ? Vous êtes témoins ? Un g'ief ! Je dépose un g'ief !

— Un guieffe ? que je souffle à Mortafer, assis à ma droite.

— Un grief. Il en dépose une quinzaine par année.

— Voyons, Mahanaha, c'était pas du racisme, rétorque Poichaux qui commence à jouer nerveusement avec son crayon. C'était pas très, heu… amusant, c'est vrai, mais pas raciste non plus. En fait, je dirais que c'était, heu… quelque part entre les deux… C'était plutôt… plutôt… heu, comment dire… Rémi, tu dirais quoi ?

— Honnête ?

— Heu… c'est pas le mot que je cherchais, non…

— Je veux queu tu insc'ives mon g'ief, Aline ! persiste Hamahana.

— Ben oui, maugrée Valaire avec indifférence. Inscris-le, son ostie de guieffe…

— Quoua ? s'étouffe presque l'offensé. Tu... Tu...
Vous l'a... Deux ! Deux g'iefs !

— C'est ça, deux, marmonne Valaire en levant
nonchalamment deux doigts.

Poichaux inscrit sur sa feuille les griefs en secouant
la tête, sur le point de pleurer, et je l'entends même
gémir : « Mon Dieu, mon Dieu... » Personne ne réagit
vraiment. L'habitude, j'imagine...

— Bon, j'ai inscrit les griefs... Maintenant, donnez-
vous la main, d'accord ? Ou, mieux, faites-vous un
câlin ! Ou que diriez-vous d'un week-end dans une
auberge, tous les deux, pour apprendre à mieux vous
comprendre ? Je pourrais même vous payer la chambre,
je suis sûre que le budget du département pourrait...

— Aline..., se contente de marmonner Mortafer en
essuyant une tache sur sa manche.

Poichaux semble comprendre, hoche la tête puis :

— Bref, Mahanaha, je pense que personne fouille
dans ton frigo personnel, alors...

— Jeu veux queu leu cégep me fou'nisse quelqueu
chose pou' ve'ouiller mon f'igo ! Une ba"u'e, un cadenas, une chaînette, n'impo'teu quoua !

— Heu... Le cégep te fournira pas ce genre de
matériel. C'est à toi de te le procurer...

— Jeu neu paie'ai pas de ma poche pou' du maté'iel
deu t'avail !

— C'est pas du matériel de travail, voyons, c'est
pour tes besoins personnels, que je ne peux m'empêcher
de dire.

Mahanaha me dévisage, outré que moi, le nouveau,
j'aie le culot d'émettre une opinion. Plusieurs ho-
chements de tête suivent mon intervention.

— Alo's si le cégep 'efuse, jeu deumande au dépa'-
tement de m'acheter quelqueu chose pou' ve"ouiller
mon f'igo !

— J'imagine que le département pourrait, en effet, t'accommoder là-dessus, commence prudemment Poichaux en se tordant les doigts.

— Je demande le vote ! intervient Zazz.

— Ah bon ? D'accord... Que ceux qui acceptent que le département paie une barrure pour le frigo de Mahanaha lèvent la main.

Poichaux, en prononçant ces mots, commence à lever la sienne, mais en voyant que tous les autres bras préfèrent le confort des accoudoirs de leurs fauteuils plutôt que l'élévation verticale, elle cesse son mouvement à mi-chemin, de sorte qu'il est impossible de savoir si elle est pour ou contre sa propre proposition. Elle se mordille les lèvres comme si elle voulait se les arracher, puis annonce :

— Désolée, Mahanaha, mais le département ne te paiera pas de matériel individuel non pédagogique...

— C'est un complot ! s'écrie le parano. En tout cas, il est ho's deu question queu jeu paie une ba''u'e avec mon a'gent !

— Ben, c'est ça, achète-toi-z-en pas pis câlice-nous la paix ! lâche Valaire, excédée.

— Un g'ief ! Un g'ief, tout deu suite !

En épongeant son front moite de sueur et en marmonnant un autre chapelet de « Mon Dieu, mon Dieu ! », Poichaux inscrit le grief. Mortafer me lance un regard étincelant d'amusement. Je me masse l'arête du nez, un brin étourdi. À Montréal et Drummondville, j'ai toujours eu l'impression d'être le moins normal du groupe, position qui, somme toute, me plaisait assez. Mais ici, pour la première fois, je ressens l'inverse.

Puis, Poichaux demande s'il y a d'autres réclamations. Silence total.

— Parfait, la réunion est terminée. Je propose que nous en tenions une autre la semaine prochaine.

— Ah non, Aline, tu vas pas recommencer avec ça! soupire Zazz. Chaque année, c'est la même chose: tu essaies de tenir une réunion par semaine, même si c'est complètement inutile!

— Mais ça entretient les liens entre nous, ça renforce l'esprit d'équipe!

— Moi, je pense pouvoir survivre à un mois complet sans réunion, ajoute Mortafer.

— Ben d'accord! renchérit Valaire.

— Et les autres? supplie presque la pauvre Poichaux. Vous en pensez quoi? Elmer?

Davidas, la bouche entrouverte, est toujours perdu dans ses pensées, donc dans les limbes. Je crois même apercevoir la formation d'un filet de bave sur sa lèvre inférieure.

— Elmer?

— Hein? Ah, oui, je crois qu'il était effectivement orange.

Silence, criquets. Puis Poichaux:

— Heu... tu parles de quoi?

— Ben, le t-shirt de Megan Fox... Vous savez, moi aussi, si je le voulais, je pourrais enseigner Analyse cinématographique, j'ai vu tous les classiques: *La Mélodie du bonheur*, *Grease*, *Rabbi Jacob*, les vieux Jerry Lewis... Mais l'éparpillement, comme je vous l'ai dit...

Seconde tournée de criquets, à laquelle s'ajoute cette fois le passage d'une boule de poussière, puis Mortafer répète sa proposition que la prochaine réunion ait lieu dans un mois. Tout le monde est d'accord, moi y compris. Si toutes les réunions ressemblent à celle-ci, je prévois être victime d'attaque de grippe ou d'indigestion aux dates de nos prochaines rencontres. Aussi déçue que si on venait de lui apprendre que l'orgasme féminin est une vue de l'esprit, Poichaux réussit l'exploit de s'incliner et de lever la réunion simultanément. Tandis que nous quittons nos chaises, je jette un œil vers Rachel, qui affiche toujours cet air détaché. Elle n'a pas dit un mot de la réunion.

Retour au département : certains profs ramassent leurs effets pour partir, d'autres s'installent pour travailler un peu. La discussion, après avoir plané au-dessus de quelques cibles insignifiantes, fait enfin un piqué sur les événements dramatiques de la semaine. Saint-Trailouin étant une petite ville de douze mille habitants, les informations circulent rapidement. J'apprends ainsi que la police, à défaut d'indices sérieux, retient aussi la jeune Amélie Farer. Je veux demander à Rachel ce qu'elle en pense, mais elle a déjà quitté le local, discrètement, sans saluer personne. J'aurais pourtant dû me rendre compte que son *sex-appeal* dévastateur n'irradiait plus dans la pièce.

À un moment, il ne reste que Poichaux, Hamahana et moi dans le département, tous les trois en train de travailler à nos bureaux. Par curiosité, je jette un coup d'œil à la liste du groupe que je n'ai pu rencontrer hier après-midi, pour voir si l'une des deux victimes ou l'une des deux « inculpées » ne s'y trouverait pas. Avec un pincement au cœur, je constate que Ludovic Rivard aurait été l'un de mes étudiants. Feuille en main, je me gratte l'occiput quelques secondes, puis rejoins Poichaux à son bureau. Déconfite, elle recopie au propre les griefs de Hamahachiant.

— Aline, imagine-toi donc que j'avais Ludovic Rivard, la deuxième victime, comme élève… Déprimant, non ?

— Mon Dieu, c'est épouvantable, pauvre toi, tu veux qu'on en parle, t'as besoin d'aide, veux-tu un massage ?

— Non, je te remercie, c'est correct.

Quoique le massage… Je jongle un moment avec l'idée, tandis que ma coordonnatrice fouille dans un tiroir pour en extraire une feuille qu'elle me tend. Elle m'explique que je dois remplir ce formulaire administratif et le faire suivre au secrétariat pédagogique. C'est pour signaler qu'un étudiant ne fréquentera plus mon cours.

— C'est ridicule, que je commente. Ils le savent bien, en bas, qu'il est mort!

— C'est pas de ma faute, Julien, je te jure, c'est le règlement, moi aussi je trouve ça niaiseux mais… En fait, non, je veux pas dire que je trouve que la direction a des règles niaiseuses, mais, bon, c'est comme ça.

Je retourne à mon bureau avec ma connerie administrative et commence à la remplir. On demande le nom de l'étudiant, le cours qu'il ne suivra plus, puis la raison de son abandon. J'inscris donc: « J'aurais voulu le lui demander, mais il ne pourra pas me répondre pour cause de décès. » À questionnaire idiot, réponse idiote. On demande d'inscrire le code permanent de l'élève. Je consulte donc ma liste d'étudiants, trouve le nom de Rivard et commence à recopier son code permanent: 092712. Voilà.

Pourquoi je ressens ce petit court-circuit quelque part entre mon nez et l'arrière de mon crâne? Pourquoi ces flashes flous qui clignotent dans ma tête, comme si j'assistais à un défilé de diapositives hors-foyer? Et, surtout, pourquoi je n'arrive pas à quitter ce numéro des yeux? Comme si la boule du 9 me fixait telle une pupille familière, comme si la courbe supérieure du 2 s'enroulait autour de mon cou pour m'attirer à lui… Bref, impression de déjà-vu.

Non, ce serait trop incroyable, tout de même…

Le papier sur lequel était inscrit le numéro du cadenas de Farer… Ce papier que la police n'a pas

pris, qu'en ai-je fait ? Je l'ai mis dans une poche de
mon jeans, non ? Ce jeans que je porte encore aujourd'hui... Je me fouille. Au milieu de pièces de
monnaie, de mes clés et d'un condom neuf (toujours
tout prévoir), mes doigts atteignent le bout de papier.
Je le déplie et lis le numéro du cadenas d'Amélie
Ferer : 09-27-12.

Eh ben, ça alors.

Car enfin, quelle autre réaction pourrais-je avoir ?
Vous ne vous attendez tout de même pas à ce que je
me lève d'un bond et que je hurle : « C'est incroyable ! »
en me jetant par la fenêtre ? C'est un hasard plutôt
morbide, soit, mais ce n'est tout de même que cela :
un hasard.

N'empêche, ça secoue un peu.

Bon. Je range mes choses et attrape ma mallette.
Je ne veux plus songer à ces deux morts violentes, je
ne veux plus penser au *bad trip* de Zazz qui parlait
comme le corbeau de mon rêve. Je veux juste aller
prendre un verre. Je marche vers la porte en saluant
Poichaux et en ignorant Hamahana (qui répond par
la réciproque) lorsque la coordonnatrice, l'air désolé,
me lance :

— En passant, Julien, tu sais pas quoi ? Je viens
de constater que moi, j'avais Nicholas Fermont dans
mon cours de 103. Triste, hein ?

Et elle brandit sa liste d'étudiants, tragique.
Nicholas Fermont, la première victime... Tout à
coup, une idée saugrenue me secoue les pellicules.
J'ai beau me traiter de gros cave, je m'approche tout
de même du bureau de Poichaux. En chemin, je me
fracasse le tibia contre un tiroir de classeur ouvert.
Je le referme en étouffant un juron, puis marche vers
la coordonnatrice.

— En effet... Je peux voir ?

Elle me montre la liste. Je la prends, trouve le nom de Fermont.

— Ouais, vraiment triste…

Et j'articule cette phrase mécaniquement et lentement, le temps de bien lire et de graver mentalement le code permanent de Fermont : 090816.

Je suis vraiment cave. Je le pense toujours en remettant la liste à Poichaux. Je me le répète en descendant les marches et en me dirigeant vers la section des casiers qui, en plein milieu de l'après-midi, est à peu près déserte. Deux casiers sont maintenant zébrés d'une banderole jaune de la police. J'ignore celui d'Amélie Farer et me dirige vers celui de Julie Thibodeau, l'ex de Fermont. En m'approchant, je me traite encore et encore de gros cave, comme si j'espérais ainsi m'amener à renoncer. Mais je me poste devant le casier, m'assure que personne ne m'observe, puis avise le cadenas à cadran. Il est toujours ouvert et pend dans sa fente d'accès. Je dépose ma mallette sur le sol, referme le cadenas, tourne les chiffres du cadran dans tous les sens et m'assure qu'il est bien verrouillé : il l'est.

Je ricane à voix haute, ah, ah. Allez, Sarko, il n'est pas trop tard pour éviter le ridicule complet, tu peux encore sauver ton honneur en laissant tomber. Si tu as des idées aussi folles, c'est signe qu'il est temps que tu te remettes à écrire. Pour le moment, va prendre la bière que tu t'es promise, explore un peu la gent féminine locale et, sait-on jamais, tu vas peut-être t'envoyer en l'air ce soir. Les filles en région sont ouvertes, dit-on, non ? Allez, va vérifier ce proverbe.

Rien à faire : mes doigts commencent à tourner le cadran. D'abord deux tours vers la droite, puis arrêt sur le 9. Un tour vers la gauche puis arrêt sur le 8. Vers la droite, puis arrêt sur le 16.

Vraiment, vraiment cave.

Je tire sur le cadenas : il s'ouvre.

Je fixe l'objet pendant une très longue minute, qui dépasse de loin les soixante secondes régle- mentaires. Puis je caresse mon menton et mes joues. Enfin, je ramasse ma mallette et marche vers la sortie du cégep.

Tout à l'heure, je voulais une bière. Maintenant, j'en veux six.

◆

En roulant en ville, je tente de me raisonner : après tout, les utilisateurs des cadenas peuvent sans doute choisir leur combinaison eux-mêmes. Ainsi, les filles, pour être romantiques, auraient choisi le code per- manent de leur amoureux. Sauf que Thibodeau ne sortait plus avec Fermont...

Me trouver un bar. Mais pas L'ami ne deux faire, pas envie d'être entouré d'adolescents (même si, si tôt, il sera sans doute désert). Quel est ce bar, déjà, fréquenté par de vrais adultes ? Le Vitriol, c'est ça. Je me mets donc à la recherche de ce bar au centre- ville, que je trouve après pas moins de deux ou trois longues minutes. Il est à moins de quatre minutes à pied de L'ami ne deux faire, dans une rue parallèle.

Comparé à L'ami ne deux faire, le Vitriol ressemble à la chambre d'un moine pénitent. Deux ou trois tableaux représentant des natures mortes aussi sombres que les murs qui les portent. Des lumières si discrètes qu'une manne de lucioles serait plus efficace. Une seule fenêtre, avec vue imprenable sur le mur en ciment du bâtiment voisin à moins de trois mètres. La musique elle-même est tellement en sourdine qu'elle semble provenir de l'appartement au-dessus. Le bar au fond est si discret que si le barman ne bougeait pas, on pourrait croire à un trompe-l'œil. Une sorte de poussière très fine flotte partout dans la salle. Quelqu'un qui entre ici en se demandant s'il doit se suicider en sort totalement convaincu. Six ou sept clients, pas plus. Mais, parmi eux, je reconnais Mortafer, seul à une table, un verre de vin devant lui. Je songe à sortir, pas convaincu de vouloir être en compagnie d'un collègue ce soir, mais ce dernier m'a déjà vu et me fait signe d'approcher. Trente secondes plus tard, je me retrouve installé devant lui.

— Alors, Julien, tu as rencontré tes autres groupes ?

— Non, celui d'hier a été évidemment annulé. Mon prochain est demain.

Je commande une bière à la serveuse. Si je me fie à la vitesse avec laquelle elle retourne au bar, je ne boirai sans doute pas avant une semaine ou deux.

— Et toi, tes groupes ?

— J'en ai vu deux. Dans le premier, vingt-deux vont réussir le cours, mais dans l'autre, il va y en avoir seulement dix-neuf.

— Comment peux-tu savoir ça ?

— Simple : j'ai déjà inscrit la note finale de chacun des étudiants.

— Je comprends pas, là…

Satisfait de son effet, il explique sur un ton exagérément détaché :

— Le premier cours, je demande à chaque étudiant de se présenter durant quelques minutes, de me parler de lui ou d'elle. En me basant sur leur discours, je peux déjà leur donner leur note de session. Ils l'ignorent, bien sûr.

Je dois le dévisager avec une incrédulité indignée, car il rigole :

— Voyons, Julien, je suis sûr que toi-même, après trois ou quatre semaines, tu es à même de dire qui va réussir le cours et qui ne le réussira pas ! Je prends de l'avance, tout simplement.

— Ben voyons donc, tu… tu corriges pas leurs copies durant la session ?

Il examine son verre d'un air affecté, prend une gorgée, hausse les épaules :

— Je les corrige en diagonale, mais presque chaque fois, ça ne fait que confirmer mon premier pronostic. Décidément, ce vin devrait plutôt servir d'assaison-nement pour patates frites… Si tu trouves un bon cru dans cette ville, Julien, jure-moi de partager le secret avec moi.

Je secoue la tête, repense à la théorie de Valaire.

— C'est pour ça que tu enseignes ici, Rémi ? Tu t'es fait prendre dans ton ancien cégep et maintenant, le seul qui t'accepte, c'est Malphas ?

Je n'ai pas l'habitude de passer par quatre chemins, ni même par deux. Mais Mortafer n'est pas du tout of-fusqué par mon sans-gêne et il ricane en me regardant avec contentement. Le vin a taché ses dents, c'est d'un chic fou.

— On dirait que tu apprends vite, Julien…

Donc il ne nie pas ? Au moins, il assume, un bon point pour lui. Il avance la tête dans ma direction.

— Si je suis ta logique, ça veut dire que toi aussi tu as fait quelque chose pour te retrouver ici…

Je retrousse le coin de mes lèvres. Grimace ou sourire, je sais pas trop. Un alliage des deux, j'imagine. Ça ne doit pas être très joli.

— Ça se peut, oui.

Ai-je vraiment envie de raconter ça à Mortafer ? Je songe à ajouter : « Quand on fumera un joint ensemble, je te conterai ça ! », mais j'imagine mal mon collègue s'adonner à ce divertissement. Au même moment, le regard de Mortafer attrape quelque chose derrière moi :

— Tu as de la chance : tu vas rencontrer ce soir l'un des personnages les plus imposants de notre ville. Physiquement parlant, du moins.

L'imposant en question est un homme d'environ cinquante ans à la carrure impressionnante. Il salue les clients à la ronde et on lui répond avec respect. En voyant Mortafer, il s'approche en tendant la main. Il doit bien mesurer près de deux mètres.

— Les profs de cégep sont pas juste des anarchistes de gauche, ce sont aussi des alcooliques dégénérés. Je l'ai toujours dit.

— Préjugés, préjugés…

— Criss, t'es ici trois fois par semaine au moins !

— Si tu sais ça, c'est parce que tu viens souvent, toi aussi.

Le gars éclate d'un rire outrageusement viril en remontant son pantalon et il allonge une claque dans le dos de Mortafer avec tant de force que je crains pendant une seconde qu'il lui ait enfoncé la colonne vertébrale dans les poumons. Mais Mortafer, malgré la douleur évidente que lui cause l'affectueux geste, se contente de grimacer un sourire quelque peu forcé. En jouant un peu des épaules (sans doute pour replacer ses vertèbres dans le bon ordre), il fait les présentations :

— Julien, voici notre capitaine de police, Jingo Garganruel. Jingo, voici notre nouveau prof de français de Malphas, Julien.

Si ce type me donne aussi une tape dans le dos, je le poursuis pour dommages et intérêts. Mais il se contente de m'observer avec suspicion, ce qui rend son visage carré très dur encore plus *dirty-harryesque*.

— Un nouveau prof à Malphas…

Ben quoi, les enseignants sont une race suspecte ? Mortafer l'invite à s'asseoir avec nous, ce qui, pendant un instant, m'enchante autant qu'un cours de comptabilité, puis je me dis qu'il y a là une occasion pour en apprendre un peu plus sur les meurtres. Garganruel accepte, s'assoit et me considère toujours comme si j'avais la gueule de Charles Manson.

— Pis ton nom de famille, c'est quoi ?

Ah bon ? On se tutoie déjà ? Tant qu'à y être, est-ce qu'on se raconte notre première branlette ? Moi, c'était devant les pubs de bars de danseuses dans le journal. Et toi, capitaine ?

— Sarkozy, que je réponds sèchement, redoutant déjà le pire.

Son air méfiant disparaît aussitôt et il sourit avec satisfaction.

— Enchanté, Julien Sarkozy.

Mon nom semble lui inspirer confiance, ce qui n'est pas tout à fait à son honneur. Une fille s'approche de nous et, après un moment de réflexion, je reconnais la serveuse. Il y a si longtemps qu'elle a pris ma commande que je jurerais qu'elle a changé de coiffure. Elle ne m'apporte pas mon verre, elle vient seulement prendre la commande du flic, qui demande une bière. En la regardant se traîner vers le bar, je me dis qu'elle doit annoncer les *last calls* une journée à l'avance. Plus loin, à une table, un couple semble en pleine dispute.

— Comment tu trouves la région, Julien ? me demande Garganruel.

— Mouvementée.

Il hausse ses sourcils broussailleux, une vraie forêt qui s'éveille.

— Comment ça, mouvementée ? Ah ! tu parles des deux meurtres au cégep ?

— Non, non, je faisais allusion au déplacement rapide des chevreuils dans les bois environnants.

Garganruel pousse à nouveau son rire d'homme vrai qui sent la caverne originelle. Je souris aussi, mais sans doute pas pour les raisons qu'il souhaiterait. Puis le flic redevient sérieux.

— Oui, vraiment horrible, ces meurtres. Surtout dans une région si tranquille…

— Tranquille me semble un terme assez mal choisi, Jingo, souligne Mortafer en portant son verre à ses lèvres.

Le capitaine lui lance une brève œillade contrariée. Maintenant intéressé par la conversation, je poursuis :

— J'imagine que tu as interrogé Farer ?

Pas de raison que je ne te tutoie pas moi aussi, hein, ma chouette ? Il semble un peu étonné de ma familiarité, mais ne relève pas et répond prudemment :

— Oui, évidemment, mais elle est tellement en état de choc qu'on en a pas tiré grand-chose. Ça m'étonnerait qu'elle soit dans le coup.

C'est pas moi qui vais le contredire là-dessus. Je fais remarquer :

— De toute façon, c'est la SQ qui va s'occuper de ça, non ?

— Non. À Saint-Trailouin, on a notre propre corps de police qui s'autosuffit. Les provinciaux doivent trouver qu'on est trop loin.

Il rigole. Une police indépendante ? Je n'en reviens pas. Saint-Trailouin jouit des mêmes avantages qu'une réserve amérindienne ou quoi ? Le flic ajoute :

— En plus, ça doit faire leur affaire de ne pas venir se mêler de nos drôles d'histoires…

Le flic glousse encore mais brièvement, comme s'il regrettait sa remarque. Bref silence. À la table plus loin, le couple se roucoule maintenant des mots doux. Je croise mes bras sur la table :

— J'ai remarqué un drôle de détail : il y avait pas de sang qui suintait du casier avant que Farer l'ouvre.

— Ouais, Farer nous a dit la même chose. On pense que le cadavre pis celui d'hier étaient enveloppés dans une sorte de plastique très mince qui doit crever à l'ouverture du casier. Le labo examine les restes des corps pour chercher ça.

— Vous avez un labo ici ?

— Je te l'ai dit : la police de Saint-Trailouin s'auto-suffit !

Il en semble très fier, le colosse. Sans gêne, je demande :

— Alors, la suite de l'enquête, c'est quoi ?

— Coudon, Rémi, les profs de cégep sont pas juste de gauche pis alcooliques : en plus, ils sont crissement curieux ! (Il revient à moi, moqueur et irrité à la fois.) On a pris des mesures. Si ça peut te rassurer, j'ai trois agents qui surveillent le cégep cette nuit, un à chaque entrée. Pis je vais les laisser là durant quelques nuits. Personne peut entrer entre la fermeture du cégep pis son ouverture. Tu vois, on est pas incompétents même si on vient pas de la grande ville.

— Moi non plus : je viens de Drummondville. Faut pas se sentir menacé, capitaine.

— Je me sens jamais menacé.

Et il me regarde en tentant de concentrer tous ses muscles dans ses pupilles. Je soutiens son regard sans ciller. Il pourrait m'écraser juste avec son pouce gauche, mais c'est pas ça qui va m'impressionner. Mortafer ne dit rien, mais je jurerais qu'il trouve notre duel très distrayant.

L'arrivée de la serveuse neurasthénique met fin à notre combat de coqs. Elle dépose la pinte de bière devant le capitaine en soupirant, comme si elle venait de traverser le Sahara. Elle tourne les talons et je lui lance :

— Et moi ? J'ai commandé une bière aussi.

— Ah oui, c'est vrai…

— Je vous préviens : je veux payer le même prix qu'elle coûtait à l'époque où je l'ai commandée.

La fille ne fait même pas semblant de me trouver drôle et s'éloigne. Je reviens au flic :

— Il y a personne dans le cégep, la nuit ? Pas de gardien de sécurité ?

— Non. C'est un petit cégep, ça vaut pas la peine.

— Il y a un gardien de sécurité le jour, précise Mortafer. À dix heures du soir, il fait le tour du cégep pour dire à tout le monde de partir, puis il quitte le bâtiment à son tour. Il revient le lendemain matin à sept heures. Et souvent, Archlax est déjà là.

— Si tôt ?

— Ça montre à quel point il doit avoir une vie personnelle palpitante.

Le flic ne semble pas tellement apprécier la teneur de notre discussion, car il s'empresse de lancer en lissant son crâne rasé :

— Bon, on est trop sérieux, là ! En fin de journée, faut rire un peu, je l'ai toujours dit ! Justement, j'ai une ben bonne *joke* pour vous autres. C'était une fois une fille qui avait une noune hyper-profonde ! À un moment donné, elle rencontre un Nègre que tout le monde surnommait Marteau-Piqueur, pis là…

— Bon, moi, faut que je rentre, fait doucement Mortafer en se levant. J'ai promis à ma femme qu'on écouterait un film, ce soir, et comme il m'arrive à l'occasion de tenir mes promesses…

Garganruel a une lippe d'enfant déçu. Pas question que je demeure seul avec ce concentré de testostérone. Je me lève aussi dans l'intention de partir, même si cela signifie que je vais manquer la fin de cette blague qui s'annonçait pourtant si fine. Et tant pis pour ma bière. Je salue le policier en lui donnant la main. Son regard redevient grave et il me serre la main avec tant de force que seul l'orgueil m'empêche de grimacer. Tandis que nous marchons vers la sortie, je remarque que le couple s'embrasse maintenant avec fougue, à moitié étendu sur la table.

— Au moins, c'est moi qui choisis notre film ce soir, fait Mortafer en arrivant sur le trottoir. Je vais essayer de trouver dans notre club vidéo quelque chose qui comporte un scénario avec des personnages qui ont plus de vingt-deux ans. Souhaite-moi bonne chance, Julien. Comment as-tu trouvé notre chef des forces de l'ordre ?

— Un macho crétin qui m'aime pas beaucoup parce qu'il a l'impression que mes questions menacent sa compétence.

Mon ex me reprochait de juger les gens trop rapidement. Je n'ai jamais compris pourquoi… Mortafer ouvre la portière de sa voiture. Je demande si ça fait longtemps que Garganruel est capitaine de police.

— Quand je suis arrivé il y a quinze ans, il était déjà en poste. Je pense que ça fait une trentaine d'années…

— Quoi ? Mais il a quel âge ?

— Cinquante-sept, cinquante-huit…

— Je lui en donnais sept ou huit de moins. Il est donc devenu capitaine bien jeune.

— Ça prouve qu'il n'est pas aussi incompétent que tu sembles le craindre.

Il m'adresse un petit salut avec une nonchalance savamment recherchée, puis démarre. Deux minutes plus tard, je roule moi-même dans les rues du centre-ville, cigarette au bec. Je n'arrive pas à m'enlever de la tête les numéros des cadenas et les codes permanents des deux étudiants morts. Ça va être difficile de m'endormir, je le sens. Un peu de *surfing* sur des sites pornos devrait pouvoir me détendre un peu.

Je m'arrête à un feu rouge, ce qui, dans un tel désert, est aussi utile qu'un distributeur de condoms dans un salon funéraire. Tout en contemplant l'absence de circulation, j'aperçois le bar L'ami ne deux faire de l'autre côté. Un couple, devant l'entrée, discute, et je reconnais Zoé Zazz avec le même élève que l'autre soir, c'est quoi son nom, déjà ? Lui a l'air inquiet, elle tente de le rassurer, puis ils se séparent. Ah ? Pas de couchette avec ton jeunot ce soir, Zoé ? J'observe ma collègue s'éloigner. Il y a quelques jours, l'idée de coucher avec un tel squelette n'avait rien de très aphrodisiaque, mais ce soir, comme j'ai vraiment besoin de me changer les idées… Allez, c'est toujours mieux que de se cirer le manche devant des vidéos. Je me remets en route, m'arrête à sa hauteur et baisse la vitre de la portière côté passager :

— Voulez-vous un *lift*, mademoiselle ?

D'abord surprise, elle éclate de rire en me reconnaissant. Tandis qu'elle s'installe à mes côtés, je lui demande si elle se promène toujours ainsi à pied.

— J'ai pas d'auto. J'ai eu trop d'accidents, la régie veut plus me donner un permis avant quatre ans.

Je n'ai aucune difficulté à croire que Zazz peut représenter un danger public derrière un volant. Je l'imagine rire tout en roulant, la fenêtre ouverte. Il y a de quoi provoquer un carambolage. Elle me dit qu'elle n'habite pas très loin et m'indique de tourner à la prochaine. Je lance, mine de rien :

— Tu sors souvent, on dirait.

— Ouais. Je m'ennuie, toute seule chez nous…

Voilà qui s'annonce bien. Goguenard, je ne peux m'empêcher d'ajouter :

— Tu viens d'avoir une autre grande discussion littéraire avec ton étudiant ?

Elle me décoche un regard surpris, puis a un rictus incertain. J'ajoute :

— Il avait pas l'air très en forme…

— Non, pas tellement…

Elle réfléchit un moment, puis, incapable de se retenir, elle me confie d'une voix tout excitée, comme si elle allait me livrer le potin du siècle :

— Tu sais ce qu'il m'a dit ? Qu'il a peur d'être la prochaine victime !

D'un seul coup, je ne songe plus à ma potentielle relation sexuelle.

— Quoi ? Mais… Comment il t'a dit ça ?

— Ben, je l'ai vu ce soir… heu… par hasard, j'ai parlé un peu avec lui, pis j'ai remarqué qu'il avait pas l'air très en forme. Je lui ai demandé ce qui n'allait pas, pis il a fini par m'avouer qu'il s'inquiétait, qu'il avait peur d'être le prochain élève de Malphas à se faire tuer. Je lui ai demandé pourquoi il pensait ça, pis il m'a raconté qu'il y avait un lien entre lui et les deux autres victimes. Il les connaissait un peu mais pas tant que ça, il y avait autre chose. Je lui ai demandé tourne à droite.

— Pourquoi tu lui as demandé ça ?

— Non, toi, tourne à droite, j'habite au bout de la rue.

Je m'exécute, pendu à ses lèvres, ce qui est sans doute la seule partie de son anatomie quelque peu charnue. Elle poursuit :

— Je lui ai demandé c'était quoi le lien. Il avait bu, il était pas très cohérent, mais il paraît que lui, Fermont pis Rivard ont fait quelque chose dans le passé, pis qu'ils sont en train de payer pour ça.

— Qu'est-ce qu'ils ont fait ? À quel moment ?

— J'ai voulu le savoir, tu penses ben ! Mais il regrettait d'avoir tant parlé, il m'a dit d'oublier ça pis il est parti.

Je réfléchis à toute vitesse. Simple paranoïa d'un étudiant soûl ou réelle piste ?

— Criss, Zoé, faut que t'essaies d'en savoir plus !

— Arrête.

— Tu crois pas que j'aie raison ?

— Non, arrête ta voiture, j'habite ici.

Je me range devant un immeuble à logements sans lâcher mon idée :

— Il s'appelle comment, déjà ?

— Guillaume Duval.

— Il faut que t'essaies d'en savoir plus ! Ou mieux : tu devrais convaincre ce Guillaume d'aller voir la police.

Elle me dévisage un moment, surprise que je prenne cette histoire tant à cœur.

— Heu… oui, peut-être. Si je le revois dans un bar, par… heu… par hasard, je le lui dirai.

— Aussitôt que tu le revois, tu lui en parles, OK ? Même si tu le croises au cégep.

— OK, OK…

Elle me remercie pour le transport, ouvre la portière et je me souviens soudain, nom d'une pipe (éventuelle), que j'étais censé la draguer.

— Hé, Zoé, tu m'invites pas à prendre un dernier verre chez vous ?

— Ben, j'ai rien.

— Ça tombe bien, j'ai pas soif.

Elle penche la tête sur le côté, avec un sourire faussement réprobateur. Oui, franchement, avec quelques kilos de plus et quelques octaves de moins, elle pourrait être très bandante.

— Julien, est-ce que tu voudrais coucher avec moi, par hasard ?

— Ma foi… oui.

Elle s'esclaffe et je maintiens mon sourire, même si mes oreilles pleurent.

— Voyons, Julien ! Tu y penses pas ! T'as dix ans de plus que moi !

Fuck, ça se voit tant que ça ? Et puis, franchement, dix ans, c'est rien ! Vexé mais sans cesser de sourire, je rétorque :

— C'est vrai que toi, tu préfères quand ils ont dix ans de *moins* que toi...

Son visage vacille un moment, puis opte à nouveau pour le rire. Manifestement, c'est là sa réaction attitrée, peu importe les événements. Elle me souhaite bonne soirée, puis rentre chez elle.

Finalement, on dirait que je vais terminer la soirée avec Internet.

CHAPITRE SIX

Où un prof joue au flic

J'arrive au cégep de mauvaise humeur. Premièrement, ma soirée de branlette sur le web a été des plus
exaspérantes. Télécharger des vidéos quand on n'a pas
Internet haute vitesse, c'est vraiment anti-érotique.
C'est comme si on baisait en ne donnant qu'un coup
de bassin à toutes les vingt secondes. En tout cas, ça
m'a permis de constater que je ne serai jamais un
adepte du tantrisme. Deuxièmement, j'ai mal dormi, en
rogne à cause du refus de Zazz. Je ne prétends pas que
mon taux de réussite à la drague soit de cent pour cent,
mais disons que j'ai une bonne moyenne au bâton (je
sais, le jeu de mots est lamentable, mais c'est comme
ça quand je suis frustré).

J'aurais pu dormir puisque mon cours est cet après-
midi, mais je tiens absolument à voir un élève. Et je
sais où le trouver. S'il est aussi zélé qu'il semble l'être,
je ne serais pas surpris qu'il y soit, même à neuf heures
du matin.

Je ne me trompe pas : le local du journal du cégep
ne compte qu'un seul étudiant à pareille heure, et c'est
Simon Gracq. Il est tellement concentré à écrire à l'ordinateur qu'il ne remarque pas ma présence.

— Simon…

— Une micro-seconde…

J'examine le local. Deux bureaux sur lesquels règne un foutoir sans nom. Les murs sont ornés d'agrandissements d'anciennes couvertures du journal : « Enquête : dix-sept pour cent du total des élèves au complet arrivent en retard après le début des cours. », « Les professeurs regardent-ils le soir à la télévision les émissions qu'elle joue ? », « Scandale : les tableaux noirs dans les classes ne sont pas lavés à chacun des soirs de chaque jour ! » Deux points communs entre tous ces papiers-chocs : la syntaxe et l'auteur des articles, Gracq lui-même. Le journal s'appelle *La Voie de Malphas*. Je n'ose pas demander s'il s'agit d'une faute d'orthographe ou d'un jeu de mots. L'apprenti journaliste se tourne enfin vers moi.

— Julien ! Tu as accepté de m'asséner une entrevue !

Et, rapide comme l'éclair, il attrape un calepin, se fout une cigarette éteinte dans la bouche et, adoptant son ridicule faciès de grand reporter, attaque :

— Alors, une question en deux sections de volets. Un : combien de durée prenez-vous pour corriger une dissertation, et deux : ne trouvez-vous pas que c'est trop court comme tranche de temps ?

Agacé, je lui enlève la cigarette de la bouche et la lance sur le bureau :

— Je suis pas ici pour ça, Simon. Je voudrais te demander un service. En fait, c'est… une mission.

Je me trouve grotesque d'y aller si fort, mais je veux allumer le gars, et ça marche : il ouvre de grands yeux comme si on venait de lui annoncer que Radio-Canada se cherchait un jeune journaliste. Je plonge :

— Tu connais Guillaume Duval ?

Il a un sourire mystérieux.

— Peut-être…

— Arrête de niaiser pis dis-moi si tu le connais ou pas !

Simon soupire, déçu que sa mise en scène ne fonctionne pas.

— On est pas vraiment en connaissance mutuelle lui pis moi, mais je sais c'est qui.

— Est-ce qu'il a une blonde ? Ou une ex ?

— Je sais point.

— C'est ça, ta mission, Simon : trouve une réponse à cette question. Je te donne la journée.

J'étais convaincu que son enthousiasme le ferait accepter sans hésitation, mais il me dévisage comme si je lui avais demandé d'aller pisser dans la soupe de la cafétéria. D'ailleurs, après en avoir mangé l'autre jour, je me demande s'il ne s'agit pas d'une pratique courante.

— C'est quoi la raison de la cause pour laquelle tu veux que je fasse ça ?

— Ben… Tu m'as dit que t'aimais faire des enquêtes sur le cégep, les élèves, les profs…

— Peut-être, mais à condition que je sache c'est quoi ladite enquête en question de laquelle tu parles.

Bon. Enthousiaste, certes, mais pas cave.

— Je peux pas en parler tout de suite, Simon, je suis pas assez sûr de moi.

Gracq croise les bras, fermé. J'ai soudain envie de lui arracher chaque poil de sa barbe et de les lui entrer dans les yeux un par un. Je m'oblige à me calmer :

— Si tu me trouves ce que je te demande, je t'en dirai plus.

Je ne sais pas si j'ai l'intention ou non de tenir cet engagement, mais je n'ai ni le temps ni l'envie de me livrer moi-même à cette petite enquête qui, par ailleurs, est sans doute inutile. Car une grande partie de moi continue à me répéter que je me fais des idées, que mon imagination d'écrivain, même raté, délire un peu trop.

— Juré ? insiste-t-il.

— Oui, oui.

Il étire le bras vers le bureau, farfouille dans un fatras de papier et en sort une copie d'un journal qu'il tend vers moi.

— Jure sur là-dessus.

— Pourquoi ?

— Tu daignerais pas oser mentir en jurant sur le plus meilleur journal du Québec.

Je baisse les yeux : c'est un vieil exemplaire du *Journal de Montréal*. Je reviens à son visage pour m'assurer qu'il est sérieux. Il l'est. En fait, il est presque ému. Je dépose donc ma main sur le journal et, avec un sérieux qui m'étonne moi-même, j'articule :

— Je le jure.

Gracq est impressionné. Après un tel rituel, il ne doute plus de moi. Il lance le journal sur son bureau, ce qui provoque une envolée de feuilles diverses.

— Parfait. Je te trouve tout le complet des fréquentations de Duval d'ici la terminaison de l'après-midi !

— Non, non, j'ai juste besoin de savoir le nom de sa blonde ou de son ex.

— OK, toutes les blondes qu'il a possédées dans l'écoulement du cours des dernières années pis…

— Sa blonde ou son ex, Simon. Point.

Le grand reporter est mécontent de voir son Pullitzer s'effriter, mais il approuve en silence. Je marche vers la porte mais il me retient, fouille à nouveau dans son chaos (comment peut-il trouver quoi que ce soit dans ce dépotoir ?) et me tend un autre journal.

— Tiens, une copie d'exemplaire du dernier numéro de *La Voie de Malphas* qui sort la journée de demain.

Bonne idée, j'ai besoin de me marrer un peu. La photo de la une est un casier traversé par une bande jaune de police. Et le titre, énorme : « DU SANG DANS L'INTÉRIEUR DES CASIERS DE MALPHAS ». Je comprends maintenant son admiration pour le *Journal de Montréal*.

Je le remercie et sors enfin. Je dirige ensuite mes pas vers le couloir administratif. Je me sens un peu ridicule, mais comme j'ai la vague impression que Garganruel et ses soldats démontrent dans cette enquête autant de zèle qu'un préposé au stationnement, j'ai envie de les brasser un peu.

La secrétaire d'Archlax, une immense brune qui doit remercier Dieu chaque fois qu'un regard masculin se pose sur elle, me dit que son patron est là et disponible. Elle me fait des yeux doux mais je les ignore, m'évitant ainsi quelques nuits de cauchemars, puis entre dans le bureau de DP. Il lève la tête d'un dossier et la non-émotion qu'il démontre m'amène à me demander si je suis subitement devenu invisible.

— Ah, monsieur Sarkozy, bonjour.

Je suis bel et bien tangible. Me voilà rassuré.

— Dites-moi, Rupert…

En constatant que je l'appelle par son prénom, il crispe très légèrement sa bouche, ce qui, chez lui, doit signifier un profond agacement. J'imagine que lorsqu'il est très fâché, il dilate ses narines.

— Dites-moi, Rupert, vous ne croyez pas que ce serait une bonne idée de fermer le cégep ? Il y a tout de même eu deux meurtres en deux jours successifs…

— Oui, mais il n'y en a pas eu hier. Tout porte donc à croire que la série noire est terminée.

Cet argument m'apparaît saugrenu, mais j'avoue ne pas trop savoir quoi répliquer. Je change donc de sujet :

— C'est vrai qu'il n'y a aucun gardien de sécurité la nuit au cégep ?

Archlax fronce un sourcil (décidément, il est exubérant aujourd'hui). Il se demande sans doute ce qui me pousse ainsi à m'intéresser à la logistique de l'établissement. Il daigne tout de même me répondre :

— C'est exact, il n'y en a pas. Il y en a un de sept heures le matin à vingt-deux heures, tous les jours, même le week-end.

— N'empêche : si quelqu'un s'introduisait la nuit, personne ne le saurait.

Il recule sur sa chaise en poussant un léger soupir.

— Vous songez aux meurtres, n'est-ce pas ? Vous croyez que l'assassin, durant la nuit, est venu porter les cadavres dans les casiers... Sauf que les trois accès au cégep sont munis d'un système d'alarme.

— Un système d'alarme qui détecte les mouvements à l'intérieur du cégep ?

— Non. Un système d'alarme qui se déclenche uniquement si on tente d'ouvrir une des trois entrées.

— Donc, quelqu'un peut circuler la nuit dans le cégep s'il ne l'a pas quitté à vingt-deux heures.

DP se gratte l'oreille, avec l'air de celui qui s'ennuie profondément.

— Tous les soirs, à vingt-deux heures, le gardien de sécurité fait le tour du bâtiment, verrouille toutes les portes de tous les locaux importants. Il baisse même les volets de métal devant les fenêtres des trois entrées. S'il restait quelqu'un dans le cégep, il le verrait.

Il croise ses mains, le visage de marbre.

— L'intérêt que vous portez à ces meurtres démontre que vous vous êtes attaché rapidement à notre établissement, ce qui me réjouit au plus haut point.

Attention, un tel débordement peut provoquer un infarctus.

— Admettez, Rupert, qu'un étudiant peut très bien échapper à la vigilance d'un seul gardien et se cacher dans un coin du cégep juste avant la fermeture.

— Flanqué d'un cadavre ?

La voix provient de derrière moi et je me retourne. Pendant une seconde, j'ai l'impression que ce simple mouvement physique m'a fait bondir d'un quart de siècle dans le futur, car je me trouve devant un Archlax maintenant septuagénaire. Par contre, la vieillesse lui a été bénéfique, car il sourit chaleureusement et ses yeux pétillent de vivacité. Alarmé, j'examine ma main droite, en m'attendant à la trouver toute ridée. Mais non, pas de changement, je n'ai pas vieilli.

— Bonjour, père, fait l'Archlax de cinquante ans derrière moi. Je suis, heu… avec un enseignant.

— Je le sais. Ta secrétaire m'en a avisé.

Voici donc Archlax premier du nom. D'où la ressemblance étonnante. Du moins physique, car pour ce qui est du charisme, on ne peut pas être plus dissemblables. Senior a beau être presque chauve et avoir autour de soixante-dix ans, il dégage néanmoins une énergie beaucoup plus forte que junior. S'ils sortaient tous les deux ensemble, je suis sûr que le père aurait plus de succès auprès des femmes. Fiston, pas du tout froissé par cette apparition sans sommation, paraît même une cuillerée nerveux :

— Tu es arrivé hier, je suppose ?

— Exact, le colloque de Paris a été un vif succès. Mais dès mon arrivée, on m'a narré les derniers événements, dit-il en avançant de quelques pas, un bouquin entre les mains. Quelle histoire ! Il faut croire que Cendrars avait raison : « La folie est le propre de l'Homme »… Ces immondes événements doivent émouvoir tout le monde, n'est-ce pas ? On en parle partout. Même toi et monsieur… monsieur ?

Je tends la main.

— Julien Sarkozy.

— Sans blague ? C'est cocasse, ça.

Je préfère ne rien dire. Sa poignée de main est vigoureuse, je suis convaincu que son fils ne doit réussir à dégager autant de force que lorsqu'il chie.

— Nouvel enseignant, je présume? Vous ne deviez pas vous attendre à vivre une première semaine aussi éprouvante.

— Je dois admettre que non.

— Et vous présumez donc que l'assassin serait resté tapi dans le cégep après la fermeture? avec un cadavre presque liquéfié?

— Eh bien, oui, dans une sorte de gros sac. La police elle-même semble pencher pour cette théorie d'une sorte de sac de plastique qui…

— Comment a-t-il pu passer incognito avec un tel fardeau? me coupe gentiment le vieil homme. Il l'a caché dans sa poche de pantalon?

Et il rigole, un ah-ah qui vient plus du cerveau que du ventre, comme un vicomte sorti de la cour de la princesse de Clèves. Je ne ris pas, déstabilisé par cette blague de mauvais goût. Cependant, Archlax junior émet tout à coup un son que je le croyais incapable de produire: un rire. Pas un ricanement, un vrai rire, long et appuyé. Mais un rire qui ne colle pas du tout avec son visage impassible. Comme lorsqu'un chanteur ou une chanteuse de *Star Académie* tente d'insuffler une vraie émotion dans ses interprétations. Son père le considère avec satisfaction, puis, en constatant que je ne réagis pas, paraît un tantinet vexé. Un peu plus froidement, je dis:

— En tout cas, c'est plus simple de traîner un cadavre la nuit dans un cégep vide qu'en plein jour quand il y a foule.

Archlax junior a un imperceptible soupir qui dé montre un début d'impatience. Mais son père, maintenant, me considère avec plus d'attention. Il hoche la tête et caresse son menton avec un vague sourire:

— Bon point, monsieur Sarkozy. Votre hypothèse n'est finalement pas si farfelue. Il n'est peut-être pas impossible, en effet, que l'assassin soit demeuré caché dans le cégep la nuit. Aussi bien vérifier, qu'avons-nous à perdre ? *Nihil obstat*. Il y a trois représentants de l'ordre qui surveillent le cégep après la fermeture, n'est-ce pas ? Leur demander d'assister notre gardien pendant son inspection finale est envisageable, je crois.

Junior fronce les sourcils. Il se contente de dire :

— Je ne sais pas si le capitaine Garganruel sera d'accord...

— Je vais parler à Jingo, je suis sûr qu'il trouvera l'idée pertinente.

Il ne doute de rien, le papa. Je lui demande :

— Vous le connaissez bien ?

— En tant que fondateur et actionnaire principal de la mine de fer Ax Corp qui embauche le cinquième des hommes de cette ville, je peux avancer humblement que ma liste de connaissances est bien fournie, oui... et qu'on m'écoute généralement avec diligence.

Étonnant qu'il puisse démontrer une telle suffisance sans que son attitude chaleureuse en soit altérée. C'est comme parler de poésie nippone avec une fille tout en la déshabillant des yeux : un tour de force. Je m'incline donc :

— Content de voir que vous prenez cette histoire au sérieux...

Et je ne peux m'empêcher de décocher un rapide uppercut oculaire vers junior qui n'en a cure. Toujours aussi habilement paradoxal, le vieux lève une main modeste en ajoutant d'une voix prétentieuse :

— C'est normal que je m'intéresse à ce cégep. Non seulement je l'ai fondé, mais j'en ai été le directeur pédagogique durant douze ans...

Là, j'avoue qu'il m'impressionne : fondateur de la mine de la ville *et* fondateur du cégep *et* DP durant les douze premières années ? Mais son fils, avec une sourde hargne, ajoute :

— Dommage qu'on soit le cégep le moins performant de toute la province…

C'est bien monsieur Neutre qui s'est permis un tel commentaire ? D'ailleurs, il le regrette aussitôt et se mord les lèvres. Son père ne le frappe pas, bien sûr, il a passé l'âge. Il se contente de lancer un regard venimeux vers son fils en clamant :

— Un jour, nos élèves seront la crème du Québec, junior, et tu le sais…

Au nom de « junior », Archlax Second serre les lèvres silencieusement. Serais-je en train d'assister à un petit conflit familial qui se perpétue depuis belle lurette ? J'esquisse un sourire en coin malgré moi. Avec une certaine lassitude, le vieux murmure :

— Il faut être patient, c'est tout… *Labor omnia vincit improbus.*

C'est finalement le fils qui baisse les yeux, et j'ai la certitude qu'il s'agit sans doute là de l'habituelle conclusion de leurs pseudo-affrontements. Moi aussi, je baissais toujours la tête devant mon vieux. Un, pour éviter de recevoir ses postillons et, deux, parce que j'avais seulement dix ans. Mais à quinze, je n'ai plus baissé la tête et j'ai levé le poing. Une seule fois. Quand je me suis réveillé à l'hôpital, les médecins m'ont expliqué que je n'aurais peut-être plus l'usage de mes jambes. Ils se sont trompés. Je me suis rapidement servi de mes pattes à nouveau, pour fuir de chez moi une fois pour toutes. Ah, triste et pathétique histoire que celle de mon enfance ! Mais elle a du bon : dans ma jeunesse, elle m'a servi à convaincre des filles que j'avais besoin d'amour. De beaucoup d'amour. Pas nécessairement longtemps, mais beaucoup. Disons le temps d'une nuit.

Mais papa Archlax ne demeure pas longtemps fâché contre fiston. À nouveau tout sourire, il s'approche du bureau de son fils presque en gambadant et lui tend son bouquin :

— Bon, je ne vais pas te déranger trop longtemps, je voulais profiter de l'occasion pour t'apporter mon nouveau-né, il est sorti des presses la semaine dernière.

Comment, il écrit en plus ? Et quoi, encore ? Va-t-il aussi nous annoncer qu'il a été qualifié au ski acrobatique pour les prochains Jeux Olympiques ? Junior prend le livre :

— Un autre…

Sa voix exprime autant l'admiration que l'agacement. Deux émotions en même temps chez Archlax junior ! C'est un jour faste ! Il examine le bouquin un moment, le retourne, tandis que son père sort de sa poche un paquet de cigarettes. Fiston s'en rend compte :

— Père, on ne peut plus fumer dans les établissements publics, tu le sais bien…

Archlax senior soupire, sa cigarette en main. Le genre de cigarette qu'on ne voit plus, très longue et mince, très aristocratique. Il la range en secouant la tête :

— Ne pas avoir le droit de fumer dans l'établissement que l'on a fondé soi-même, c'est un comble.

Junior revient au livre et demande :

— Et ça parle de quoi, cette fois ?

Papa, heureux qu'on lui pose la question, répond, en me jetant sournoisement des regards pour s'assurer que j'écoute aussi :

— Eh bien, c'est un essai qui explique pourquoi l'Homme, tout en cherchant le bonheur, ne finit que par trouver son propre *fatum*, c'est-à-dire sa finalité inéluctable, celle-là même qui, inconsciemment, le pousse vers cette quête absurde de la félicité. Il traverse ainsi trois étapes qui sont l'aliénation du Ça, la sublimation du Sur-Moi, puis l'intégration du Moi, mais le tout en niant totalement son Lui.

— Son Lui ? que je m'étonne. ·

Sourire du vieux.

— Un concept que j'ai inventé.

À nouveau, il réussit à avoir l'air modeste et suffisant à la fois. Cette dichotomie, d'abord amusante, commence à me les gonfler un peu. Je vois bien qu'il attend un commentaire de ma part et je me contente de dire d'une voix ambiguë :

— Un livre de vacances, quoi…

Du coin de l'œil, je crois voir Archlax junior pâlir, mais je n'en suis pas convaincu. Archlax senior, lui, tique légèrement. Allons, ma chouette, faut pas m'en vouloir. T'as l'air plutôt sympathique malgré ta propension à étendre ta confiture personnelle sur toutes les tartines humaines qui t'entourent, mais que veux-tu, face à un gars qui se trouve beau, il est tellement tentant de lui rappeler l'existence du furoncle derrière son oreille…

Mais Archlax reprend rapidement son air sympathique, me salue (*En espérant que ce drame terrible ne ternira pas trop l'image que vous vous faites de notre région*), salue son fils (*J'ai dédicacé le livre, bonne journée, junior. On se voit ce soir ?*) puis décrisse. Seul avec junior, je suis sur le point de décrisser à mon tour, mais me ravise :

— En passant, c'est vrai que cette drôle d'odeur est là depuis le début ?

— Vous parlez de l'odeur dans le cégep ?

Non, je parle de celle de mes sous-vêtements. Évidemment, je me contente de répondre :

— Oui, celle-là.

— En effet. Elle est là depuis qu'on a construit Malphas. Au cours des premières années, on a fait nettoyer le cégep de fond en comble plusieurs fois, mais en vain.

— Et vous avez jamais trouvé ce qui produisait cette odeur ?

— Non, jamais.

Il n'aime pas tellement le sujet de la conversation et cela paraît, même s'il déploie de grands efforts pour le camoufler. Il conclut :

— Vous allez voir, vous allez vous…

— … habituer, oui, on me l'a dit.

Enfin, je décrisse à mon tour.

Il n'est que dix heures et mon cours n'est qu'après dîner. Que faire d'ici là ? Retourner à mon appartement ? Visiter la ville ? Préparer mon cours de la semaine prochaine ? Errer dans le cégep pour identifier les plus belles étudiantes ? Dénicher le *dealer* du coin ? Finalement, je visite le cégep, particulièrement les endroits que je n'ai pas encore vus : la bibliothèque, étonnamment vaste et riche pour un si petit cégep ; le centre audiovisuel, dont l'équipement est si ancien qu'il a sans doute été acheté aux frères Lumière ; la salle de spectacle, dont les grotesques colonnes grecques en bois se veulent sans doute un pathétique hommage aux amphithéâtres antiques. Tout cela est évidemment enrobé de la même peinture verte cancéreuse. Puis j'arrive devant la COOP. J'y suis entré une seule fois, au début de la semaine. Je me rappelle qu'il y avait beaucoup de monde. Je me rappelle aussi qu'on y distribuait gratuitement l'agenda et un cadenas.

Et malgré moi, je songe aux cadenas des casiers de Julie Thibodeau et d'Amélie Farer… Aux combinaisons identiques aux codes permanents des deux victimes…

J'entre dans la COOP. La place est à peu près vide. Je vais au comptoir derrière lequel une femme d'une cinquantaine d'années consulte des papiers.

— Bonjour. Je voudrais… heu… Je voudrais avoir des renseignements sur, heu… les cadenas que vous distribuez aux élèves.

Elle me considère d'un drôle d'air, puis :

— C'est Mathis qui s'occupait de ça. Il est au fond, là-bas.

Je m'approche d'un jeune d'environ dix-sept ans en train de classer des cahiers sur une étagère.

— Salut… Julien Sarkozy, j'enseigne ici.

En entendant mon nom, il se demande s'il doit sourire ou pas, mais en apercevant mon air de glace, choisit la seconde solution.

— Je peux vous aider ?

Roux, boutonneux, grassouillet. Le stéréotype de l'ado au physique ingrat qui doit passer ses soirées seul devant ses jeux vidéo. Dans la vraie vie, il n'a sans doute jamais embrassé une fille, mais mentalement il a baisé toutes celles du cégep.

— C'est toi qui t'occupais de la distribution des cadenas vendredi passé, non ?

— Oui.

— Explique-moi donc comment ça se passait.

Une lueur d'inquiétude traverse son regard de puceau.

— J'ai commis une erreur ?

— Non, non. Explique-moi, c'est tout.

Il doit se demander où je veux en venir. Il gratte sa tête rouquine et explique :

— Ben… durant toute la journée, les élèves pouvaient se procurer un agenda pis un cadenas gratuits. En plus, on leur assignait un numéro de casier, pour qu'ils aient pas à en chercher un le jour même. Chaque fois qu'un étudiant passait, je cochais son nom sur l'ordinateur, pour pas qu'un même individu profite deux fois de ce privilège.

— Et les numéros des cadenas, ils sont choisis comment ?

— Ils sont pas choisis. Le numéro vient avec le cadenas.

— S'il t'en reste quelques-uns, j'aimerais voir.

De plus en plus perplexe, il m'amène à un autre comptoir. Il en tire une grosse boîte de carton au fond de laquelle traînent quelques agendas et cadenas. Il choisit un de ces derniers et le tend vers moi. Je l'examine : un cadenas à cadran, avec une petite étiquette sur laquelle est inscrit un numéro, rien d'autre. Là-bas, la commis me reluque d'un air méfiant. Qu'est-ce qu'elle croit, que je suis en train de draguer son employé ?

— Pas d'emballage ni rien ?

— Comme la COOP en achète sept cent trente-quatre d'un coup, le magasin nous les envoie dans cette boîte avec les numéros accrochés individuellement.

— Et ces numéros, on peut les changer ? pour en choisir un soi-même ?

— Heu… Je pense pas… Est-ce qu'il y a un problème, monsieur ? Moi, je suis un simple élève, je travaille ici à temps partiel, je suis pas vraiment…

— Non, non, c'est correct, tu perdras pas ta job.

Il paraît si soulagé que c'en est émouvant. Je lui tends le cadenas puis marche vers la sortie, grognon, sous le regard dépéjiesque de la commis derrière son comptoir. De banals cadenas. Et les numéros ? De simples hasards. C'est tout. Franchement, je m'attendais à quoi ?

Pour ramener mon esprit à des considérations plus réalistes et rationnelles, je poursuis ma visite du cégep. Je passe devant une série de classes, certaines vides, d'autres pleines d'étudiants qui écoutent leur prof. La porte de l'une d'elles est fermée et une affiche s'y trouve collée :

DÉFENSE D'ENTRER
RÉNOVATIONS

Je remarque que l'odeur désagréable est plus forte ici. Seraient-ce les rénovations de ce local qui produisent ces effluves? Mais non, ils existent depuis la création du cégep. Je secoue la tête et poursuis ma visite.

Je me retrouve dans le grand hall et lève la tête vers la mezzanine. À nouveau, je suis frappé par la différence de perspective, selon qu'on est en bas ou en haut. D'ici, l'étage ne paraît pas si haut, alors que de la mezzanine, le rez-de-chaussée semble tellement plus bas. Je renverse la tête encore plus pour regarder vers le puits de lumière du plafond. De gros nuages noirs obscurcissent le ciel. Je tourne la tête vers l'entrée principale, sur ma gauche, à une vingtaine de mètres. Par les grandes portes vitrées, je peux voir l'extérieur ensoleillé. Je reviens au puits de lumière: nuages. Déboussolé, je dirige mes pas vers l'escalier.

En apercevant les marches qui mènent au sous-sol, je me dis que je pourrais y jeter un coup d'œil. Je descends et me retrouve dans une simple salle des fournaises. Mais la pièce n'est pas assez grande pour occuper toute la cave, il doit donc y avoir autre chose. Comment accéder au reste du sous-sol? Il n'y a pourtant pas d'autres portes. Je remonte et poursuis ma visite: le département de musique, dans lequel un jeune batteur se prend pour John Bonham; le gymnase (que dire d'un gymnase, sinon que c'est un gymnase?); puis, dans la grande allée centrale, je vois l'ascenseur et décide de l'utiliser pour monter au département. À l'intérieur, je remarque qu'on peut aussi descendre au sous-sol. Voilà le moyen de visiter le reste de la cave. J'appuie donc sur SS puis, dans un grincement peu rassurant qui évoque l'ambiance d'un immense berce-o-thon, la descente s'accomplit. Moins de cinq secondes plus tard, la porte coulisse.

Devant moi, un couloir faiblement éclairé par un néon qui crachote des postillons de lumière s'étend sur environ cinq mètres, puis tourne à gauche. Rien de chaque côté, sinon du béton gris, terne, comme si on n'avait pas tout à fait terminé la construction de l'endroit. Le silence est complet, à l'exception d'une sorte de vibration sourde, à peine perceptible. J'avance, tandis que l'odeur habituelle devient de plus en plus forte, puis je tourne à gauche. Le couloir se poursuit sur trois autres mètres, tout aussi vide, tout aussi gris, puis se termine par une grande porte de métal impressionnante. Je m'en approche. L'odeur est tellement prenante que j'en grimace de dégoût. Il n'y a qu'une simple poignée, ou plutôt une clenche. Je l'actionne : verrouillée. Que peut bien garder une telle porte ? Des coffres-forts ? Un harem de vierges ? Le squelette du Christ ? En tout cas, c'est la fin de la visite du sous-sol. C'était passionnant, dommage que j'aie oublié mon appareil-photo. Je tends l'oreille : la vibration est un peu plus forte. Sur le moment, je croyais que c'était d'origine électrique, mais je n'en suis plus sûr. On dirait en fait un bruit étouffé de circulation fluide, comme de l'eau dans des tuyaux. Ou du sang dans des veines. Oui, voilà, comme si je me trouvais dans un corps vivant et que je percevais, autour de moi, la circulation sanguine de l'organisme.

Pourquoi une telle métaphore me vient-elle à l'esprit ? Après tout, je ne sais pas du tout à quoi peut ressembler le son de l'hémoglobine gambadant dans nos membres...

La symphonie des chaises berçantes retentit à nouveau : l'ascenseur remonte. Je rebrousse chemin, tourne le coin...

Sur le plancher, à mi-chemin entre moi et l'ascenseur, un corbeau se tient immobile et me fixe de ses yeux noirs.

— Qu'est-ce que tu fous ici, toi ?

Le volatile a au moins la politesse de me répondre d'un croassement sonore, ce qui ne m'avance guère. Je parcours les murs et le plafond des yeux, à la recherche d'une fissure ou d'une ouverture, mais non, rien. Interloqué, j'examine à nouveau l'oiseau. Il soutient mon regard et je jurerais qu'il se moque de moi. Je songe au corbeau de mon rêve. Qu'est-ce qu'il m'avait dit, déjà ?

Je hausse les épaules et dépasse l'oiseau. J'appuie sur le bouton de l'ascenseur, puis tourne la tête. Le corbeau me dévisage encore un bref moment et s'envole vers le fond du couloir. Il tourne à gauche, disparaissant ainsi de ma vue.

La porte de l'ascenseur s'ouvre et je fais le mouvement d'entrer, mais m'arrête juste à temps, sur le point de percuter un torse. Je lève les yeux : le torse se poursuit sur un bon quinze centimètres avant de se transformer en cou épais et poilu, puis en visage coupe-rosé, ridé et particulièrement laid. Au moment où je me dis que je suis tombé sur l'ogre du Petit Poucet, la vue de la casquette sur le sommet de cette vilaine tête me fait comprendre qu'il s'agit en réalité du gardien de sécurité du cégep, que j'avais à peine entrevu l'autre jour. Déjà, de loin, il faisait vaguement peur, mais de près, l'expérience devient traumatisante. Heureusement qu'il travaille dans un cégep ; dans une école primaire, il créerait la panique.

Pour me regarder, il doit baisser la tête et ses yeux noirs m'aplatissent littéralement. Je suis sûr que lorsqu'il pleure, ses glandes sécrètent du goudron. Allons, qu'est-ce que je raconte : un gorille ne pleure pas.

— Bonjour, que je dis.

— Kes vou ait nu fâ citte ?

— Pardon ?

Agacé, il s'humecte les lèvres (pendant une seconde, je crains le déluge) puis articule :

— Kesque vous z'êtes v'nu fâre icitte ?

Bel effort.

— Je suis un nouveau prof et je visite le cégep. D'ailleurs, vous pourriez peut-être me dire ce qu'il y a de l'autre cô…

— Vez pa ldoit dât citte.

Je songe à lui demander de m'écrire ce qu'il tente de me communiquer, mais ce serait sans doute pire. Devant mon air contrit, il comprend que, contrairement à lui, je ne comprends pas et, prenant une grande inspiration, répète en crachant trois gallons de salive :

— Vous z'avez pâs l'droit d'êt' icitte !

— Ah, bon ?

— Pas l'droit d'êt' en bas.

— Je suis pas en bas, je suis en soulier.

Et je ricane, convaincu que ce pauvre calembour est sans doute le genre d'humour prisé par mon macaque. Mais il me considère comme si je venais de m'adresser à lui en hébreu et je comprends que mes attentes étaient trop élevées.

— Pourquoi on a pas le droit ?

— C'é l'règlement.

— Mais encore ?

— Enco' quoi ?

La base. Rester à la base.

— Pourquoi c'est le règlement ?

— Sé pas. Faut r'monter.

Franchement, on est dans l'armée ou quoi ? Du pouce, je désigne derrière moi.

— Qu'est-ce qu'il y a de l'autre côté de la porte métallique ?

— É pâ. Fo rmonter.

L'irritation rend son élocution de plus en plus laborieuse. Je hausse les épaules et m'engouffre dans l'ascenseur.

— En passant, il y a un corbeau dans le couloir, je sais pas d'où il sort.

Comme s'il ne m'avait pas entendu, il rentre à son tour dans l'ascenseur. Il est donc descendu dans le seul but de me prévenir ? La remontée se déroule en silence. Durant ces cinq longues secondes, le sympathique gardien me toise d'un air totalement abruti mais menaçant. Je souris :

— Je pourrais être votre ami Facebook ?

Enfin, je sors de l'ascenseur et m'éloigne. C'est quoi, ce règlement qui interdit d'aller en bas ? On y cache une bombe atomique ? Le but est sans doute d'empêcher les jeunes d'aller fouiner dans des entrepôts, mais tout de même... Et puis, pourquoi permettre à l'ascenseur de descendre si c'est proscrit ?

À l'heure du dîner, je mange avec plusieurs profs du département. Hamahana, fidèle à lui-même, vient chercher son lunch dans son frigo privé juché sur l'étagère et, sans un mot pour personne, va manger à son bureau. Pour la première fois, Judith Ruglas, la prof de théâtre qui ne vient qu'une fois par semaine, bouffe avec nous et ce que j'avais pressenti se confirme : c'est une petite snob connasse qui, tout en commentant les horribles meurtres de cette semaine, réussit à glisser qu'elle a déjà rencontré Wajdi Mouawad et Michel Tremblay et qu'elle adore le théâtre existentialiste turc.

— La Turquie du Nord ou du Sud ? que je demande d'un ton neutre.

Mortafer a un sourire amusé tout en me lançant un regard de félicitations. Ruglas, piquée, ne répond pas, mais Davidas, qui n'a manifestement pas saisi mon ironie, commente :

— Si c'est comme au Québec, j'imagine que le sud de la Turquie produit un théâtre plus intéressant...

J'aurais voulu demander à Zazz si elle a parlé à Duval, mais comme elle n'a pas de cours le jeudi, elle n'est pas présente. Par contre, je sais que la plantureuse Rachel enseigne tout à l'heure, sauf que, comme d'habitude, elle ne dîne pas au cégep. Il va falloir que je développe une stratégie de Sioux si je veux l'avoir, celle-là...

À treize heures trente, je rencontre mon troisième groupe, qui s'annonce turbulent. Je prends les présences (comme pour mon groupe de lundi, il manque une dizaine d'élèves) et au moment où je prononce le nom de Lucia Gonzalez, un étudiant dit :

— Elle est pas là. Elle a manqué tous ses cours, cette semaine.

— C'est parce qu'elle est malade, explique un étudiant aux lunettes énormes.

— Pis, ça ? Toi, t'es ben malade depuis que t'es au monde pis t'es ici quand même !

Tout le monde rit, les Lunettes engueule l'autre, ça dégénère et je dois leur crier de la fermer pour ramener l'ordre. Lorsque je présente les trois romans à lire, j'ai à nouveau droit à un tollé digne de mai 1968. Je les laisse chialer un moment, puis, sourire en coin, je répète ma petite scène habituelle :

— Ça y est ? Vous m'avez voué, moi et mes descendants, aux feux de l'enfer ? Craignez rien, vous allez survivre...

— J'en ai lu un, Zola, à l'autre session ! se révolte un gars. *Thérèse Raquin* ! C'était méga-poche !

Mon sourire se fissure et mes lèvres s'éparpillent sur le sol, en mettant au jour mes dents acérées. Mes yeux se transforment en viseurs et font un *zoom* avant sur le blasphémateur : un jeune Yo avec une grotesque casquette de je ne sais quel groupe de musique insipide. Je veux rattraper les mots qui sortent de ma bouche et les ramener, mais trop tard, ils ont déjà atteint leur cible :

— Toi, si tu dis une autre fois que Zola est poche, je t'enfonce la casquette dans la gorge tellement profond que tu vas devoir aller aux toilettes pour la récupérer.

Le silence est tel qu'on croirait que les molécules d'air se sont elles-mêmes figées. Tous me dévisagent comme si je venais de sortir un revolver. Le jeune Yo lui-même est aussi blanc que les nombreux kleenex qu'il doit souiller tous les soirs. Je me frotte rapidement les yeux. Du calme, criss ! Me reprendre avant de sauter ma coche... Il faut que je me rappelle ce qui s'est passé la dernière fois que j'ai lâché la bride : le cheval est devenu fou, il a renversé la charrette, je suis tombé... et je me suis relevé ici.

— Ce que je veux dire, c'est que vous pouvez pas dire que Zola, c'est poche. Vous avez le droit de ne pas aimer ça, mais pas de dire que c'est poche. Et puis, attendez de lire le livre avant de dire quoi que ce soit. OK ?

Il y a encore de la tension, mais je réussis à la dissiper quelque peu à mesure que le cours avance, grâce entre autres à quelques blagues salées bien placées. À la pause, tandis que les jeunes sortent, Gracq entre dans ma classe, l'air victorieux, et dépose avec une force excessive deux feuilles de papier sur mon bureau :

— J'ai trouvé : Guillaume Duval a pas de petite amie dans le présent moment, mais il a cassé avec Mélie Sirois il y a deux mois approximatifs.

Je lis la première feuille. C'est carrément un rapport sur Guillaume Duval, avec sa date de naissance, son adresse, son code permanent, sa concentration au cégep et son horaire complet de cours. Sur la seconde feuille, on retrouve le même genre d'info, mais sur Mélie Sirois. Il y a même une photo de chacun des deux élèves. J'observe Sherlock Holmes junior, à la fois amusé et impressionné.

— Crime, Simon, j'en demandais pas tant.

Un large sourire de gloriole fend sa barbe. Il me lance d'un air complice :

— Maintenant, tu dois me dire le pourquoi de ton intérêt pour ce Duval.

— C'est personnel, Simon…

— Tu m'avais assuré la promesse que tu me le dirais !

Je soupire, en cherchant un mensonge, mais il se penche vers moi et, comme s'il avait peur que le FBI lui ait enfoncé un mouchard dans le cul, marmonne :

— Ç'a un rapport de lien avec les meurtres de cette semaine, pas vrai ?

Ma surprise me trahit car il se redresse, victorieux :

— Je le savais ! Je me suis bien rendu compte que ces meurtres te tatillonnaient l'intérêt !

En vitesse, il se plante une cigarette éteinte entre les lèvres et, en sortant son sempiternel calepin, me demande :

— Est-ce une possibilité que vous ayez voulu ambitionner d'être un policier il y a jadis ?

Exaspéré, je donne une chiquenaude sur sa cigarette qui vole contre le mur :

— OK, OK, oui, ç'a un rapport avec les meurtres. Mais je suis sûr de rien.

— Pis qu'est-ce que Guillaume Duval vient mijoter là-d'dans ?

— J'ai su qu'il a peur d'être la prochaine victime, mais je sais pas pourquoi… Comme les deux autres victimes ont été trouvées dans les casiers de leur blonde ou de leur ex, je me suis dit…

— Si Duval s'inquiète à croire être la prochaine victime, c'est parce qu'il a sans doute un lien connecté à Fermont pis Rivard ?

— Peut-être, oui, mais…

— Je te l'avais dit !

Il jubile, le grand journaliste. Je me demande même s'il n'a pas une érection, mais c'est pas moi qui vais vérifier.

— Je te l'avais dit, l'autre jour de cette semaine, que Rivard pis Fermont fréquentaient le secondaire à la même école ! Pis tu m'as moqué !

— Simon, s'il y a un lien, il faut qu'il soit plus… plus significatif que ça. Il paraît que Duval, Fermont et Rivard ont fait quelque chose dans le passé, je sais pas quoi ni quand, et qu'ils sont en train de payer pour ça.

— Comment t'as trouvé la connaissance de ça ?

— Ça, ça me regarde.

Gracq réfléchit, puis :

— Je vais le débusquer, ton lien !

— Non, non, je te remercie, mais c'est assez. Moi, je voulais juste savoir c'est qui l'ex de Duval, au cas où…

Je secoue la tête. Au cas où quoi, au juste ? Mais Gracq s'emballe :

— Je vais enquêter plus davantage pour trouver le lien duquel on pense entre les trois !

Avant même que je puisse le retenir, il se précipite vers la porte en me lançant :

— Je t'apporte un rapport demain dans le complet du détail !

Je renonce à le rattraper. OK, ma chouette, va faire ta grande enquête et reviens avec un papier digne du Watergate ! Si ce garçon mettait ne serait-ce qu'une parcelle de son enthousiasme journalistique dans ses études, il aurait déjà terminé trois diplômes universitaires.

À la fin de mon cours, seul dans ma classe, je relis les deux rapports de Gracq, en particulier celui sur Mélie Sirois, l'ex de Duval. La photo montre une très jolie fille, aussi jolie que Thibodeau et Farer. Serait-ce un point commun ? Je ricane : je suis en train de faire un Gracq de moi-même, ce qui ne me rassure guère.

◆

Les repas surgelés : la bouée de sauvetage des célibataires nuls en cuisine.

Chez moi, tout en soupant, je lis *La Voie de Malphas*. Quatre-vingt-quinze pour cent des articles sont écrits par Gracq. Ça va dans toutes les directions : critiques de films, comptes rendus du conseil de ville, recettes, essais philosophiques… La parano de Gracq éclate ouvertement dans un article qui met en doute la loyauté des concierges du cégep qui ne vident qu'une fois par semaine les taille-crayons dans les classes. Le compte rendu des deux meurtres de cette semaine laisse planer plusieurs hypothèses échevelées, allant du règlement de comptes entre trafiquants de drogue jusqu'aux expérimentations secrètes d'un ancien nazi caché à Malphas. Comme dans le travail qu'il m'a remis au premier cours, le style est ampoulé et par moments illisible.

Il y a même une présentation des nouveaux enseignants de la session, dont moi. L'article en profite pour soulever l'étrange roulement des professeurs à Malphas et, chiffres à l'appui, démontre qu'en moyenne 2,7 professeurs quittent l'établissement à chaque session. Je me demande bien ce qui arrive avec le 0,3 du troisième prof. Sans doute qu'il continue d'enseigner, mais à temps partiel. Gracq glisse au passage que j'ai refusé de lui accorder une entrevue, réaction louche de la part d'un enseignant qui n'a supposément rien à cacher. Je referme le journal en soupirant. J'espère que Gracq n'a pas écouté la série des *X-Files* dans les années 90 : il aurait cru qu'il s'agissait de véritables documentaires sur le FBI. Mais il faut bien admettre qu'il a été efficace pour trouver des renseignements sur Duval et son ex, Sirois... et puis, il a bien deviné que j'ai déjà songé à devenir flic. Mais ça, pas question de lui en parler : il sortirait un numéro spécial de son canard uniquement sur ce sujet !

La soirée est encore chaude. Je décide d'aller marcher, ce qui m'étonne : pas vraiment mon genre, d'errer à pied pour le simple plaisir de la contemplation de la nature. Mon ex, elle, adorait les balades le soir. Elle disait que cela la relaxait beaucoup et, ajoutait-elle, c'est bien connu qu'une fille qui se relaxe est plus disposée à s'envoyer en l'air qu'une fille stressée. Mais je me suis rendu compte qu'elle me baratinait avec ses histoires de relaxation : j'avais beau marcher cinq kilomètres par soir avec elle, m'extasier sur les étoiles « qui nous fixent comme les mille yeux de l'infini » (ce qu'un gars est prêt à inventer, tout de même, quand il veut baiser !), les résultats n'étaient pas différents des autres soirs où nous demeurions à la maison, soit un peu de sexe de temps à autre, et de moins en moins souvent. J'ai donc fini par abandonner les promenades romantiques. Ç'a été le début d'une longue série d'abandons, d'ailleurs...

Et tel le partouzeur pris dans une réaction en chaîne, le souvenir de mon ex m'amène à songer à mon fils. J'ai prévu appeler Émile ce week-end, mais pourquoi ne m'appelle-t-il pas, lui ? Bon, OK, il vient d'avoir treize ans, c'est moi l'adulte, d'accord, j'ai compris…

Ça fait déjà une demi-heure que je déambule dans les rues et je me demande encore pourquoi je tenais tant à cette balade. Je cherche quoi, au juste ? Mais lorsque je vois Malphas apparaître au bout de la rue Georgia, je comprends enfin ce que mon inconscient souhaitait en m'envoyant ainsi dehors. Je regarde l'heure : vingt-deux heures cinq. Mon inconscient est décidément très synchronisé. Résigné, je marche vers le cégep.

La rue Georgia est une avenue résidentielle qui se termine par un grand champ qui doit faire cent cinquante mètres sur trois cents. C'est au centre de ce vaste terrain que se dresse Malphas. Vers l'arrière du bâtiment, je me rappelle avoir vu une sorte de petit lac sans charme, à l'eau sombre et stagnante, qu'on ne voit pas lorsqu'on est face au cégep. Je remarque à nouveau le vieil autobus scolaire rouillé sous la lune, abandonné en plein milieu des herbes folles, à une centaine de mètres du cégep. La ville n'a jamais songé à le remorquer ? J'imagine que si j'y entrais, j'y découvrirais mille trésors précieux : bières vides, mégots de cigarettes, vieux magazines, condoms usagés et autres reliques de la vie étudiante…

J'approche de la porte d'entrée principale, dont les volets de métal ont été abaissés devant les fenêtres. Le policier qui monte le guet, un jeunot de vingt-trois ans maximum, devient blême, ce qui crée une belle tache dans la nuit.

— Qui… qui êtes-vous ? Vous êtes le tueur ?

Je ne sais pas dans quelle école de police il a étudié, mais il faut la fermer au plus vite. Je réponds en m'arrêtant près de lui :

— Oui, mais je vous le dirai pas, pour pouvoir vous tuer par surprise. Je suis extrêmement rusé, voyez-vous.

Il pousse un gémissement et je vois sa main droite chercher le pistolet dans son étui.

— Mais non, je blaguais, je suis pas le tueur. J'enseigne ici.

Il est tellement rassuré qu'il s'en jetterait presque dans mes bras. Qu'aurait-il fait si j'avais été le tueur ? Il se serait suicidé de terreur ? Il ricane :

— Vous êtes un comique, vous…

Pour installer une ambiance décontractée, je sors mon paquet de cigarettes et en offre une à Eliott Ness. Il la refuse gravement :

— Si je fume, la fumée va trahir ma présence et je deviendrai visible aux yeux du tueur.

— Mais vous êtes pas vraiment caché.

Il cligne des yeux, pris au dépourvu par cet argument béton, puis, reprenant son air sévère, réajuste son refus :

— Si je fume, je risque d'attraper le cancer.

Je hoche la tête devant cette grande vérité, puis m'allume.

— Vous êtes trois, c'est ça ?

— Ouais, mes deux collègues sont aux deux autres portes.

— Vous avez fouillé le cégep avant que le gardien verrouille les portes et mette le système d'alarme ?

— Vous posez beaucoup de questions, monsieur l'enseignant. Vous êtes sûr que vous êtes pas le tueur ? Allons, mentez pas.

J'explore mes poches et trouve un vieux paquet de gommes. Je le tends vers le grand enquêteur en répondant :

— Non, je vous le dirais, croyez-moi.

Le flic refuse ma gomme.

— Si je mâche de la gomme, ma mastication trahira ma présence et je deviendrai audible aux oreilles du tueur.

Et dire qu'il y a encore des gens qui perpétuent le préjugé selon lequel les flics ne sont pas intelligents. Je remets mon paquet de gommes dans ma poche.

— J'enseigne ici, alors je m'inquiète, c'est tout.

Enfin convaincu que je ne suis pas l'assassin, le flic se détend.

— Oui, on a fouillé. Le gardien est parti, y a plus personne dans le cégep.

Archlax senior a donc convaincu Garganruel. Faut croire que le vieux a vraiment du poids dans ce bled perdu. J'insiste :

— Vous êtes sûr ?

— On a rien trouvé de louche. Sauf une machine distributrice de condoms, dans les toilettes. Quelqu'un l'a sûrement installée là pour faire une plaisanterie de mauvais goût.

— Non, elle a été installée par le cégep. Pour les étudiants.

— Vous êtes sérieux ?

Il grimace, dégoûté :

— Les adolescents ne sont plus ce qu'ils étaient, vous pensez pas ?

— Vous avez raison, le monde court à sa perte. Donc, personne ne peut être caché dans le cégep en ce moment ?

— Vous vous prenez pour une police, coudon ?

Je tique un peu, puis je m'efforce de sourire. Je souhaite bonne nuit au policier et m'éloigne. Pauvre Sarko, arrête de te mêler de ce qui ne te regarde pas et va faire dodo. Après une cinquantaine de pas, je ne peux m'empêcher de me retourner. Le cégep se dresse dans la nuit, sombre, massif. Sur le toit se découpent cinq ou six petites silhouettes immobiles. Je finis par comprendre qu'il s'agit d'oiseaux.

Je mettrais mon bras complet au feu qu'il s'agit de corbeaux.

QUATRE-VINGT-DIX-HUIT MINUTES PLUS TARD

Encore complètement habillés mais tous deux agenouillés sur le lit de l'enseignante, Zoé et Guillaume Duval s'embrassent en se caressant langoureusement. Mais Zoé sent son jeune amant tendu et elle finit par demander :

— Ça va pas ?

— C'est correct…

— Tu penses aux deux meurtres, hein ?

— Je veux pas en parler. Let's go, *on continue.*

Mais Zoé se rappelle la promesse qu'elle a faite à Julien et, un peu à contrecœur, elle évite le baiser de Duval pour demander maladroitement :

— Guillaume, y a deux jours, tu m'as dit que t'avais peur d'être la prochaine victime…

— J'aurais jamais dû te dire ça ! J'avais bu, je disais n'importe quoi !

— Qu'est-ce que t'as fait avec Fermont pis Rivard ?

— Je veux pas en parler, je t'ai dit !

Il descend du lit et commence à enfiler ses souliers.

— Écoute-moi, Guillaume, si tu sais quelque chose…

— *Mais je me fais sûrement des idées, je paranoïe !
Je suis allé le voir, mais il m'a dit que je délirais ! Je
pense qu'il a raison !*

— *Qui ça, « il » ? De qui tu parles ?*

Il hésite puis finit d'attacher son deuxième soulier.
Mais Zoé commence à croire que Julien a probablement
raison, que Guillaume en sait peut-être pas mal. Alors
elle étire le bras et le ramène vers le lit :

— *Tu devrais aller voir la police !*

— *Je... je sais pas...*

— *Guillaume...*

Elle commence à lui caresser l'entrejambe à travers
son pantalon.

— *Si tu me promets d'aller voir les flics, je vais te
donner ta gâterie préférée...*

Elle descend le pantalon jusqu'aux genoux de l'adolescent. Celui-ci durcit et esquisse un sourire incertain,
déjà à moitié vaincu.

— *Ouais, peut-être...*

Elle glousse, abaisse maintenant le caleçon du
garçon qui demeure debout puis elle s'assoit sur le lit,
la tête juste à la bonne hauteur. Lentement d'abord,
elle lèche le membre tandis que Guillaume pousse un
profond soupir. Zoé se sent émoustillée à son tour et,
en suçant le sexe de plus en plus vite, ferme les yeux,
glisse sa main sous sa jupe et se masturbe énergiquement. Une minute passe, l'adolescent gémit de
plus en plus fort, il est sur le point de jouir, et Zoé sent
qu'elle aussi va exploser dans quelques secondes, ils
vont avoir un orgasme simultané, c'est vraiment génial !
Duval pousse enfin un long râle tandis que le sperme
jaillit à profusion dans la bouche de l'enseignante
qui, excitée au plus haut point, jouit à son tour. Tout
en gardant les yeux fermés, elle sent sa tête tourner de
plaisir et perd la notion du temps quelques secondes.

L'orgasme de son partenaire doit être aussi particulièrement fort car elle l'entend littéralement hurler, comme s'il souffrait! D'ailleurs, la queue se retire rapidement de sa bouche et les cris se poursuivent quelques secondes, ceux de Duval, ceux de Zoé qui jouit toujours, les yeux fermés, et ceux de... Incroyable! Non seulement elle croit entendre plusieurs grognements, mais elle a carrément l'impression que le sol vacille sous ses pieds! Wow! Jamais la jouissance n'a provoqué un tel effet chez la jeune femme!

Son orgasme se termine enfin, en même temps que le silence revient dans la pièce. Les yeux fermés, les lèvres closes pour conserver le sperme qu'elle n'aime pas avaler (Seigneur! il a éjaculé des litres!), elle sourit et cherche à tâtons le sexe du jeune homme, dans l'intention de laisser la semence s'écouler lentement de sa bouche sur le membre encore dur (Guillaume adore ça), mais sa main ne rencontre que le vide. Elle ouvre enfin les yeux.

Guillaume n'est plus devant elle. Il n'est nulle part dans la chambre. Tout est calme. Sur le bureau, le cadran indique minuit et une.

Assise sur le lit, les joues gonflées par le sperme dans sa bouche, Zoé jette des regards hébétés autour d'elle.

CHAPITRE SEPT

Où il est démontré qu'un répit est souvent de courte durée

Ce matin, je corrige les copies de mon groupe d'hier : les résultats ne sont guère mieux que ceux de ma gang du lundi, ce qui ne m'étonne pas vraiment. Archlax a beau m'avoir prévenu que la clientèle de Malphas ne représente pas tout à fait l'élite de la jeunesse québécoise, je crains que cela soit pire que ce à quoi je m'attendais. Vont-ils vraiment être capables de lire *Germinal* au complet ? À moins que je dégote une édition illustrée.

Vers onze heures, je me rends à Malphas. Je n'ai pas de cours le vendredi, mais je veux parler à Zazz. Et je dois bien admettre que le « rapport » que m'a promis Gracq me titille l'esprit. Tandis que je roule dans les rues résidentielles qui mènent au cégep, quelques natifs suivent des yeux ma voiture d'un air inquisiteur. On remarque de plus en plus la présence du « nouveau ». Peut-être que je devrais sortir de ma voiture, nu comme un ver, lever les bras en signe d'apaisement en clamant lentement : « Je viens en paix, présentez-moi votre chef »…

Zazz termine son cours à midi moins dix. En attendant, je vais au local de *La Voie de Malphas*. Comme je m'y attendais, Gracq est fidèle au poste, le visage à trois centimètres de son écran cathodique. Je me demande s'il n'y a pas un lit de camp caché quelque part. N'est-ce pas une brosse à dents, là, qui traîne parmi les crayons ?

— Salut, Simon…

— Une micro-seconde…

Une poutine refroidit près du clavier. J'attends, mal à l'aise : je ne peux pas croire que je viens chercher des renseignements auprès de ce parano mythomane alors que je me foutais doucement de sa gueule il y a trois jours. Il se tourne enfin vers moi et, sans même me saluer, tend la poutine dans ma direction.

— Goûte oralement à ça.

— J'ai pas l'habitude de boire les fonds de bouteille de la veille…

— Je l'ai achetée en acquisition à la cafétéria il y a dix minutes, elle dégage encore de la chaleur en suffisance. Goûte.

Je soupire et avale une bouchée. Fromage sans saveur, sauce à la texture de morve, frites molles comme ma queue après neuf bières… Bref, une banale poutine. Mais Gracq attend mon verdict comme si sa vie en dépendait. Je déclare donc :

— C'est incroyable, Simon : elle goûte la poutine.

— Justement, c'est ça qui se trouve à représenter le problème ! s'écrie-t-il, triomphant.

— Tu aurais voulu que ça goûte le coq au vin ?

— Elle a été conçue dans la cafétéria du cégep ici même, et elle propage le même goût qu'une poutine achetée en ville ! Comment se fait-il que les vivres à manger de notre école ne se diffèrent pas de la bouffe des autres restaus différents ?

Il désigne son écran de la main et je lis le titre de l'article qu'il est en train d'écrire : « La nourriture de notre cafétéria goûte comme tout le monde ! » Je demande :

— Tu es sûr que tu veux provoquer un tel scandale ?

Comme je m'y attendais, il ne perçoit pas mon ironie et hausse modestement les épaules :

— J'ai acquis l'habitude.

Puis, changeant de sujet mais tout aussi passionné, il se lève et va chercher des feuilles qu'il trouve sans problème malgré l'incroyable pagaille sur son bureau.

— Tel que promesse faite, j'ai accompli des recherches sur le Sixtette Sanglant...

— Le quoi ?

— Les six étudiants connectés au lien entre les meurtres.

Il me tend les feuilles. Comme la veille, il y a un rapport sur Guillaume Duval et Mélie Sirois, mais aussi quatre autres sur Fermont, Thibodeau, Rivard et Farer. On n'y retrouve pas seulement leurs photo, adresse, code permanent et horaire de cours, mais aussi les noms de leurs blondes ou *chums* actuels et même les noms de leurs ex au cours des deux dernières années. Gracq a déniché tout cela depuis hier ! Je me demande si je dois être impressionné ou effrayé. Je me frotte les yeux. Tout cela devient ridicule, non ?

— Écoute, Simon, c'est très bien, mais je suis pas sûr que... que tout ça va servir à quelque chose, on s'inquiète peut-être pour rien...

— Mais c'est Duval en sa propre personne qui a dit qu'il supputait la possibilité d'être la prochaine victime ! Il a dit que lui avec Fermont pis Rivard avaient fait quelque chose qu'ils payaient le prix pour !

— Peut-être qu'il se fait des idées. Regarde, il s'est rien passé depuis mardi...

Gracq se compose une expression dramatique, le genre de faciès qu'il afficherait sans doute si son visage apparaissait en mortaise à la télé pendant un de ses propres reportages.

— Faut se méfier de l'eau qu'on dore…

J'émets un petit soupir puis lui tends la liasse de feuilles. Mais il me dit de les conserver : il en a des copies. Qu'il a enfermées dans un coffre-fort, sans doute.

— Étudie-les dans le profond, me conseille-t-il. Tu vas peut-être dénicher un lien qui a pas été vu par mon attention…

Pas très convaincu, je quitte le local. Prudence : la méfiance pathologique de Gracq est en train de me contaminer. Mais je ne peux m'empêcher de me rappeler que les numéros des cadenas de Thibodeau et de Farer correspondent aux codes permanents de Fermont et de Rivard. Bien sûr… et après ? Heureusement que Gracq ne connaît pas cette information : il y aurait sans doute vu la confirmation de la présence d'extra-terrestres…

Je jette les feuilles dans la première poubelle que je croise. Je me répète qu'il est temps que je commence à écrire un nouveau roman : à défaut de m'apporter le succès, ça servira de soupape à mon imagination trop débordante.

Plus tard, je dîne au département, entouré de Zazz, Poichaux et Mortafer. Nous parlons évidemment des meurtres, mais aussi de nos cours, des élèves, un peu de n'importe quoi, et même si j'en suis arrivé à la conclusion, il y a quelques minutes à peine, que je devais oublier cette histoire, j'attends malgré tout d'être seul avec Zazz pour lui demander des nouvelles de son jeune étalon. D'ailleurs, elle a l'air bien préoc-cupée, notre anorexique départementale. Ça ne l'em-pêche pas de parler, bien sûr (seule l'ablation de la langue parviendrait à un tel résultat, et encore, elle trouverait le moyen d'articuler avec sa glotte), mais elle a les sourcils froncés, ce qui, dans son cas, plisse son visage au complet. Peut-être se rend-elle enfin compte que son repas ne goûte strictement rien. À un moment, on a droit au rituel quotidien de Hamahana : il entre, va à son frigo privé juché sur l'étagère, l'ouvre, prend son lunch… Petite variante aujourd'hui : sur le bout des pieds, il examine l'intérieur du frigo d'un œil méfiant. Mortafer réagit :

— Tu fais bien de vérifier, Mahanaha : depuis ce matin, j'ai vu au moins seize personnes fouiller dans ton frigo.

Je rigole sans gêne. Choqué, Hamahana pointe le doigt vers Mortafer et lance à Poichaux :

— Un g'ief, Aline !

Et il sort du local. Déconfite, Poichaux le suit :

— Maha, voyons, attends, prends pas ça comme ça ! Tu vois tout en noir, c'est…

Elle s'arrête, nous dévisage avec horreur :

— Mon Dieu, est-ce que… est-ce que j'ai vraiment dit ça ?

Zazz, malgré son air à demi absent, émet un bref ricanement et Poichaux sort rapidement en se confondant en excuses. Mortafer se lève à son tour et annonce qu'il va corriger des copies à son bureau. Après ce qu'il m'a confié l'autre soir sur son système de notation, je me dis que cela ne lui demandera guère plus que quelques minutes. Je me demande si les autres profs du département sont au courant de cette pratique. J'imagine que oui : aucune raison que Mortafer ne se soit confié qu'à moi. Et j'imagine que les autres profs ne s'en formalisent pas trop… sans doute parce qu'aucun d'entre eux n'est un saint lui-même.

Aucun d'entre *nous*…

Je suis seul avec Zazz. Je lui demande enfin :

— Alors, Zoé, t'as vu Duval ? Tu lui as recommandé d'aller voir la police ?

Elle paraît embêtée. Elle joue un moment dans son motton-santé :

— Heu… oui, je le lui ai dit.

— Il va y aller ?

— Je… je sais pas…

— Mais qu'est-ce qu'il a dit ?

Spectacle étonnant : Zoé Zazz ne sait pas quoi dire. Certains seraient sans doute prêts à payer pour voir ça. Le silence se prolonge, coupé brièvement par un bruit métallique. Sans doute un tiroir de classeur qui vient de s'ouvrir tout seul dans le département.

— Zoé ?

— Écoute, c'est complètement… Il est arrivé quelque chose de ben bizarre… J'étais avec lui hier soir pis… il a disparu.

J'attends la suite. Mais ça ne vient pas.

— Qu'est-ce que tu veux dire, disparu ?

— Ben, il était avec moi, j'ai, heu… fermé les yeux, pis quand je les ai rouverts, il avait disparu.

Pourrait-elle être moins claire ? J'en doute. La bouche pleine de frites, je demande :

— Mais… vous étiez où, au juste ?

— Dans… un bar.

— Et il a disparu ?

— Quand j'ai ouvert les yeux, il était plus là.

— Mais tu as fermé les yeux combien de temps ?

— Environ, heu… deux minutes. Trois au max.

— Tu as fermé les yeux pendant trois minutes dans un bar ?

— Ben… oui.

— Tu es narcoleptique ?

Elle éclate de son rire étourdissant, mais il sonne faux. Un rire faux aussi bruyant, c'est littéralement une épreuve pour les tympans.

— Non, non, c'est juste que… Il y avait un *band* qui jouait de la musique, c'était super bon pis je fermais les yeux pour, heu… pour m'imprégner de la musique. Tu fais jamais ça?

— Pas dans un bar.

— Ah, bon.

Elle engouffre rapidement une bouchée de son tofu au tofu.

— Donc, tu as fini par ouvrir les yeux et il était plus là.

— C'est ça, disparu.

— Pourquoi tu dis disparu? Il a quitté le bar pendant que tu avais les yeux fermés, c'est tout. Il t'a pas dit au revoir et…

— Non, non, il était près de moi pendant tout le temps que j'avais les yeux fermés.

— Comment tu sais ça?

— Je… Il me tenait la main pendant que j'avais les yeux fermés. Sauf durant les dernières secondes.

— Il te tenait la main dans un bar, devant tout le monde? Alors que tu veux pas que ça se sache trop que tu fréquentes un élève?

— Je le fréquente pas!

Je lui fais un air du genre « *Come on*, arrête ton cirque! » Elle est de plus en plus nerveuse.

— Disons qu'on se voit de temps en temps, c'est pas vraiment une fréquentation…

— Peu importe.

— Bon, OK, il me tenait pas la main, mais une partie de… de son corps était en contact avec moi.

— Une partie de son corps.

— Oui…

Je mâche lentement mes frites sans la quitter des yeux. Elle baisse les siens mais ne dit rien. Je hoche la tête:

— Bon, je résume: vous étiez en train de baiser, tu as fermé les yeux pendant l'acte mais tu le sentais toujours en toi, et quand il s'est retiré, tu as ouvert les yeux presque tout de suite après, mais il était plus là.

— Non, mais, t'es pas gêné, franchement, tu me prends pour qui ?

— Vous avez baisé chez toi ou chez lui ?

— Chez moi.

Elle baisse la tête, gênée.

— Faut pas que tu penses que c'est dans mes habitudes, hein ?

— Zoé, je m'en contre-calvaire que tu fourres avec des étudiants, des koalas ou des percolateurs. Je veux juste comprendre ce qui s'est passé : quand t'as ouvert les yeux après l'acte, il était plus là ?

— C'est ça.

— En quelques secondes ?

— Oui.

— Comment il a pu se rhabiller en quelques secondes et partir ?

— Il avait pas enlevé ses vêtements.

— Ah, je vois, tu lui faisais une pipe.

Elle ricane, puis devient embarrassée, ricane à nouveau, puis ne sait plus trop comment réagir. Je poursuis :

— Écoute, c'est pas compliqué : il s'est sauvé tout de suite après, en quelques secondes, pendant que tu avais encore les yeux fermés. C'est goujat, je le sais, mais les gars, surtout les jeunes…

— C'est quand même fort qu'il se soit sauvé si vite. Je veux dire, surtout après, heu… après qu'il a… enfin…

— Après qu'il a eu un orgasme. Normalement, il aurait dû avoir les jambes molles, prendre le temps de récupérer un peu…

— Heu, oui, exactement…

— Son orgasme, c'était du solide ?

— Je…

Elle se passe une main dans les cheveux, jette un regard nerveux vers la porte pour s'assurer que personne n'arrive.

— Si je me fie à ses cris, je dirais que oui. D'ailleurs, j'ai même cru entendre d'autres sons bizarres, mais là, ça devait être dans ma tête…

— Ah. Tu es venue toi aussi.

— C'est… Pourquoi tu veux savoir ça ?

— Si tu es venue aussi, tu as pu perdre la notion du temps. L'orgasme peut provoquer de tels effets. Je t'apprends rien, évidemment.

Elle rit encore, cette fois un peu plus détendue, et elle m'étudie avec un mélange d'indécision et de complicité. Elle commence à comprendre qui je suis, on dirait. Et moi, je commence à me fabriquer certaines images d'elle assez plaisantes. Dommage qu'elle soit si maigre. Vraiment dommage.

Davidas entre à ce moment-là et nous salue de sa voix lymphatique. Zazz redevient de marbre. Quant à moi, j'ai de la difficulté à dissimuler ma déception : Davidas ne pouvait pas tomber plus mal. Quoiqu'il est tellement crétin que je crois que nous pourrions continuer notre discussion, Zazz et moi, sans qu'il en saisisse la teneur.

— Vous enseignez aussi le vendredi ? nous demande-t-il.

Zazz répond qu'elle a enseigné ce matin. Je lui dis que je suis venu seulement pour jaser avec les collègues, ce qui l'étonne.

— Moi, si j'enseignais pas le vendredi après-midi, j'en profiterais pour faire autre chose. Écouter des films, par exemple. J'en ai loué un, hier. Un film italien. C'était d'un ennui… Les Européens sont pas

très doués en cinéma. On voit bien que c'est pas eux
qui ont inventé le septième art...

— Ce sont des Français qui l'ont inventé, que je
dis d'une voix froide. Les frères Lumière.

Davidas a un petit rictus qu'il veut détaché, mais
dans ses yeux je vois les turbines tourner à toute
vitesse.

— Oui, mais ce sont des Français, justement. C'est
pas tout à fait comme des Européens.

— Vraiment ? Ils sont un peu plus comme qui,
alors ? Des Africains ?

J'ai à peine terminé ma phrase que Hamahana apparaît dans le cadre de porte, la bouche encore pleine,
le doigt dressé :

— Qui a pa'lé des Af'icains ? Qui pa'le dans leu'
dos ?

— Personne, Mahanaha, personne, soupire Zazz.

Hamahana nous scrute tous les trois, les yeux ré-
trécis, puis, juste avant de repartir, nous prévient dans
un souffle condescendant :

— Attention au g'ief ! Jeu neu suis pas dupe...

Heureux de cette diversion, Davidas sort à son tour
en annonçant qu'il va se chercher à manger en bas.
Zazz et moi sommes à nouveau seuls. Sans transition,
je relance :

— Alors, tu penses pas que c'est possible ? La
jouissance t'a fait perdre la notion du temps, ce qui
te donne l'impression que...

— Non, non, je suis sûre que ç'a duré juste quelques
secondes... D'ailleurs, je voulais parler à Guillaume
aujourd'hui, pour lui demander des explications, je
savais qu'il avait un cours ce matin... mais je l'ai pas
trouvé.

— Tu l'as pas trouvé ?

— Non, je pense qu'il est pas venu au cégep ce
matin.

— Et hier soir, sa disparition, c'est arrivé à quelle heure ?

— Autour de minuit.

Elle me dit cela d'un air entendu mais prudent. Elle doit lire l'inquiétude sur mon visage car elle lève une main :

— Sur le coup, j'ai pensé la même chose que toi, mais… Franchement, je crois qu'on…

Elle rit pour se convaincre. Mais moi, je ne ris pas : je me lève et marche vers la porte. La voix de Zazz m'arrête :

— Il m'a dit aussi qu'il était allé voir quelqu'un pour lui parler de tout ça et que cette personne a dit qu'il délirait.

— Qui, ça ? Quelle personne ?

Elle hausse les épaules en signe d'ignorance. Je sors enfin, tandis que Zazz me demande sans grande conviction où je vais.

En bas, je retrouve la poubelle que j'ai croisée plus tôt et y repêche les feuilles de Gracq. En vitesse, je parcours le dossier de Mélie Sirois, l'ex de Duval, et vérifie son horaire : elle a un cours qui débute à treize heures trente. Il est treize heures dix. Il y a bien des chances qu'elle passe par son casier avant de se rendre à son cours. Je trouve sur la feuille son numéro de casier : 243. Je m'y dirige en rangeant dans mon veston le paquet de feuilles.

Appuyé sur un casier, je ne quitte pas des yeux le numéro 243 de l'autre côté de l'allée, à quelques mètres de moi. Des élèves vont et viennent, mais toujours pas de Sirois. Au bout de dix minutes, je la reconnais enfin grâce à la photo de Gracq : petite, un peu mai-grichonne mais pas vilaine, cheveux courts. Elle est seule, fend la foule et s'arrête devant son casier. Je me fige, angoissé. Elle commence à tourner les numéros de son cadenas et je songe un moment à me précipiter pour l'arrêter. Mais je me traite d'idiot : s'il ne se produit aucun drame, je vais me justifier comment ? En disant que j'avais peur qu'elle se foule un pouce en ouvrant son cadenas ?

— Excuse donc...

C'est une belle étudiante blonde qui veut ouvrir le casier contre lequel je suis appuyé. Comme plusieurs filles de son âge face aux adultes, elle exagère son agacement, comme si j'étais un témoin de Jéhovah qui venait de la réveiller. Normalement, je lui aurais dit ma façon de penser, mais je suis si concentré sur l'autre élève que je m'écarte légèrement, sans un mot. En face, Sirois a fini d'ouvrir son cadenas, elle attrape la clenche de la porte, sur le point de l'ouvrir... Criss, j'ai la chair de poule comme si j'entendais quelqu'un se frotter les dents sur un tableau noir ! Sirois ouvre la porte...

Rien pantoute. Enfin, rien d'anormal. Un manteau, des photos collées sur la paroi intérieure, des livres sur l'étagère supérieure. Pas de sang, de membres arrachés ou de chair gluante. Sirois prend ses cahiers et referme le casier.

Je recommence à respirer et profite de ce souffle frais pour me traiter intérieurement d'imbécile. C'est décidé. J'arrête de m'occuper de cette affaire, j'enseigne peinard et je me trouve une fille pour la nuit, parce que c'est sans doute là la source de mon problème : ça fait un mois que je ne me suis pas envoyé en l'air, et la rétention de frustration sexuelle doit congestionner mes neurones qui...

Quelqu'un me pisse sur la jambe. Enfin, c'est la première image qui me traverse l'esprit quand je ressens ces giclures sur mes mollets et mes pieds. Mais uriner provoque rarement un tel hurlement, sauf après un dépistage de MTS. C'est la blonde, à mes côtés, qui émet le hurlement en question. Elle vient d'ouvrir son casier et ce qui en est sorti a éclaboussé ses jambes et les miennes. Il ne s'agit pas d'urine : trop rouge, trop épais, trop de morceaux difformes. Je m'écarte de plusieurs pas en meuglant d'horreur. La blonde, elle, a opté pour l'évanouissement.

Pour la troisième fois en une semaine, le cirque se met en branle : cris, stupeur, rassemblement, photos, pleurs, chaos... Des amies tentent de réveiller la belle évanouie, je vois parmi les curieux des visages connus : Archlax, blême et stoïque, qui demande qu'on appelle la police ; Davidas, dont même l'effroi est flasque ; quelques-uns de mes élèves, surexcités ; et Zazz, qui s'approche de moi et couine d'une voix tremblotante :

— Mon Dieu, Julien, c'est... c'est Guillaume ! Je le reconnais !

Elle reconnaît quoi, au juste, son groupe sanguin ? Il y a bien quelques morceaux solides, mais pas de visage, rien pour identifier quelqu'un. Elle me montre du doigt une chose molle dans tout ce sang et je reconnais la moitié d'un pénis.

— Il y a trois grains de beauté dessus... Il... C'est...

Et elle s'éclipse rapidement, bouleversée, en traversant la meute de curieux.

On me tire par le bras et je me retourne : Gracq, *of course*, fidèle au poste. Il a un petit sourire victorieux et, pendant une seconde, j'ai envie de lui mettre mon poing sur la gueule. Malgré le brouhaha ambiant, sa voix est étonnamment claire :

— Le lien poursuit sa continuité...

— Quoi ?

— C'est la troisième fille que le corps du cadavre de son ex se dévoile dans son casier...

— Mais c'est pas elle, l'ex de Duval, c'est Mélie Sirois !

Gracq me désigne la blonde évanouie, entourée de ses amies.

— Elle s'appelle du nom de Marilou Caillé.

— Pis après ?

Il prend un air désapprobateur :

— T'as pas consulté la lecture de toute l'entièreté de mon rapport ?

Je crois comprendre. En vitesse, les mains convulsives, je sors les feuilles de mon veston et parcours la feuille sur Duval. Dans la liste de ses ex, il y a plusieurs noms : Sirois, qui est son ex la plus récente, ensuite le nom d'une inconnue... puis Marilou Caillé.

Je ne réagis pas pendant quelques secondes, abasourdi, insensible à la débandade qui m'entoure. Mon regard retourne sur la feuille, je cherche rapidement le code permanent de Duval et le trouve : 090635. Je donne les feuilles à Gracq et, pataugeant dans l'hémoglobine, m'approche du casier de Caillé. Je prends le cadenas, le referme et tourne le cadran. Les gens autour de moi sont trop surexcités pour se préoccuper de ce que je fais, sauf Gracq qui me rejoint, intrigué.

— Qu'est-ce que tu procèdes ?

Je tourne les numéros du cadran... 9 à droite... 6 à gauche... Mes mains ne tremblent plus, comme si l'adrénaline stabilisait toute panique... 35 à droite...

— Mais qu'est-ce que tu procèdes ?

Je tire sur le cadenas.

Et, bien sûr, il s'ouvre. Aussi facilement que les jambes d'une groupie devant une rock star.

Je pense que je halète un peu. Gracq me dévisage, ahuri.

— En quelle manière t'as fait ça ?

Au loin, je vois les policiers qui approchent. Je commence à m'éloigner, la tête bourdonnante, mais Gracq m'agrippe le bras une seconde fois, l'air cette fois très sérieux derrière sa barbe de trotskiste attardé.

— Viens au journal. Faut qu'on se parle de choses à dire.

◆

Je ne savais pas que du sang pouvait coller autant : j'ai beau me frotter les jambes avec les essuie-tout que m'a donnés Gracq, c'est aussi difficile à effacer qu'une dette nationale. L'apprenti journaliste, les bras croisés, le bassin appuyé contre son bureau, m'observe avec impatience :

— Allez, j'attends ! Comment tu savais la teneur du numéro du cadenas de Marilou Caillé ?

En soupirant, je jette les essuie-tout dans la corbeille. Et puis, pourquoi pas ? Si je n'en parle pas à quelqu'un, je vais devenir malade. Je le mets donc au parfum, et plus j'avance dans mes explications, plus son visage s'embrase. Aucun doute : il y croit à fond. Comment s'en étonner ? Si j'avais avancé comme hypothèse que les numéros des cadenas représentaient les codes secrets des membres des Chevaliers de Colomb, il y aurait cru aussi.

— C'est extraordinaire ! Pis évidemment, ça peut pas être des hasards dus à la faute d'une coïncidence ! Une fois, peut-être. Deux fois, c'est toujours dans le territoire du raisonnable. Mais trois !

Il se précipite sur son ordinateur :

— Je vais faire tout un papier d'article là-dessus, attends de voir ça de tes yeux dans le même trou !

— Non, non, Simon, t'écris rien là-dessus ! Tu vas raconter quoi, de toute façon ?

Il réfléchit, les doigts figés au-dessus du clavier, puis se lève en hochant la tête.

— C'est vrai, on ne sait pas encore assez la totalité exhaustive de la chose. Faut enquêter plus en davantage.

— C'est pas à nous de faire ça. Je vais aller voir la police et tout raconter.

— Aux flics ? Ils vont te moquer dans la face !

— Pas sûr. Tu l'as dit toi-même : trois fois, ça commence à être beaucoup. Et il faut aussi leur dire que Guillaume Duval a été tué après minuit cette nuit.

— Comment t'es au courant de savoir ça ?

— J'ai... j'ai un témoin qui m'a dit avoir été avec Duval jusqu'à minuit.

Une admiration béate suinte du visage du journaliste en herbe, au point que sa barbe en dégouline.

— On est vraiment la formation d'une équipe géniale !

— Comment, *on* ?

— Qui a découvert les numéros de code permanent des victimes ? Qui a concocté des rapports détaillés de chaque individu impliqué dans la périphérie de l'histoire concernée ? Qui a fait la liste de toutes les ex des trois gars ?

Je soupire en levant une main conciliante. À l'extérieur du local, on entend tout le monde se diriger vers la sortie : les flics doivent évacuer l'établissement.

— OK, Simon, c'est vrai... T'as été efficace, pis j'avoue que ça m'impressionne. Mais là, faut raconter tout ça à la police.

Je fais mine de sortir et il déclare :

— Je vais quand même continuer la poursuite de l'enquête vis-à-vis de mon bord. Parce que je suis sûr dans ma conviction que les flics serviront à rien. Pis à cause de la raison de ça, tu vas revenir me voir. Retiens en mémoire ce que je te dis présentement là.

Et ses mots vibrent d'une telle assurance qu'il paraît tout à coup plus vieux que ses vingt-cinq ans. Sans rien ajouter, je quitte le local.

Dans les couloirs, c'est effectivement la ruée vers la sortie. Je demande à l'un des flics s'ils ont arrêté

Marilou Caillé et, sans surprise, j'apprends que c'est bien le cas. Je monte au département, attrape ma mallette, puis, en sortant, je tombe sur Zazz qui, le visage en larmes, marche d'un pas hagard. Je la rattrape par le bras et elle me dévisage comme une noyée.

— Julien c'est épouvantable je sais pas quoi dire quoi faire c'est vraiment horrible mon Dieu faut que je que je que je pauvre Guillaume je comprends rien on dirait que que que…

— Zoé, il faut que tu ailles… Regarde-moi ! Zoé ? Il faut que tu ailles raconter à la police que tu étais avec Duval hier soir !

— Mais je peux pas leur dire ça, je vais avoir l'air de quoi ?

— Dis pas toute la vérité, dis juste que tu lui as parlé quelques minutes dans la rue autour de minuit et que, quelques secondes plus tard, il avait disparu de ton champ de vision.

— Je sais pas…

— Il faut que la police sache qu'il était encore vivant jusqu'à minuit, Zoé, criss, c'est le genre de détail important pour leur enquête !

Elle essuie ses yeux pleins de larmes. Elle est vraiment secouée et c'est tellement inhabituel de la voir ainsi que j'en suis remué. Elle hoche enfin la tête.

— OK… Je vais y aller… Tout de suite…

Elle allonge le pas et se perd dans la foule. Je demeure immobile un moment à réfléchir, tandis que tout le monde me dépasse, puis j'aperçois au loin, à l'écart, près du couloir administratif, Archlax et Bouthot qui discutent. Le PDG paraît consterné, alors qu'Archlax, fidèle à lui-même, dégage autant d'émotion qu'un aveugle face aux pyramides d'Égypte. Je m'approche et Bouthot me voit.

— Ah ! Monsieur Mitterrand !

— Sarkozy.

— C'est épouvantable ! Une deuxième victime en cinq jours !

— C'est la troisième, Conrad, fait calmement remarquer Archlax.

— Ah, bon ?

— Il y en a eu une mardi, aussi.

— Ah, bon...

Bouthot fronce les sourcils, quelque peu éperdu, puis se remet à paniquer :

— Alors c'est encore pire que je le croyais ! Mon Dieu, quand je pense que vous venez à peine d'arriver, quel début de session ! Excusez-moi, je suis trop... trop...

Et il s'éloigne, une main sur la bouche, presque en larmes. Son bouleversement est sincère et, d'une certaine manière, ça fait du bien à voir. Le contraste avec l'indifférence d'Archlax est aussi tranchant qu'un coup de hache dans le tibia. Il indique mon pantalon souillé :

— Si le nettoyeur n'en vient pas à bout, nous vous en paierons évidemment un nouveau.

— C'est quoi la suite des choses, Rupert ?

— Que voulez-vous dire ?

— Allez-vous fermer le cégep la semaine prochaine ? Après trois victimes, on vous le reprocherait pas.

— Je ne vois pas de raison, à moins que les policiers ne l'exigent. Fermer le cégep ne fera pas en sorte que le tueur soit arrêté plus vite. La police résoudra sans doute le mystère durant le week-end, et lundi, tout sera rentré dans l'ordre.

Je hoche la tête. Mais en quoi donc est fait cet homme ? Je demande :

— Qui est arrivé le premier ce matin, à sept heures ? Le gardien ?

— Non, c'est moi.

— Vous ?

— Oui, ça m'arrive souvent d'arriver le premier. Je connais le code pour le système d'alarme, je peux entrer sans problème.

Je hoche de nouveau la tête. Archlax soutient mon regard, les mains dans le dos. Cet homme a manqué sa carrière : il aurait dû devenir garde au Buckingham Palace. Je suis sur le point de lui tourner le dos quand une idée me traverse l'esprit :

— En passant, j'ai voulu visiter le sous-sol, mais je suis tombé sur une grande porte de métal verrouillée.

L'un des deux sourcils d'Archlax se fronce très légèrement.

— Vous êtes allé en bas ?

— Oui, mais un représentant du néolithique est venu me bafouiller que c'est interdit de descendre. Il y a quoi, derrière la porte, l'oreille coupée de Van Gogh ?

— C'est un espace de rangement, mais comme c'est très en désordre, cela pourrait être dangereux de s'y aventurer. On verrouille par mesure de sécurité.

— Alors pourquoi empêcher les gens de descendre ? C'est verrouillé de toute façon.

— Des étudiants s'amusaient à essayer de forcer la serrure de la porte.

Derechef, je hoche la tête ; si j'effectue ce mouvement une autre fois, je vais me coller un torticolis. Je dis :

— D'ailleurs, l'odeur y était beaucoup plus forte, presque insupportable.

— Oui, on a remarqué ça.

— Donc, c'est peut-être le sol qui est responsable de cette odeur, la terre sur laquelle est construit le cégep. Vous y avez pensé ?

. — Oui.

Toujours aussi disert, ce DP. Je veux prendre congé, mais me rappelle soudain un détail :

— En tout cas, il doit y avoir un trou quelque part dans votre cave : il y avait un corbeau.

A-t-il blêmi ? Dans ce visage naturellement fade, c'est difficile d'en être certain.

— Un corbeau ?

— Oui. Vous savez, avec des ailes, un bec…

— Et… il a fait quelque chose ?

Je penche la tête sur le côté. Pendant une seconde, je crois qu'il fait de l'humour, puis me rappelle à qui je m'adresse. Il est donc sérieux. Et, par conséquent, il attend une réponse.

— Oui, maintenant que j'y pense, il a dansé le charleston. C'était pas très maîtrisé, mais je crois qu'il pratique pas souvent, alors…

DP daigne sourire, mais il y a autant d'amusement dans ce sourire que de contenu à V-télé. En fait, ce que je devine derrière ce retroussement de lèvres, c'est une certaine nervosité.

— J'ai mal posé ma question. Je voulais dire : il était affolé, il était blessé ?

— Je pense pas, non.

— Il a dû se faufiler par l'ascenseur.

Un policier apparaît à ce moment et, assez sèchement, nous ordonne d'évacuer les lieux. Archlax dit qu'il va chercher ses affaires, me salue, puis s'éloigne. Je le vois s'arrêter devant un distributeur de friandises et hésiter un moment, l'air torturé. L'agent de police m'interpelle avec de plus en plus d'impatience et je pars enfin.

Après être passé chez moi pour changer de pantalon, je vais au Vitriol et commande un verre. La serveuse est la même que l'autre soir et, bien qu'on soit l'après-midi, elle ne semble pas plus alerte que la dernière fois. Je me mets à réfléchir à tout ce qui s'est passé ce matin et à tout ce que j'ai appris. Ma bière arrive au bout d'un siècle (peut-être est-ce celle que j'ai commandée mercredi soir…), mais comme j'ai déjà arrêté ma décision, je n'en prends qu'une grande gorgée puis demande à la fille où est le poste de police. Elle me considère un long moment en silence, la bouche entrouverte, puis articule d'une voix lente :

— Le poste de police ?

— Oui, que je confirme, exaspéré.

Nouveau long silence, regard vacant, et alors que je suis sur le point de lui expliquer ce qu'est un poste de police, elle commence :

— Vous sortez du bar… vous arrivez sur le trottoir… puis vous tournez votre corps vers la gauche… vous marchez… vous marchez encore… vous marchez jusqu'au prochain coin… puis vous tournez votre corps vers la droite… non, la gauche, je pense… attendez, je me mélange… On recommence… Donc, vous sortez du bar…

Je tourne les talons et quitte les lieux rapidement. Dans la rue, je trouve un piéton qui me donne les indications. Comme c'est tout près, je ne reprends pas ma voiture.

Il n'y a rien qui ressemble plus à un poste de police qu'un autre poste de police. L'agent à la réception lit le journal et quand je lui dis que j'aimerais voir le capitaine Garganruel, il me demande pour quelle raison. Je lui explique que j'ai des éléments à lui révéler sur les trois meurtres du cégep. Cinq minutes plus tard, je suis assis en face du grand et large flic qui, derrière son bureau, est affalé sur sa chaise avec désinvolture. Tel un chien, il a pissé partout pour bien marquer son territoire, remplaçant ses jets d'urine par des trophées sportifs, des animaux empaillés sans doute tués à la chasse, des médailles, des articles de journaux racontant ses exploits et, comme il se doit, des photos de sa femme et de ses trois enfants, qu'on dirait directement sortis d'un dépliant de CLSC.

— Alors, Julien, qu'est-ce que tu veux encore savoir ? demande-t-il d'un ton goguenard.

— Je me demandais juste si une certaine Zoé Zazz était venue.

Il est étonné que je sois au courant. Je précise avec une pointe de fierté :

— Elle m'a tout expliqué et c'est moi qui lui ai conseillé de venir ici.

— Eh ben, elle t'a écouté : elle vient de tout nous raconter. Pis je sais très bien à quoi tu penses : si Duval était avec la prof jusqu'à minuit, ça veut dire qu'on a pas pu cacher son cadavre avant la fermeture du cégep vu qu'il était pas encore mort. Ça veut dire qu'on a pas pu non plus l'introduire dans la place durant la nuit puisque mes flics surveillaient pis qu'il y avait le système d'alarme. Ça veut dire qu'on l'a nécessairement fait entrer après l'ouverture, à sept heures, mais pas trop tard parce que dès sept heures et vingt, il y a pas mal de monde qui arrive au cégep. Ça veut donc dire qu'il y a de fortes chances pour que celui qui a introduit le cadavre de Duval dans le casier l'ait fait très tôt ce matin.

— Exact, dis-je, rassuré de voir que ce flic herculéen est tout de même capable d'un minimum de déduction. Et tu sais qui est arrivé le premier ce matin, au cégep ?

— Rupert Archlax junior.

Et il a mené ses recherches, en plus. Je lève un sourcil, pour qu'il poursuive son raisonnement en si bon chemin :

— Donc ?

— Pas Archlax, mon gars, tu fais fausse route. Il se foulerait le poignet en tuant une mouche, s'il était capable d'en tuer une. Non, je pencherais plutôt du côté du gardien de sécurité, Seroï Fork, qui arrive au cégep soit le premier, soit tout de suite après Archlax. Tu l'as vu ? Il a une gueule de tueur, je l'ai toujours dit. Pis il est encore plus costaud que moi. Il peut très bien réduire un ado en bouillie rien que d'une main en se grattant le cul de l'autre.

Image peu esthétique mais, en effet, vraisemblable. Je me demande à quoi est due cette soudaine ouverture. Comme s'il avait lu dans mes pensées, Garganruel avance la tête, croise sur son bureau les deux pilons qui lui servent de mains et affiche un grand sourire que je pourrais difficilement qualifier d'avenant.

— J'te dis tout ça pour te montrer que la police de Saint-Trailouin est pas aussi conne que tu le penses, monsieur le grand citadin.

— Je te l'ai déjà dit : je viens de Drummondville.

— Même si on est une police de région, on sait comment réagir dans des cas graves. Au cours de ma carrière, j'ai eu à faire face à toutes sortes de situations extrêmes, je suis pas un novice. Même en 80, durant l'attaque des corbeaux à l'ouverture officielle du cégep, j'étais là. J'étais pas encore capitaine, j'étais juste lieutenant, mais j'étais parmi les flics présents. Donc, y a plus grand-chose qui m'impressionne.

— Il y a eu une attaque de corbeaux à l'ouverture de Malphas ?

Il serre les dents et passe sa main sur son crâne chauve, comme s'il regrettait ce qu'il avait dit.

— Si ça t'intéresse, tu iras voir ça sur Internet... Où je veux en venir, c'est qu'on est pas des deux de pique à Saint-Trailouin. À c't'heure que je t'ai tout dit sur l'enquête pis que tu constates qu'on fait notre travail, tu vas peut-être arrêter de m'emmerder pis te remettre à écrire tes petits romans policiers humoristiques.

Alors là, il m'aurait révélé qu'il avait baisé mon ex-femme que je n'aurais pas été plus pantois. Il hoche sa grosse tête, ravi de son effet.

— Eh oui, Sarkozy, j'ai fait mes petites recherches sur toi. Deux romans autant boudés par les lecteurs que par les critiques. Faudra que je lise ça un jour.

Pour ça, faudrait encore que tu saches lire, pauvre carencé cérébral! Mais contrairement à mon habitude, je me garde une petite gêne et retiens ma réplique. Après tout, il s'agit d'un flic qui déjà ne m'aime pas beaucoup et qui pourrait très bien rendre mes journées particulièrement pénibles si je lui chatouillais trop le nez. Devant mon silence humilié, il poursuit sans agressivité :

— Alors si j'étais toi, je retournerais jouer au flic au seul endroit où tu peux le faire : dans ton imaginaire.

Dans certaines circonstances, la question « Que voulez-vous dire ? » s'avère parfaitement superflue. C'est le cas ici. Je me lève donc en tentant de conserver un air digne mais froid. Pendant une seconde, je songe à lui révéler quand même que les numéros des cadenas correspondent aux codes permanents des victimes, mais je renonce : je perdrais définitivement le peu de crédibilité qu'il me reste.

— C'est quand même grâce à moi que Zoé Zazz est venue vous raconter ce qu'elle savait !

— Pis je te promets qu'on va considérer ta candidature pour une éventuelle médaille.

Il y a tellement de réparties possibles qui me traversent l'esprit que c'est un vrai miracle qu'aucune d'elles ne déborde malencontreusement de ma bouche.

Avant d'être incapable d'endiguer le flot plus long-temps, je sors du bureau.

Je roule vers chez moi, tremblant de rage, de frustration, mais aussi de lassitude. Ça suffit. Il faut que je décompresse de cette première semaine de dingues. Faut que je m'amuse un peu.

Bref, faut que je fume et que je fourre. Dans l'ordre ou simultanément.

◆

Je mange un souper rapidement chez moi, écoute de la musique assez fort pour que mes voisins signent une pétition pour m'exiler sur Pluton, puis, vers vingt-deux heures, je fume un joint, ce qui met définitivement fin à ma réserve. Faut vraiment que je trouve un *dealer*.

Il est vingt-deux heures trente quand je sors de chez moi, assez *high* pour décortiquer l'œuvre complète de Burroughs. Sans réfléchir, je roule vers L'ami ne deux faire et entre dans l'établissement tel le cow-boy pénétrant dans son saloon préféré. L'endroit, toujours aussi esthétiquement schizophrène, est plein à imploser, clientèle composée à quatre-vingts pour cent d'adolescents entre seize et vingt-deux ans et de quelques adultes épars, comme la dernière fois, dont Valaire, assise à une table avec un homme et une femme que je ne connais pas. Malgré le brouhaha, je comprends que tout le monde parle évidemment du drame de cet après-midi. Je m'approche de Valaire et de ses deux amis et, sans que l'on m'invite, m'assois avec eux. Valaire semble contente de me voir, pour autant qu'une certaine satisfaction puisse percer à travers son air perpétuellement furax. Elle me présente ses deux amis, deux profs du cégep qui enseignent je ne sais trop quoi et dont les noms m'échappent complètement. Je commande un double scotch et me mets à scanner la salle.

— Nouveau prof en arts et lettres, c'est ça? demande la femme.

— C'est ça! que je dis en hochant la tête comme un jouet survitaminé. C'est en plein ça, prof en arts et lettres, c'est ça, oui.

Je la considère un moment mais, franchement, elle ne m'allume pas tellement: le rez-de-chaussée est accueillant, mais le premier étage est mal décoré et le sous-sol semble vraiment trop grand.

— On parlait du meurtre d'aujourd'hui, fait la femme. Un troisième, c'est épouvantable.

— Absolument, oui, épouvantable.

— Pis il paraît qu'ils fermeront pas le cégep lundi! ajoute Valaire. Calvaire, je sais pas ce que ça leur prend!

Moi qui ai besoin de me changer les idées, ça regarde mal. Je me remets à reluquer la foule. *Fuck!* Il y a au moins dix filles que je sauterais là, tout de suite!

— Ça faisait longtemps que quelque chose d'aussi horrible était pas arrivé au cégep, intervient l'homme. Au moins cinq ans, non? Vous vous rappelez, le viol et le meurtre des deux adolescentes…

— Quand même, l'an passé, deux étudiants ont disparu, mais au moins, on les a pas retrouvés en morceaux, précise la femme. On n'a jamais su ce qui leur était arrivé, d'ailleurs…

— Pis je te gage que la direction va profiter de ce qui se passe cette semaine pour couper les journées perdues! maugrée Valaire en donnant un coup sur la table qui lui arrive à peine à la hauteur de la poitrine.

Les deux autres disent qu'elle exagère, la conversation se poursuit, mais moi, je m'intéresse toujours à la gent féminine lorsqu'au bout de deux ou trois minutes, je finis par sentir un regard insistant sur ma personne. Je constate enfin que Valaire me fixe.

— On dirait que t'as la tête ailleurs, Sarkozy. Pis pas juste la tête…

Amusement, dans sa voix ? Condescendance ? Les deux, peut-être. En tout cas, elle me remet un peu le jugement dans la bonne case : je vais quand même pas draguer des étudiantes, même majeures, après ma première semaine d'enseignement, et devant des collègues en plus !

— Ouais, je suis fatigué, je pense que je vais rentrer, finalement…

Elle hausse un sourcil dubitatif. Impossible encore de savoir si elle se moque ou me méprise. Je me lève au moment où mon gin tonic arrive. Je le paie, le bois d'un trait, salue brièvement le trio et marche vers la porte.

Moins de cinq minutes plus tard, je m'arrête devant la porte du Vitriol et regarde par la fenêtre. La place est pas mal bondée, surtout de gens de trente ans et plus : clientèle moins ferme mais plus *safe*. Sauf que je vois à une table Mortafer qui discute avec trois autres personnes. J'ai eu ma dose de collègues pour ce soir. Je tourne les talons et marche dans les rues du centre-ville en en grillant une. Il doit bien y avoir un autre bar dans le coin…

Je trouve une taverne quelconque. Sept ou huit clients. Une fille seule au bar qui lit un livre. Dans la trentaine. Pas laide du tout. Je m'approche donc, m'assois à ses côtés et, sans préambule :

— Je t'offre un verre ?

Elle lève la tête de son livre, d'abord surprise. Elle me jauge rapidement des yeux et sourit enfin.

— Je sais pas… Je devrais ?

— « Enivrez-vous… Pour ne pas sentir l'horrible fardeau du Temps qui brise vos épaules et vous penche vers la terre… »

C'est prétentieux, je le sais, mais ça vient avec l'effet du pot. Certains, quand ils sont ivres ou gelés, veulent se battre ; d'autres pleurent ; d'autres encore sont incohérents ; moi, je cite à tout vent. Comme effet secondaire, on a quand même vu pire. Elle hausse les sourcils, amusée :

— Tu viens d'inventer ça ?

Elle ne connaît donc pas Baudelaire et, si je me fie au livre qu'elle est en train de lire (*Le Secret*), la rencontre n'aura sans doute jamais lieu entre elle et le poète. Mais je m'en fous. Je fais signe au barman et, quelques minutes plus tard, on boit en rigolant. Je réussis à glisser que j'ai écrit deux romans, ce qui provoque l'effet escompté : elle est impressionnée. Comme toujours dans ce genre de flirt, nos remarques sont toutes à double sens et ne volent pas très haut (disons à la hauteur de nos bassins, pas plus), mais on se trouve très drôles quand même. Après quarante minutes, il est clair qu'on va baiser ensemble. C'est ça, l'avantage avec les trentenaires : elles ne font pas que montrer le catalogue, elles livrent le soir même. Pour confirmer cette judicieuse théorie, on sort au bout de deux heures. Sur le trottoir, je lui demande si on va chez elle ou chez moi. Elle n'hésite même pas : chez moi. À vos ordres, madame.

Moins d'une minute après qu'on est entrés chez moi, je réalise que je n'ai pas ramené un être humain mais une tornade. En quelques secondes, elle me pousse jusque dans ma chambre à coucher, me déshabille, et à partir de ce moment-là, je deviens l'acteur d'un film dont le monteur aurait éliminé toutes les transitions entre les moments clés de l'action. Je me retrouve donc sur le dos en train de me faire sucer, ma queue elle-même prenant deux bonnes minutes à durcir tant elle se sent prise par surprise. Je tâtonne de ma main gauche vers mon tiroir, à la recherche de ma boîte de capotes, mais ne la trouve pas. Tandis que je me demande où elle peut bien être, je sens deux mains fébriles m'enfiler un condom. Le temps que je tourne la tête vers ma compagne, elle est déjà grimpée sur moi, sans que je ne l'aie vue se déplacer, et son bassin effectue sur mon membre d'enthousiastes rotations qui font plaisir à voir. Au moment où je veux lui prendre les seins, mes mains ne trouvent que le vide car ma pistonneuse est déjà sur le dos, les jambes grandes ouvertes et, m'attrapant les hanches, m'attire brusquement, avec une telle force que j'entre directement chez elle, sans frapper ni m'essuyer les pieds. Je la chevauche donc furieusement tandis qu'elle pousse des gémissements brefs mais profonds tout en se mordant les jointures. À nouveau, je veux lui caresser la poitrine, mais mes doigts rencontrent ses omoplates. Ahuri, je réalise qu'elle s'est mise à quatre pattes et que je la pénètre maintenant par-derrière. Comment a-t-elle pu se retourner sans que je m'en rende compte ? Mais avant que je puisse trouver une réponse à cette grande question, elle se raidit comme si on venait de lui envoyer 50 000 volts dans le corps et se met à crier :

— Ah criss je viens ostie oui je viens drette là right fucking now c'est super bon câlice que c'est le fun de venir de même wow oui c'est génial c'est parce que je viens tellement là mine de rien c'est fou venir de même ahhhh criss oui ostie j'ai pas fini en plus ciboire que je viens non mais pas de farce c'est quelque chose venir de même ho yeah j'arrête pas de venir ça se peut-tu !

Bref, j'ai l'impression qu'elle jouit. Je suis d'ailleurs sur le point de venir à mon tour et me penche dans l'intention de lui masser les seins par en dessous (criss! je vais bien finir par les toucher!), mais peine perdue: elle est déjà sur le dos, étendue devant moi mais renversée, son visage à l'envers encore convulsé d'échos de jouissance. Évidemment, elle ne me laisse pas analyser la situation, m'agrippe la queue des deux mains et me masturbe en serrant mon membre avec vigueur. J'en conclus qu'il n'y a aucune raison de retarder l'inévitable et me déverse généreusement sur son visage et ses seins que, à défaut d'avoir touchés, j'aurai au moins arrosés.

Voilà. Je ne suis même pas sûr que cela ait duré quatre minutes. Mais je vous jure que ce n'est pas de ma faute.

Nous nous couchons côte à côte. Partagé entre la satisfaction d'une baise si intense et la déception que ç'ait été si court, je ferme les yeux et articule:

— Hé ben, on peut dire que tu sais ce que tu veux, toi…

J'étends le bras vers elle, mais ma main ne touche que le matelas. Merde! où est-elle, encore? J'ouvre les yeux et me rends compte qu'elle est agenouillée au-dessus de moi, les deux genoux de chaque côté de ma tête, sa vulve à cinq centimètres de mes lèvres. Là-haut, entre ses deux seins inaccessibles, son visage encore humide me sourit. Elle veut remettre ça déjà? Je la préviens:

— Vas-y mollo, j'ai presque quarante ans!

— Et moi, je suis mariée.

Ah, voilà, tout s'explique! Ça fait des années qu'elle va en vacances à Old Orchard et, cette nuit, elle se paie enfin une virée à Barcelone! Je veux rigoler, mais mon gloussement est étouffé par sa chatte qui vient se plaquer contre ma bouche. Et tandis que je la bouffe et qu'elle entreprend de réactiver ma queue, je me dis que, comble de chance, elle devra rentrer à la maison à la fin de son petit voyage. C'est vraiment ma soirée chanceuse.

Et, ma foi, je l'ai bien méritée.

CHAPITRE HUIT

Où l'on constate que le samedi n'est pas un moment de repos pour tout le monde

J'ouvre les yeux. Un visage endormi et quelque peu bouffi se trouve à trois centimètres du mien. Je pousse un petit cri qui réveille la fille. Au même moment, tout me revient et une alarme sonne dans ma tête : ne m'avait-elle pas dit qu'elle était mariée ? Que fait-elle encore ici, alors ?

Elle se redresse (mais comment s'appelle-t-elle, au fait ?) et jette des regards affolés autour d'elle :

— *Fuck !* Je me suis endormie !

Elle regarde l'heure : neuf heures vingt. Rien pour la rassurer, au contraire. Elle s'éjecte du lit et commence à s'habiller rapidement en balbutiant que c'est épouvantable, que son mari doit être mort d'inquiétude, qu'elle va devoir trouver une excuse, etc., etc. D'ailleurs, elle consulte son cellulaire et constate que chéri a laissé douze messages, ce qui décuple sa panique. Moi, toujours couché, j'étire la main vers mon paquet de cigarettes et en allume une. Puis elle sort à toute vitesse en me saluant à peine. Tout de même, elle aurait dû prendre le temps d'essuyer le sperme séché sur ses joues. Ces traces risquent de lui faire perdre toute crédibilité face à son mari.

Seul dans ma chambre, je fume en dressant un bilan fort satisfaisant de ma nuit. Mais aussitôt, une idée parasitaire vient percer mon cocon : les trois étudiantes arrêtées doivent maintenant être libres. Je me demande si elles connaissent le lien dont parlait Duval, lui qui savait être la prochaine victime. À la suite de la visite de Zazz, les flics ont dû interroger les filles là-dessus avant de les relâcher. Peut-être ont-elles… Je soupire en fixant le plafond. Criss ! je vais quand même pas fumer douze joints par jour pour m'enlever cette histoire de la tête !

Je vais sous la douche et tandis que je me lave, on sonne à ma porte. Qui pourrait bien venir me rendre visite ? Un moment de panique : c'est ma trentenaire qui, en larmes, a été éjectée par son mari et cherche du réconfort ! Mais non, elle est partie il y a trois minutes à peine… Je me sèche rapidement, enfile mon pantalon fripé d'hier et vais ouvrir. Stupéfait, je tombe sur Gracq.

— Simon ? Qu'est-ce que tu veux ?

— Il y a trois minutes, alors que j'approchais en venant à pied au loin, j'ai vu une femme de sexe féminin qui quittait ton appartement. Elle avait l'attitude de l'air paniqué.

Il se fiche une cigarette éteinte entre les lèvres et se met à me vouvoyer. Hé, merde…

— Est-ce que cette femme se trouvait déjà précédemment dans votre vie ou l'avez-vous rencontrée juste seulement depuis que vous venez d'arriver à Saint-Trailouin ?

— Si tu me poses une autre question là-dessus, je t'enfonce ta cigarette dans l'œil. Tu vas voir que, même éteinte, ça fait mal.

Il hoche la tête et, tout en rangeant sa cigarette, marmonne dans sa barbe :

— T'es un dur, Julien. Comme ma personne. J'aime ça.

— Comment t'as trouvé où j'habitais ?

— Un bon journaliste trouve toujours les affaires qu'il a besoin de.

— Tu veux quoi, Simon ?

— J'ai des révélations sidérantes à t'infliger qui vont te scier sur le dos.

Je fronce les sourcils. Il ajoute :

— Sur à propos des meurtres de cette semaine.

Petit frisson le long de mes bras. Il m'a harponné, inutile de résister.

— Entre.

Tout heureux, il s'exécute. Je lui indique la table de la cuisine pour qu'il s'assoie et lui dis que je vais m'habiller. J'enlève mon jeans sale et en mets un propre, enfile un t-shirt, ramasse les trois condoms usagés qui traînent mais dont un seul est plein (je dis ça pour pas que vous croyiez que je me vante) puis reviens à la cuisine pour constater que mon journaliste a disparu. Je le retrouve au salon, où il fouine partout.

— Pas très décoré comme endroit d'appartement...

— Je viens d'arriver, je te rappelle.

Il s'approche de ma bibliothèque, examine mes livres et a un sourire narquois.

— En tout cas, tu as pris le temps d'installer l'important de l'essentiel...

Il indique du doigt mes deux romans, bien rangés parmi les autres. Ma voix devient un souffle sec du Sahara :

— T'es venu pour rire de moi ou... ?

— Non, non, point aucunement, c'était juste pour rigoler en riant !

— Alors viens le faire à la cuisine, j'ai besoin de la nécessité de l'absorption d'un café.

Une minute après, il est assis à la table et sort des feuilles de sa mallette tandis que je prépare du café dans une vieille bouilloire. Gracq, comme chaque fois qu'il me fait part de ses découvertes, est aussi allumé qu'un fan de Formule 1 dans un club de danseuses.

— Après notre rencontre d'hier, je me suis beaucoup investi dans la réflexion. Le fait que les trois numéros des cadenas des filles concordent avec les codes permanents des trois victimes m'a mis le pouls à l'oreille. Pour moi, on peut plus persister dans le hasard de la chose : je suis enfoncé dans la certitude que les cadenas sont le centre de la source des événements qui se répandent.

Je pourrais lui dire que j'ai effectué une petite recherche de mon côté, que je suis allé me renseigner là-dessus à la COOP et que cela a abouti sur le « vide du néant », comme dirait Gracq lui-même, mais je préfère le laisser aller. Je verse donc le café dans deux tasses. L'étudiant trouve la feuille qu'il cherchait et lève un doigt, tel un avocat en pleine plaidoirie :

— J'ai élaboré des recherches pendant le restant du jour hier, j'ai comparé les horaires de cours des filles pis j'ai constaté le fait que je dévoile à l'instant : Julie Thibodeau et Amélie Farer ont des cours tous les jours pis les deux premiers macchabées ont été exposés dans leur révélation lundi pis mardi. Marilou Caillé, elle, est étudiante à temps partiel, et son ex a été trouvé en état cadavérique vendredi hier. Si on garde en idée que les cadenas ont un lien à jouer dans cette histoire, j'imagine que tu me vois venir…

Je dépose une tasse devant Gracq. Non, ma chouette, je ne te vois pas venir ni de près ni de loin. J'ai fourré toute la nuit avec une femme mariée qui a redécouvert les plaisirs charnels et tu me tires du lit avant même que je sois totalement réveillé. Alors, tu vas devoir être plus clair.

— Non, que je dis.

Je m'assois en prenant une gorgée tandis que l'étudiant met tellement de sucre dans sa tasse que je songe à lui suggérer de verser directement son café dans le sucrier. Il poursuit :

— Toute la totalité des étudiants sont venus chercher leur cadenas vendredi de la semaine passée, pis comme on leur donnait aussi en assignation le numéro de leur casier décidé à l'avance, ils avaient pas de raison en motivation de se dépêcher vitement d'en trouver un cette journée-là même. Ils pouvaient donc attendre d'utiliser l'usage de leur casier seulement au moment de la première journée de la débutation de leurs cours. OK ? J'ai poussé vers la profondeur cette réflexion sur l'utilisation des cadenas pis je suis allé interroger des bonnes amies des filles en question. Non, point de lait, merci. Une amie de Farer est dans la conviction pas mal certaine que celle-ci a actionné l'ouverture de son casier pour la première fois lundi, comme la plupart des étudiants en majorité. Le lendemain, mardi, alors qu'elle ouvrait son cadenas, Farer découvre dans l'interne du casier le cadavre de Rivard, avec qui elle sort en relation depuis deux ans.

Il prend une gorgée de son sirop, puis remet du sucre.

— Comme je l'ai dit il y a un moment récent, la plupart des étudiants ont utilisé leur casier de manière initiale lundi passé. Mais une amie de Thibodeau m'a dit qu'elles sont toutes les deux allées au cégep dimanche pour s'entraîner pis c'est dans ce moment exact que Thibodeau a ouvert son casier pour la première fois, et donc son cadenas aussi par l'occasion qui est la même. Le lendemain, lundi, elle tombait face à pile sur le cadavre de Fermont, son ex, avec qui elle a sorti pendant un an et demi.

Je prends une gorgée à mon tour, en conservant un air impassible malgré mes pensées qui émergent peu à peu de ma nuit de débauche. Je demande :

— Et Marilou Caillé ?

— J'ai pas pu trouver sous la main d'amie assez proche de Caillé pour me confirmer quoi que ce soit de quelque chose, mais comme Caillé est à temps partiel et qu'elle a des cours juste le jeudi pis le vendredi, il est permis de songer à croire à la possibilité qu'elle a utilisé son casier pis son cadenas pour la première fois jeudi... donc, la veille de la découverte du troisième cadavre du mort, celui de Duval, avec qui Caillé a sorti pendant quatre mois, il y a un an et demi.

Je soutiens son regard. Il dépose sa tasse et croise ses mains sur la table.

— Je me résume dans mes pensées : Duval a affirmé qu'il craignait la peur d'être la prochaine victime parce que lui et les deux autres gars payaient pour quelque chose qu'ils ont déjà fait en accomplissement dans le passé auparavant. À mon avis, ça remonte à il y a un an et demi, au moment où tous les trois sortaient en fréquentation amoureuse avec les trois filles. Il s'est passé quelque chose qui est arrivé à ce moment-là. Pis dix-huit mois par après, ces gars-là desquels on parle sont retrouvés morts dans les casiers des filles le lendemain de la journée après qu'elles ont utilisé leur cadenas pour la première fois de l'utilisation.

Je me frotte le front. Je ne sais pas ce qui me donne le plus mal à la tête : les hypothèses folles de Gracq ou son langage biscornu.

— Simon, ça veut dire quoi, tout ça ?

— Aucune idée.

Le silence qui suit est aussi complet que celui ayant régné dans ma chambre à coucher durant ma dernière année de vie conjugale. Simon dit enfin :

— En tout cas, pour moi, l'évidence est claire : la clé du mystère est dans les cadenas.

Il cligne des yeux, réalisant son jeu de mots, puis sourit :

— Pas mal, celle-là ! Si j'écris dans un moment futur plus tard un article sur tout ça, ça ferait un effet de bon titre !

Je me lève pour aller porter ma tasse dans l'évier. Faut que je bouge pour secouer un peu ces idées démentes qui prennent de plus en plus de place.

— Écoute, ton hypothèse selon laquelle ce qui s'est passé entre ces trois gars-là remonte à un an et demi, c'est pas bête. Mais pour ce qui est des cadenas... Moi-même, je suis allé à la COOP pour me renseigner là-dessus, parce que moi aussi, je trouvais le hasard assez... Bref, on m'a dit que les cadenas arrivaient dans une caisse directement du magasin.

— Quel magasin ?

— Je sais pas.

— Faut demander pour s'informer. Qui t'a asséné ça ?

— Un étudiant, Mathis je sais pas qui...

— Description ?

— Cheveux roux en laine d'acier, boutonneux, grassouillet...

— Mathis Loz, déclare Gracq en se levant. Allons l'apercevoir.

— Tu le connais ?

— Je suis journaliste, Julien. Je connais un peu tout le monde légèrement.

Le pire, c'est que je commence à le croire. Après hésitation, j'enfile mes souliers. Parce que, même si la tournure qu'est en train de prendre cette histoire ressemble de plus en plus à la courbe d'une grande perturbation mentale, je veux savoir où tout cela va mener. Tandis que je m'habille, Gracq va sur Internet afin de trouver où habite Loz.

Dix minutes plus tard, nous sommes devant la porte d'un appartement au rez-de-chaussée d'un duplex qui aurait grandement besoin de quelques rénovations. Gracq sonne et, après une longue minute, la porte s'ouvre sur l'ado roux et endormi, en caleçon et t-shirt. Manifestement, on le réveille. Ainsi tiré du lit, il a un physique encore plus ingrat qu'à la normale.

— Salut, Mathis, enclenche tout de suite Simon. On peut t'interroger sur quelques questions ?

— Heu… T'es le journaliste du cégep, toi, non ?

Simon approuve, ravi d'avoir été reconnu :

— C'est moi, oui. On voudrait savoir une ou deux réponses sur les cadenas fournis par le cégep.

Il me reconnaît et s'étonne, un peu dérouté :

— Encore ces cadenas ?

— Juste deux ou trois questions, Mathis, que je dis doucement pour le rassurer.

Pris au dépourvu, il nous invite à entrer. On fait quelques pas à peine dans l'entrée. La vue du petit salon en désordre et de la cuisine au fond emplie de vaisselle sale atteste que Mathis Loz est locataire de cet appartement et qu'il ne vit pas avec ses parents. Gracq plante sa cigarette éteinte dans sa bouche et sort un calepin.

— Les cadenas sont livrés à la COOP par l'intermédiaire d'une caisse, avec la combinaison attachée individuellement pour chacun, c'est ça ?

— Heu… Oui.

— Pis ces cadenas-là, tu les donnais au hasard aux étudiants ?

— Évidemment.

— Pis les étudiants, une fois le cadenas devenu leur sien, ils pouvaient pas par leur propre initiative changer la combinaison assignée à chaque ?

— Je pense pas… En tout cas, je peux pas voir comment… Heu… tu veux une allumette ?

— Non, merci. Quel magasin fournit les cadenas ?

Le jeune est de plus en plus déconcerté.

— Mais… Pourquoi désirez-vous savoir tout ça ?

Je me sens obligé d'intervenir :

— Inquiète-toi pas, c'est juste une enquête qu'on fait pour le journal étudiant.

Et je jette un regard entendu vers Gracq : les nerfs, on n'est pas dans une série policière américaine. Rassuré, Loz, qui tente de se gratter l'entrejambe de manière discrète (et n'y parvient pas vraiment), me répond : .

— C'est la quincaillerie qui fournit la COOP.

— Quin-a-Tout, la plus grosse quincaillerie de la ville ? demande le journaliste.

— Non. La quincaillerie Marleau. Si je ne m'abuse, Marleau se trouve à être le beau-frère de la gérante de la COOP…

— T'as rien remarqué de spécial, lors de l'arrivée en livraison de la caisse des cadenas concernés ?

— De spécial ?

La question de Gracq doit lui paraître floue. Il réfléchit tout de même, puis :

— Voyons voir : le camion de la quincaillerie a livré la boîte de cadenas jeudi de la semaine dernière, à neuf heures trente-quatre… Le livreur a pris neuf minutes pour entrer la boîte. Ensuite, il a fait signer les papiers à la gérante de la COOP, ce qui a pris deux minutes. Non, trois, puisqu'il est reparti à neuf heures quarante-six. Ensuite…

Et l'heure à laquelle le type a pissé, ma chouette, tu la connais aussi ? Je lève une main pour signifier que ce sera suffisant et Loz se tait. Gracq et moi remercions le jeune laid puis nous nous retrouvons dehors.

— Les cadenas viennent en provenance de chez Marleau, marmonne Gracq en marchant vers ma voiture. Pis Marleau serait le beau-frère de la boss de la COOP… Quel hasard de circonstance, quand même…

— Je pense que tu charries, Simon.

— Donc, selon toi, on devrait pas continuer la poursuite de l'enquête en déambulant chez ce Marleau ?

— Oui, oui, on va déambuler chez Marleau : je veux quand même en avoir le cœur net, quitte à faire un fou de moi. Mais chez Marleau, tu me laisses parler, OK ? Après tout, c'est moi qui t'ai impliqué dans cette histoire au départ.

Je réalise à quel point ma réaction est puérile et Gracq, en montant dans la voiture, ne peut réprimer un sourire, diverti par mon orgueil ridicule. Mais tant pis : j'ai presque quinze ans de plus que lui, après tout. Et je veux montrer à ce jeune homme qui me considère comme un piètre écrivain de romans policiers que je peux tout de même mener intelligemment une enquête. C'est comme ça. Et merde !

Dix minutes plus tard, on entre dans la quincaillerie Marleau et on tombe sur monsieur Marleau en personne, un type tout en nerfs qui dégage une odeur de mets chinois oubliés depuis trop longtemps dans le réchaud. Derrière son comptoir, il nous observe d'un œil chafouin tandis que je lui explique que nous venons de la COOP du cégep et que certains cadenas de la caisse qu'il nous a envoyée ne fonctionnent pas.

— Ça, c'est pas de ma faute, criss. Faut que vous écriviez à mon ostie de fournisseur américain.

— Ce sont les Américains qui vous fournissent en cadenas ?

— Pour les câlices de cadenas individuels, non, mais pour des calvaires de grosses quantités du ciboire comme ça, en caisse, oui.

— Et les numéros des combinaisons, c'est vous qui les choisissez?

— Non. Ils arrivent avec leurs criss de numéros déjà étiquetés, tabarnac.

— Vous ne les manipulez pas avant de nous les expédier? demande Gracq, incapable de demeurer silencieux plus longtemps.

Marleau paraît nerveux, tout à coup.

— De quoi, manipuler, ostie?

Gracq hausse les épaules, incapable lui-même de préciser sa pensée. Marleau plisse les yeux. Je demande:

— Pensez-vous que quelqu'un qui achète les cadenas peut en changer le numéro de combinaison d'origine?

— Tabarnac, je pense pas, non.

— Vous pouvez nous en montrer un?

Sa nervosité devient presque de l'inquiétude. Pourquoi est-il comme ça? J'ajoute:

— Je vous l'achète le double du prix.

Il finit par accepter et s'éloigne. On veut le suivre, mais il nous ordonne brusquement:

— Non, non, ciboire, attendez-moi ici.

Il disparaît dans le *backstore*, d'où nous l'entendons toujours sacrer, puis, après un temps qui me semble incroyablement long, revient avec un cadenas auquel est accrochée une étiquette sur laquelle est inscrite la combinaison. Gracq et moi cherchons un moyen de modifier le numéro: nous ne trouvons rien. Pas moyen de changer la combinaison. Je paie le cadenas, tandis que Moreau précise:

— Si vous avez des osties d'ennuis avec les ciboires de cadenas, c'est pas de ma calvaire de faute. C'est la criss de compagnie qui les fabrique, c'est pas moi. Câlice. Tabarnac. Saint-Ciboire.

On le rassure, puis on sort. Dans la voiture, Gracq frotte sa barbe d'un air songeur :

— Il démontrait un air d'attitude nerveuse, tu trouves pas ?

Il a l'habitude de se méfier de tout, mais cette fois, j'avoue qu'il n'a pas tout à fait tort. Mais je n'arrive pas à avoir un jugement clair : c'est l'heure du lunch, je n'ai pas encore bouffé et je suis en train de m'auto-digérer. Je propose que nous allions nous sustenter quelque part. Penaud, Gracq marmonne qu'il est cassé et qu'il n'a pas les moyens d'aller dans un restau. Je lui offre de payer et il accepte, enchanté.

Au centre-ville, nous entrons dans un café tranquille. La décoration évoque une maison de campagne et c'est plutôt réussi, surtout avec ces photos antiques de Saint-Trailouin sur les murs. Je m'attends presque à voir une vieille grand-mère sourde prendre nos commandes, mais j'ai l'agréable surprise de voir approcher une jeune fille bien roulée et souriante. Sans doute la petite-fille de la grand-mère. Faudra que je revienne luncher ici, tiens. Seul.

Je commande une soupe et un sandwich. Gracq commande une soupe, un club sandwich, une poutine et un gâteau. J'ai l'impression qu'il ne mange pas à sa faim souvent et je lui demande s'il vit encore chez ses parents.

— Non. Semblablement à une bonne partie des étudiants de Malphas, je proviens de l'extérieur de la ville. J'habite solitairement dans un appartement ici depuis huit ans. Mais comme les prêts et bourses m'ont coupé la continuation d'en bénéficier le droit...

— Tu vis comment ? Tu travailles ?

— Je peux pas : ma mission de journaliste accapare le temps total en ma possession... De l'argent via mes parents s'achemine de manière sporadiquement temporelle… Pas beaucoup, mais la suffisance est maintenue pour survivre…

Il ne semble pas apprécier tellement la tournure de la discussion et il la détourne :

— D'ailleurs, nos trois victimes de cette semaine, à l'opposé contraire de la plupart des étudiants, sont d'origine d'ici et s'adonnaient à la même école secondaire de Saint-Trailouin…

— Peut-être ce qu'ils ont fait ensemble il y a un an et demi s'est produit dans cette école secondaire ?

Gracq sourit, triomphateur :

— Quand je t'ai lancé ce point commun d'école secondaire, il y a quelques jours, tu t'avais moqué… Finalement, c'est pas si bête comme lien de concordance, hein ?

Nos commandes sont déposées sur la table. La fille est à peine repartie que Gracq a déjà englouti le quart de son club. Je goûte à ma soupe aux carottes et grimace. La seule chose qui se rapproche des carottes dans cette eau épaisse est la couleur. Je repousse le bol en demandant :

— Tu crois vraiment que Marleau nous cache quelque chose ?

— Écoute, explique Gracq en postillonnant de la mayonnaise, les trois filles sont quand même pas tombées sur des cadenas affublés des codes permanents de leurs *chums* (ou ex-*chums*) par pure coïncidence du hasard ! Quelqu'un désirait vouloir qu'elles aient ces numéros.

Je prends une bouchée de mon sandwich et manque de m'étouffer. Je regarde entre les deux tranches de pain, convaincu qu'on a oublié d'enlever l'emballage autour du fromage. Je dis :

— Donc, quelqu'un a changé les numéros de ces trois cadenas pour qu'ils coïncident avec les codes permanents des trois gars, c'est ce que tu crois ?

— Tout à fait exactement.

— Mais comment ? Marleau nous a dit que c'est impossible !

— Ça, c'est si ses paroles sont affublées de véracité…

Je réfléchis un moment, puis secoue la tête :

— Et même si c'était possible, pourquoi changer les numéros ? Quel intérêt de les faire coïncider avec les codes permanents ? En quoi ça explique les meurtres ? En quoi ça explique la manière avec laquelle on a transporté leurs cadavres dans les casiers ? Et pour l'amour du ciel ! peux-tu fermer ta bouche quand tu manges, je reçois du bacon jusqu'ici !

— Ça, j'en ai l'ombre d'aucune idée, répond modestement Gracq en mettant sa main devant sa bouche. Mais en premier abord, il faut trouver qui a transformé les numéros et pourquoi en est la raison.

Je soupire. Si Garganruel nous entendait en ce moment, il ne se contenterait pas de se foutre de ma gueule, mais il m'arrêterait pour attentat contre le bon sens. J'observe mon sandwich avec dépit et, pendant que je cherche des yeux la serveuse pour lui commander autre chose, mon regard est happé par un trou noir qui m'aspire : là, assise au fond, seule, c'est elle, la Reine des MILF. Elle est en train de grignoter un céleri en lisant. Jamais je n'ai autant envié le sort d'un légume.

— Attends-moi un moment, que je dis en me levant.

Sous l'œil dérouté de Gracq, je me dirige vers le lieu de toutes les promesses. Je me plante devant elle, mais elle continue à lire.

— Bonjour, Rachel.

Elle lève ses yeux de miel empoisonné et, en me reconnaissant, a un sourire charmant mais d'une parfaite neutralité.

— Tiens, Julien. Comment allez-vous ?

C'est la première fois qu'elle se souvient de mon nom. Ça augure bien.

— Un peu fatigué, mais ça va.

Je m'assois devant elle, sans attendre qu'elle m'invite, ce qui provoque chez elle un haussement de sourcils amusé.

— Vous vous invitez à dîner avec moi, Julien ?

— Non, je suis déjà avec quelqu'un à une autre table. Et si on arrêtait ces vouvoiements ? Après tout, on n'est pas dans un roman de Jane Austen…

— Oui, j'imagine que tu préférerais être dans un roman d'Anaïs Nin…

Je montre d'un doigt négligent son repas :

— Je sais pas comment tu fais pour manger ici, c'est pire qu'une cafétéria d'hôpital.

— Moi, je viens souvent ici. Dommage que tu n'aimes pas, nous aurions pu nous rencontrer de temps à autre…

Cette voix sortie d'un autre siècle mais à travers laquelle pointe le museau de la perversité… Je l'imagine marmonner « Fourre-moi… » avec une telle voix, et la douleur qui s'agitait dans mon estomac descend tout à coup d'une vingtaine de centimètres.

— Je pourrais faire un effort et venir de temps en temps. Je suis sûr que mon goût peut s'habituer au pire, surtout si mes autres sens sont rassasiés.

Elle ne s'offusque pas, évidemment. Je prends un air décontracté, malgré mon ventre qui crie famine.

— Alors, dure semaine, hein ?

— Tu sais, d'année en année, les groupes se suivent et se ressemblent. Nous avons des étudiants… particuliers, bien sûr, mais on s'habitue.

— Je parlais surtout des trois meurtres.

— Oh, ça…

Elle dépose enfin son livre en replaçant une mèche rousse derrière son oreille, un geste anodin qui, effectué par cette femme, se charge d'une incroyable énergie érotique.

— C'est vrai que ça apporte des problèmes. À cause de ces événements, je n'ai pas pu rencontrer mon groupe du lundi après-midi. Être en retard avec un groupe après seulement une semaine de cours, c'est embêtant. Tu as manqué un groupe toi aussi, j'imagine?

Le détachement avec lequel elle parle de ces événements me déstabilise. S'il s'agissait de quelqu'un d'autre, j'en serais choqué. Mais je crois que Rachel m'avouerait battre fréquemment des bébés que je lui pardonnerais. Je lui dis tout de même:

— Ça te bouleverse pas plus que ça?

— Malphas est souvent le théâtre d'événements hors de l'ordinaire, Julien.

— C'est ce qu'on m'a dit. Mais à ce point…

— C'est vrai. Je suis arrivée il y a deux ans, j'ai vu des choses spéciales, mais rien d'aussi terrible.

Tout de même, son ton est celui de la simple constatation, dénué d'une réelle émotion. Je la considère un moment, songeur, puis:

— Tu es arrivée ici il y a deux ans? Tu enseignais avant?

— Oui. À Trois-Rivières.

— Et… comment tu t'es retrouvée ici?

Elle a un sourire entendu:

— J'imagine que tu as déjà entendu dire que tous les profs de Malphas enseignent ici parce qu'aucun autre cégep ne veut d'eux, n'est-ce pas? Et tu te demandes ce que moi, j'ai bien pu faire pour être sur la liste noire…

— J'avoue avoir beaucoup de difficulté à t'imaginer sur la liste noire de qui que ce soit.

— Je suis venue ici par choix.

Bon. Elle ne veut pas en parler et se défile. Je la comprends. Moi-même, je n'ai pas encore osé discuter de mon cas avec personne. Elle devine mes pensées car elle insiste :

— Je te jure que c'est vrai. Je dois être le seul prof de tout le cégep qui a choisi d'être à Malphas.

Elle est tout de même convaincante. Je la sens d'ailleurs irritée qu'on puisse mettre sa parole en doute.

— Mais pourquoi avoir choisi Malphas ? Avoue que c'est une drôle d'idée.

— Justement. Avec tout ce que j'avais entendu sur ce cégep, je me disais que le défi serait intéressant. Que j'allais sûrement découvrir plein de choses…

Elle prononce ces derniers mots avec une expression plus grave, puis elle baisse les yeux sur son livre.

— Tu lis quoi ? que je demande.

Je prends le bouquin et découvre avec surprise que l'auteur est Rupert Archlax senior, mais pas son dernier, qu'il m'a montré hier. Le titre en est : *Le Bégaiement des siècles*.

— C'est le père de notre cher directeur pédagogique, précise-t-elle.

— Je sais. Je l'ai rencontré hier, dans le bureau de junior.

— Comment l'as-tu trouvé ?

— Drôle de gars. Très affable, très gentil, et à la fois très prétentieux.

— Bien résumé.

— Tu le connais ?

— Pas vraiment. Je l'ai rencontré quelques fois.

— Faut admettre que le bonhomme est impressionnant : fondateur de Malphas, premier directeur pédagogique du cégep pendant douze ans ; fondateur et actionnaire principal de la mine de fer de la région ; écrivain... La vie parfaite, quoi.

— Pas si parfaite que ça... Il a perdu sa femme et sa fille dans un accident maritime.

— C'est terrible. Il y a longtemps ?

— Oui, en 80. La même année que l'ouverture de Malphas.

Elle dit cela avec un drôle d'air.

— C'est vraiment tragique, que j'ajoute. Sa fille avait quel âge ?

— Treize ans, je pense. Elle était handicapée. Physiquement et mentalement.

— Pour quelqu'un qui le connaît pas beaucoup, t'en sais pas mal...

Elle hausse une épaule en prenant une gorgée de son thé.

— C'est une histoire connue, tous les gens du coin pourraient te la raconter.

Je reviens au livre.

— Il en a pondu combien, au juste ?

— Une quinzaine. Des essais sur différents sujets, tous très pointus.

Je parcours rapidement la quatrième de couverture : en gros, l'auteur prétend que l'Histoire ne se répète pas de manière générale mais uniquement sur certains points spécifiques, d'où son bégaiement. Dans le coin supérieur, une photo montre un Archlax souriant et sûr de lui, d'une dizaine d'années plus jeune. Je dépose le livre sur la table :

— C'est bon ?

— C'est spectaculairement brillant.

Étrange : ce mouillement de salive que je perçois entre ses lèvres pulpeuses distille davantage le mépris que l'admiration. Elle se lève alors et je l'imite, tandis qu'elle me tend la main.

— Je dois y aller. Bon week-end, Julien.

— On pourrait poursuivre cette agréable discussion. Ce soir, tu fais quoi ?

— Je vais rester bien tranquille chez moi, à écouter un film.

— Seule ou en bonne compagnie ?

— La compagnie, on ne sait jamais si elle est bonne avant. On le sait juste après.

Sa main est molle entre mes doigts, mais pas d'une mollesse timide, plutôt d'une langueur titillante. Je souris.

— T'as pas répondu à ma question...

— En effet.

Et elle s'en va, son corps ondulant d'une manière qui normalement ne devrait pas être permise par les lois de la physique, et son passage à travers le restaurant charrie derrière lui tous les regards masculins de l'endroit. Je soupire, toujours incapable de décider si elle flirte ou si elle se moque. Je retourne à ma table, encore tout enfiévré, mais la vision de la barbe souillée de nourriture de Gracq ramène rapidement mon corps à une température normale, pour ne pas dire sous la moyenne. Tandis que je m'assois, il reluque vers la sortie que franchit ma collègue.

— C'était Rachel Red, le prof de français ?

— C'est vrai que t'es un foutu bon journaliste.

Il l'observe sortir, le regard totalement dénué d'un désir quelconque. Jamais je n'aurais cru que des pupilles masculines pouvaient glisser sur Rachel en demeurant aussi neutres. Puis il revient à son repas. Ou plutôt au mien, qu'il a commencé à manger. Confus, il explique :

— Tu semblais pas avoir l'air d'aimer ton sandwich, fait que...

— Simon, on va nulle part avec nos osties de cadenas. T'as l'air d'insinuer que quelqu'un aurait pu changer les numéros pour qu'ils correspondent aux codes permanents des victimes.

Ma discussion très réaliste et très tangible avec Rachel ne fait que souligner davantage l'absurdité de l'enquête que nous menons. En effectuant un large geste de la main, je lance avec lassitude :

— Si on continue, on va finir par croire que ce sont des cadenas ensorcelés !

Je voulais amuser Gracq, pour lui faire réaliser le ridicule de notre piste. Mais il ne rit pas du tout. Au contraire, il me fixe sans ciller en mastiquant gravement.

— Ostie, Simon, t'es pas sérieux…

— T'as pas entendu parler de l'endroit de la place ? Toutes les bizarres étrangetés qui se produisent souvent à Saint-Trailouin, en particulier à Malphas ?

— Simon, je te donne une chance de pas recevoir mon bol de soupe infecte en pleine gueule : t'as juste à éclater de rire en me disant que tu m'as bien eu, je vais rire aussi et on va se revoir au cours lundi en reprenant nos rôles respectifs : toi comme élève incohérent, moi comme prof sévissant.

Gracq fronce les sourcils, puis :

— Tu me trouves comme étant un élève incohérent ?

Je me lève dans l'intention de partir, mais il m'agrippe le bras, tout à coup très intense.

— Écoute, laisse-moi amener ta personne vers quelque part, pis après, tu décideras l'opinion que tu veux.

J'hésite.

— Ça va être long ?

— Une demi-heure. Une heure au max du top.

Je secoue la tête. OK, Gracq, je peux bien te donner une dernière chance. Faut croire que, malgré mes grands airs raisonnables, je suis pas mal curieux.

— D'accord, mais on arrête dans un dépanneur en chemin, faut que je bouffe quelque chose.

◆

Gracq m'a convaincu de le laisser conduire pour que ce soit plus simple. J'ai accepté. Ainsi, je peux manger quelque chose de gras et de spongieux auquel on a outrageusement accolé le nom de « muffin », tout en observant le décor de Saint-Trailouin défiler par la vitre. Nous sortons du centre-ville pour arriver à un pont qui enjambe une rivière large d'environ deux cents mètres. De l'autre côté, nous nous retrouvons dans un décor plus boisé, les maisons s'espacent de plus en plus et nous finissons par être en pleine forêt, composée surtout de gros arbres feuillus très denses, très sombres. Au bout de cinq minutes, il n'y a plus de maisons du tout et je demande à mon conducteur si nous sommes toujours à Saint-Trailouin.

— Administrativement parlant, oui. On arrive dans presque deux minutes de temps.

Au bout d'une douzaine de kilomètres, la voiture ralentit et Gracq tourne sur un petit chemin de terre dont je n'aurais jamais soupçonné l'existence.

— Tu veux me montrer à chasser ?

Il ne relève pas ma boutade, regarde droit devant lui. Au bout d'un demi-kilomètre, une cabane apparaît, difficile à discerner dans l'ombre de ces immenses arbres qui masquent tellement le soleil qu'on se croirait en soirée. Simon arrête ma voiture tout près d'une vieille moto appuyée contre un tronc noir, puis nous sortons. Il fait plus froid ici qu'en ville et je regrette de ne pas avoir de manteau. J'examine la moto-relique, qui semble attendre désespérément que quelqu'un vienne l'achever pour abréger ses souffrances.

— Tu crois qu'elle roule encore ? je demande.

— Ben sûr. Mélusine use de son utilisation chaque fois qu'elle véhicule en ville ses déplacements.

— Mélusine ?

— Viens.

Et il marche vers la cabane. Appeler cela une maison relèverait d'un optimisme exacerbé. En fait, si ce n'était de la petite porte d'entrée et des deux ou trois fenêtres, on pourrait croire à une vieille étable décrépite. Où Gracq m'a-t-il donc amené ? Dans la famille qui a servi de modèle aux personnages de *Deliverance* ? Je vais rejoindre sans trop d'enthousiasme Gracq à la porte. Mon guide lève alors un doigt vers moi :

— Jure-moi ta promesse que peu importe ce que tu vas voir, tu vas entretenir ton calme pis que tu déclineras pas en panique.

— Mais… Qu'est-ce qu'il y a, là-d'dans ?

— Allez, jure-moi ta promesse.

— Bon, d'accord, je jure ma promesse.

Il hoche la tête, puis frappe à la porte. Porte dont il est permis de douter de l'utilité si je me fie aux terribles secousses qui la parcourent sous les trois simples petits coups de Gracq.

— C'est qui, ça là ?

Une vraie voix de vieille malcommode, tout éraillée, au rythme rapide mais aux accents tranchants, qui provient du fond de la cabane. La femme à qui elle appartient doit être encore plus âgée que les arbres de cette forêt.

— C'est Simon Gracq, madame Fudd. Le journaliste du journal du cégep, vous vous rappelez du souvenir ?

— Ben oui, toi, je te reconnais, le jeune, mais l'autre, là, avec toi, c'est qui, ça là ?

Comment, elle nous voit ? Je n'ai pas le temps de m'interroger plus longtemps que Simon, la bouche près de la porte, répond :

— C'est Julien Sarkozy, un nouveau récent prof du cégep.

— Sarkozy?

Je crois tout d'abord l'entendre agoniser, mais je finis par comprendre que ce son aigu de vieux freins usés est en réalité un rire. Puis, elle s'étouffe, se racle la gorge (ce qui semble faire remonter des litres de glaire le long de son œsophage) et dit:

— T'entends-tu ça, môman? Y s'appelle Sarkozy!

Cette femme s'adresse à sa mère? C'est pas possible, cette dernière doit être en âge d'avoir aidé Noé au recensement des animaux!

— J't'ai déjà dit que je voulais pas donner d'entrevue pour ton maudit journal, le jeune!

— C'est point pour une entrevue, madame Fudd, on a quelques questions interrogatives que seule vous pouvez défricher avec vos réponses.

Long silence, tellement long que je me dis qu'elle s'est endormie en plein milieu de la discussion, comme le père d'Homer Simpson, mais elle finit par répondre:

— Vingt piastres.

Gracq m'interroge du regard et je secoue la tête avec exaspération: pas question que je paie un tel montant pour parler à cette vieille peau! Elle se prend pour qui, un oracle de l'Antiquité? Prudent, Simon réplique:

— Heu… Je sais pas si on a la possession d'assez d'argent…

— Ben oui, vous en avez assez! Toi, t'as juste deux piastres dans tes poches, mais ton Sarkozy a quarante-cinq piastres dans son portefeuille!

Stupéfait, je vérifie l'intérieur de mon portefeuille: merde, elle a raison! Je regarde vers le toit de la cabane: il doit y avoir une caméra quelque part…

Une caméra qui filme à travers mon pantalon et mon portefeuille?

— OK pour vingt dollars tel qu'entendu, approuve Gracq.

— *Ouow*, *Ouow*, c'est mon argent, chose !

Il me fait signe que tout va bien tandis que la voix de vieille chèvre réplique :

— OK, entrez, là !

Gracq ouvre la porte et nous entrons. Étrangement, l'intérieur de la cabane a l'air plus grand que l'extérieur. Aucune division, seulement un vaste espace dont la première moitié sert manifestement de cuisine et de salle à manger, tandis que l'autre tient autant lieu de salon que de chambre à coucher. C'est sale, c'est sombre, c'est faiblement éclairé par quelques lanternes dispersées dans la cabane. Tout est en bois vermoulu et à moitié pourri, mais aucun danger pour le feu, il y a trop d'humidité. Aucun signe d'électricité nulle part. Mon regard est d'abord attiré par le coin cuisine, où il y a un poêle à bois antique, des armoires sans portes emplies de vaisselle et de pots qui couperaient l'appétit au plus affamé, et une table bancale devant laquelle est installé un énorme tas de vieux vêtements en loques et délavés, duquel surgit un visage tellement plissé qu'il ressemble lui-même à une vieille étoffe fatiguée. Deux mains toutes jaunies surgissent aussi de cet amas et s'affairent à fabriquer un château de cartes. Un immense château de cartes. Comment des mains aussi vieilles et sans doute tremblotantes arrivent-elles à produire un tel résultat ? Sans cesser son occupation, la vieille nous lance sèchement :

— Assoyez-vous avec môman, là, j'arrive.

Simon marche vers l'autre coin de l'endroit, où se trouvent deux divans bruns percés qui se font face, aussi invitants qu'un fauteuil de dentiste, ainsi qu'un lit tout défait à l'écart, qui pue la sueur et la crasse jusqu'ici. Je suis convaincu qu'un individu en santé qui se couche entre ces draps en sort malade. Dans l'un des deux divans est installé quelqu'un qui, malgré le peu d'éclairage fourni par la lanterne accrochée au mur, semble être une femme. Sans doute la mère de l'autre. Simon s'assoit sur le divan libre en face et, réprimant une grimace de dégoût, je pose le bout de mes fesses à ses côtés. Le simple contact de mon corps avec le meuble provoque un tel nuage de poussière que je crains pendant une seconde de m'y noyer. La femme assise devant nous, silhouette d'ombre et de silence, ne bouge pas. Sa robe est littéralement en lambeaux, ses cheveux blancs sont longs mais hirsutes. Seigneur ! Le centre d'accueil où habite ma mère est un parc d'attractions comparé à ce trou !

— Bonjour, que je marmonne tout de même à la femme devant moi.

Aucune réponse. Mais Gracq me regarde d'un air embarrassé, en faisant de drôles de petits signes du menton. Quoi ? Que veut-il dire ? Criss, on joue aux mimes ou quoi ? Je reviens à la vieille statufiée. Mon regard s'habituant à l'obscurité, je commence à distinguer son visage : la peau est extrêmement ridée, certes, mais surtout très sombre, on dirait presque une Black. La bouche est entrouverte et entre ses lèvres de papier sablé, on entrevoit les petites dents jaunies. Et ses yeux... je les perçois mal, mais ils contemplent le vide, dénués d'émotion. Avec malaise, je me dis que la vieillesse l'a rendue complètement sénile et qu'elle ne doit même plus être consciente de ce qui se passe. C'est sans doute mieux ainsi : ignorer l'environnement dans lequel elle croupit est sans contredit une bénédiction. D'ailleurs, il ne faudrait pas que des journalistes professionnels atterrissent ici : je vois déjà les titres scandaleux des quotidiens le lendemain...

Je suis même étonné que Simon n'ait pas dénoncé une telle situation dans son canard. Mais il semble connaître la propriétaire.

Propriétaire qui s'approche de nous. Enfin, je vois une montagne de tissus glisser vers nous, de laquelle pendent les deux mains tordues mais fermes, semblables à des crochets à la recherche de viande à agripper. Simon nous présente :

— Julien Sarkozy, Mélusine Fudd.

Je me lève et tends la main. Fudd, un peu plus petite que moi, ne me tend pas la sienne, se contente de me dévisager effrontément de ses deux yeux jaunes. Ce n'est pas une image, ils sont réellement jaunes, ce qui lui confère un air de vieux fauve à la retraite. Ses cheveux gris très courts et très raides lui donnent une tête de porc-épic. Impossible de lui accoler un âge précis, mais disons qu'on ne se tromperait pas de beaucoup si on proposait un chiffre entre quatre-vingts et cent dix. Maintenant que je suis près d'elle, je remarque son odeur. Elle ne sent pas la rose, c'est le moins qu'on puisse dire, et il y a des relents de crasse et de sueur séchée qui me chatouillent désagréablement les narines, mais ce qui est plus frappant encore, ce sont les effluves d'alcool – de bière, pour être précis. Bref, pas tout à fait l'image qu'on se fait d'une grand-maman traditionnelle.

— Vous avez l'argent ?

En réprimant mal mon humeur, je sors le billet et le tends vers elle, tout en lançant un regard entendu vers Gracq : si tu m'as emmené dans ce mausolée pour rien, tu vas me rembourser ça au plus criss, sinon je te fous des zéros sur toutes les copies que tu vas me remettre durant la session, ce qui, tout compte fait, ne sera probablement pas loin de la note réelle. Fudd s'empare du billet, l'étudie, le retourne, le palpe, le renifle, et je me demande même si elle ne va pas l'infuser en tisane lorsqu'elle le fait disparaître entre deux couches de ses vêtements, comme s'il eût été aspiré par des sables mouvants. Combien de jupes et de gilets peut-elle bien porter simultanément ?

Puis, elle s'assoit à côté de sa mère et je retourne dans mon divan. Fudd renifle, essuie son nez avec ses doigts, puis demande d'un ton bourru :

— Bon, que c'est qu'vous voulez savoir, là ?

À ses côtés, la maman ne bouge toujours pas, ce qui commence à carrément m'inquiéter. Maintenant, je distingue encore plus clairement son visage, sa bouche entrouverte… et ses yeux fixes, grands ouverts…

— Julien, montre-lui le cadenas.

Je sors de ma poche le cadenas que j'ai acheté et le tends vers Fudd, qui le prend entre ses doigts crochus. Pour ce faire, je dois avancer mon corps et j'en profite pour examiner encore plus attentivement l'aïeule immobile, à la peau si foncée, au visage si décharné, au regard si…

Je me lève d'un bond en couinant, comme si, durant un *threesome,* l'autre gars m'avait glissé un doigt dans le cul.

— Criss, elle est morte ! *Cette femme est morte !*

Et pas depuis quelques minutes, c'est évident ! Gracq, tel un enfant déçu, me lance :

— Julien, tu m'avais juré ta promesse !

— Ostie, Simon, y a une morte assise *là* !

Tout à coup, je comprends : si Simon ne réagit pas, c'est parce qu'il savait qu'il y avait un macchabée dans cette maison ! S'il le savait, c'est parce que… parce que… Je dévisage Fudd, qui examine attentivement le cadenas, et, affolé, je bredouille :

— Mais… Mais ça fait combien de temps que vous… que vous gardez votre mère morte ici ?

— Depuis qu'elle est morte, justement.

— Julien, s'il te plaît, reprends ta position assise…

— Que c'est que vous voulez savoir, au juste, avec ce cadenas-là ? demande la vieille au journaliste.

— On voudrait savoir s'il y a un moyen de possibilité de modifier le numéro…

Et ils ne s'occupent pas du cadavre momifié ! Ils seraient aux côtés d'un pot de marguerites qu'ils ne réagiraient pas différemment ! Je me précipite vers la porte :

— Moi, je décrisse !

— Julien, s'il te plaît, attends ! Y a aucun danger !

— Y a aucun danger certain, elle est morte ! ajoute Fudd en émettant son ricanement de tuyauterie bouchée sans cesser d'examiner le cadenas.

Moi, je me suis arrêté à mi-chemin, hésitant, éperdu. Et tandis que j'essaie de remettre de l'ordre dans mes idées, Gracq revient à Fudd :

— Alors ? On peut changer la combinaison dans sa modification ?

— J'suis pas experte en quincaillerie, moi !

— Voyons, madame Fudd, j'évoque pas des moyens naturels dans ce que je veux dire, sinon je serais pas ici…

La vieille lève son regard plissé et jaune vers le jeune homme, renifle, puis marmonne :

— On va aller voir ça en arrière…

Puis, presque avec dédain :

— … sauf que je sais pas trop si ton Sarkozy est fiable.

Elle me regarde sévèrement en émettant un curieux sifflement à peine audible, semblable à celui d'un serpent. Puis, comme si cette situation n'était pas suffisamment démente, elle se penche vers le cadavre et demande :

— Qu'est-ce que t'en penses, môman ? On peut lui faire confiance, lui, là ?

Je comprends maintenant pourquoi elle sent la bière : elle boit toute la journée, elle délire, c'est une folle. Et comme si elle avait entendu une réponse de la part du cadavre, elle hoche la tête, se lève péniblement et annonce :

— OK, on y va.

Elle marche vers la cuisine. Gracq, qui la suit, s'arrête à ma hauteur :

— Envoye, viens ! Elle va nous dire des révélations de choses qui vont nous aider dans notre avancement d'enquête !

— Voyons donc, on peut pas... on peut pas rester ici !

— Inquiète-toi pas, y a pas d'autres cadavres dans la place d'ici.

Ah ! Alors ça change tout ! Je craignais qu'il en traîne un peu partout, mais un seul, c'est raisonnable, en effet ! Et puis Simon se met déjà en marche pour rejoindre Fudd, qui s'arrête devant une vieille porte au fond. Je secoue la tête en grognant. Je dois être complètement marteau, mais tant pis, je décide de suivre.

Fudd ouvre la porte du fond et entre. Simon la suit et, après une hésitation, je me mets en marche, dépasse la table sur laquelle se dresse le château de cartes (il doit bien faire dix étages !) puis rejoins mon coéquipier. Nous nous retrouvons dans une très vaste pièce, emplie d'étagères, de bibliothèques débordantes de gros bouquins, et de petites tables, elles-mêmes recouvertes de fioles, de bouteilles et de bassines. L'endroit rêvé pour prendre un apéro entre amis. Poussière partout, senteur d'humidité et de soufre, aucune fenêtre nulle part ni ampoule ni lanterne ; et pourtant, un éclairage diffus, venu de nulle part, permet de bien distinguer partout. Je fronce les sourcils. Quelque chose cloche et je finis par mettre le doigt dessus : c'est trop vaste. Dehors, la cabane n'était pas si grande. Du moins, il me semble. J'ai dû mal évaluer. Et là-bas, c'est quoi, un escalier ? Mais oui, il y a des marches qui montent à l'étage, dont on aperçoit la mezzanine. Sauf que dehors, la cabane n'avait pas d'étage, ça, j'en mettrais mon bras complet au feu.

Mais qu'est-ce qui se passe ? Peut-être que je viens tout juste de baiser la femme mariée de cette nuit, que je me suis endormie entre ses nichons mous mais confortables et que je rêve à tout ça… Ce qui n'empêche pas Fudd de marcher vers une étagère emplie de bouteilles de bière, d'en saisir une et de la décapsuler. Elle en prend une bonne rasade et j'ai presque envie de lui en demander une, pour me remettre d'aplomb. Mais je n'ai jamais supporté la bière tablette. Elle remet la bouteille sur une table et s'approche d'une bibliothèque en marmonnant de sa voix écorchée :

— Bon… On va regarder ça… Attends un peu…

Elle fouille parmi les livres. Gracq attend patiemment, peu impressionné par le décor, qu'il connaît sans doute. J'observe les étagères sur ma gauche : livres, bibelots insolites… Et ça, on dirait… Mais oui, on dirait vraiment un vibrateur ! Un vibrateur dont l'extrémité a la forme non pas d'un gland mais d'une tête de chauve-souris.

Qu'est-ce qu'on fout ici ? Qu'est-ce que je fais dans une histoire semblable ? Quand tout ça a-t-il commencé ?

« Ç'a commencé l'an passé, quand t'as fait ta connerie au cégep de Drummondville pis que tu t'es ramassé ici parce qu'aucun autre cégep voulait t'engager… »

Tiens, c'est Juliette, ça. Juliette, c'est ma petite voix intérieure. Elle ne me parle pas souvent parce que j'ai un surmoi qui ne se mêle généralement pas de mes affaires. Mais de temps à autre, elle fait une visite surprise, comme ça. Parfois, j'écoute ses conseils, mais si, au contraire, je préfère la faire taire, je dois m'occuper l'esprit à autre chose. Ce que je fais *illico* en me dirigeant vers un mur sur lequel sont accrochées des peintures plutôt étranges. Le premier tableau représente une barque qui flotte sur une eau noire et gluante, sous un ciel de pleine lune. Les deux rameurs sont habillés de noir mais n'ont pas de visage. Une tête, oui, avec des cheveux et des oreilles, mais pas de traits. Entre eux, au centre de la barque, un poteau est érigé contre lequel est attachée une femme nue, au visage camouflé par une cagoule rouge. La seconde peinture est tout aussi bucolique : toujours sous un ciel de pleine lune, une montagne s'élève à l'arrière-plan et des centaines de silhouettes d'hommes et de femmes, nus et hystériques, courent vers elle. Et à l'avant-plan, un individu (homme ou femme ? Impossible de savoir) nous fait face, habillé d'une sorte de manteau, le visage complètement camouflé dans l'ombre de son capuchon rabattu sur sa tête. Il tend vers nous sa main droite, une main dénuée de pouce, en un signe d'invitation et de menace. Faudra que je demande à Fudd où elle trouve sa décoration, moi qui veux justement égayer mon nouvel appartement. Je me tourne vers la vieille, qui fouille toujours parmi ses livres en toussotant et crachant. À nouveau, elle émet son petit sifflement reptilien et désagréable. J'examine donc un troisième tableau. Il représente une sorte de chantier de construction, sous un ciel d'un rouge apocalyptique. Des ouvriers nus et décharnés travaillent, dressent des murs, tirent des chariots, sous les coups de fouet de petits démons recouverts d'écailles. Au centre du tableau, à l'avant-plan, immense et fier, se dresse un être au corps humain, dont les deux mains sont posées sur ses hanches. Mais des plumes recouvrent ce corps et ces membres, et la tête est celle d'un immense corbeau, aux yeux noirs étincelants et au bec tordu en un rictus malsain.

Mon regard n'arrive pas à se détacher de cette tête de corbeau.

— Ça frappe, hein ?

C'est Gracq, tout près de moi, et sa voix me fait sursauter de deux pieds. Criss, fais-moi peur une autre fois comme ça, pis tu vas voir quelque chose d'encore plus frappant ! Mais Gracq, évidemment, n'a pas remarqué le semi-infarctus que je viens de subir et, avec son sourire « on-se-comprend-hein-partenaire », les mains dans le dos, il ajoute en montrant le tableau du menton :

— Ça fait réfléchir, pas vrai ?

— À quoi ?

— Ben… À Malphas…

— Comment ça ?

Il paraît étonné.

— Tu sais pas encore le sens de la signification du nom de notre cégep ?

Je fouille dans ma mémoire. Quand j'ai su qu'on m'engageait à Saint-Trailouin, je m'étais rendu sur le site Internet du cégep pour m'informer sur mon futur lieu de travail.

— Si je me rappelle bien, c'est en l'honneur d'un certain Malphas qui vivait ici il y a bien longtemps et qui promouvait beaucoup l'éducation, ou quelque chose du genre…

— Pis tu crois à la véracité de ça ?

Je ne comprends pas. Que veut-il insinuer ? Mais Fudd intervient en brandissant un livre :

— Bon, je l'ai trouvé, là !

Elle trottine jusqu'à la table, y dépose le livre, prend une autre bonne gorgée de sa bière, puis feuillette le bouquin. On s'approche un peu, et je me sens curieux malgré moi, même si je n'arrive pas à oublier le cadavre tranquillement assis là-bas. Elle trouve une page, la lit silencieusement et annonce en secouant sa tête de poire ratatinée :

— Oui, oui… C'est possible… Y a sûrement moyen d'ensorceler un cadenas pour y mettre le numéro qu'on veut…

Qu'ouïs-je ? Je dévisage Gracq : son hochement de tête satisfait me confirme que j'ai sans doute mal entendu.

— Excusez-moi : vous allez rire, mais j'ai cru que vous aviez dit « ensorceler ».

— Vous avez ben entendu. Y faut juste (et elle désigne la page de son livre, se penche pour mieux lire) invoquer un démon qui est autant spécialiste en numérologie qu'en codes secrets, c'est pas si compliqué, ça, là.

Je ne ricane plus. Je dévisage la femme, puis Simon. Tous deux m'observent aussi. Bref, tout le monde se regarde. Ça dure un certain moment, jusqu'à ce que Fudd, en me rendant le cadenas, propose :

— Je peux vous trouver deux ou trois noms. Trente piastres par démon. Pis pour cent piastres, je vous en trouve quatre ! C't'un *deal*, ça, là, hein ?

Puis elle tousse, crache, boit une gorgée de bière, tout ça en même temps, ce qui provoque un beau dégât. Et moi, je décide que ça suffit. Je remets le cadenas dans ma poche, tourne les talons et au moment où le premier des deux touche le sol, Gracq m'attrape le bras :

— Julien, attends…

— Oui, je vais attendre, mais dans l'auto. Pis si tu viens pas me rejoindre d'ici deux minutes, tu reviens en ville à pied.

Étonnant que je réussisse à conserver autant mon calme. Sans un regard vers la vieille folle, je pose mon second talon au sol et marche vers la porte. Je me retrouve dans la cuisine et percute la table, ce qui cause l'effondrement total du château de cartes. Rien à foutre : je poursuis mon chemin jusqu'à la porte d'entrée…

Et m'arrête. Car j'entends un marmonnement, lointain… Comme un appel.

— Sar… ko… zy…

Je tourne la tête.

À quatre mètres, le cadavre de la mère Fudd est toujours là, dans sa vieille robe en charpie, les mains sur les cuisses, la tête un rien renversée par-derrière, la bouche entrouverte. Le marmonnement provient de sa direction.

— Sar… ko… zy…

Hypnotisé, j'avance lentement vers elle. La peau presque noire est si mince qu'elle tomberait sans doute en poussière si j'y touchais. Si ce n'était des longs cheveux blancs et de la robe, il serait malaisé de découvrir s'il s'agit d'une femme ou d'un homme. Les yeux ressemblent à deux œufs sur le plat dont le jaune serait noir. Et le marmonnement vient du visage… De la bouche entrouverte…

— Sar… ko… zy…

Je halète comme un ado qui découvre la masturbation. Je penche lentement la tête vers le visage momifié, pour mieux entendre.

« Va-t'en, Julien. Tout de suite. »

Encore Juliette ! Mais, de nouveau, je fais fi de sa mise en garde et continue de me pencher vers cette bouche qui s'ouvre sur un puits de ténèbres et de mort, et le chuchotement semble provenir de plus loin que les entrailles du cadavre, comme s'il émanait de profondeurs beaucoup plus glauques… Et ce n'est plus mon nom qui est prononcé mais un autre, que je connais aussi…

— Mal… phas… Mal… phas…

Les deux yeux vides se tournent dans ma direction.

Je pousse un cri et me sauve vers la porte. Mais elle est verrouillée, et j'ai beau chercher le mécanisme pour l'ouvrir, je ne trouve pas, et je tire sur la poignée, et je regarde vers la morte qui ne bouge pas, qui ne me regarde même pas, évidemment, je m'attendais à quoi, qu'elle se lève et me suive en brandissant mollement ses deux bras comme dans les films de Romero ? Parce que j'ai tout imaginé, c'est sûr, y a de quoi virer fou ici, mais peu importe, je veux crisser mon camp au plus vite, tout de suite, pourquoi la porte s'ouvre pas ?

— Julien, ça va ?

Gracq et Fudd sont revenus dans la cuisine.

— Je veux juste sortir, comment on débarre la porte ?

Je parle trop vite, ma voix est trop nerveuse, mais tant pis pour la dignité. Fudd, bière en main, a une moue suspicieuse. Elle déplace sa montagne de tissus vers le salon sans me quitter des yeux.

— Pourquoi vous avez crié, vous, là ? Que c'est qui s'est passé ?

— Rien pantoute. Je voudrais que vous débarriez la porte, c'est tout, d'accord ?

Fudd se tourne vers le cadavre, qui ne bouge pas, qui ne produit aucun son, qui est juste mort, criss ! comme tous les cadavres qui se respectent !

— Ça va, maman ? Y t'a rien fait ?

— Qu'est-ce que vous pensez, que j'ai joué au bridge avec ? *Débarrez cette porte tout de suite !*

Gracq se gratouille la barbe, embarrassé par mon attitude. Fudd me scrute toujours de ses yeux jaunes méfiants, puis, après avoir pris une gorgée de bière, esquisse un imperceptible geste de la main vers la porte. Un déclic se fait entendre en provenance de la serrure et je tourne la poignée : la porte s'ouvre. Même si une partie de mon cerveau a envie de lui demander comment elle a accompli ça, je garde le silence et sors en vitesse.

Je fais plusieurs pas dans la forêt qui, malgré son aspect sinistre, m'apparaît tout à coup comme le plus rassurant des endroits. Je m'immobilise et prends plusieurs respirations, les mains sur les cuisses. J'ai halluciné, évidemment. Toute cette ambiance de film d'horreur de série Z m'a impressionné plus que je ne l'aurais voulu. Je me retourne vers la cabane.

Elle est quand même plus petite de l'extérieur.

Et elle n'a pas d'étage.

À nouveau, je me penche pour reprendre mon calme… et mon regard tombe sur un objet incongru qui traîne parmi les brindilles et les feuilles mortes.

Une cigarette. Une cigarette qui, malgré qu'elle soit en partie consumée, est très longue et surtout très mince. Comme celle qu'Archlax senior était sur le point de fumer dans le bureau de son fils.

Gracq sort à son tour. Comme s'il s'agissait d'un signal, je marche vers ma voiture. Il me suit en silence et tout à coup, en provenance de la cabane, nous entendons la vieille folle se mettre à crier :

— Mon château de cartes ! Môman, il a défait mon château de cartes, t'as vu ça ?

J'en ressens un plaisir mesquin mais ne me retourne pas. Trente secondes plus tard, nous démarrons.

— T'as vraiment saboté en destruction son château de cartes ? me demande Gracq.

Je ne dis rien. Ce n'est qu'une fois la voiture sur la route que je demande :

— Qu'est-ce qu'on est venus faire chez cette folle, veux-tu ben me le dire ?

— Chercher des réponses à nos questionnements interrogatifs, pis on les a trouvées.

— Ah, ouais ? Lesquelles ? Que les cadenas sont ensorcelés ? Tu vas croire cette tarée qui garde le cadavre de sa mère ? Ostie ! je me demande depuis combien de temps elle est assise là, dans le salon !

— Sa mère est tombée dans le décès il y a au moins dix ans, hypothétiquement plus.

— Dix ans !

— Moi, je me fais une rencontre avec Fudd une ou deux fois annuellement, pour des questions... comme aujourd'hui.

— Mais pourquoi elle garde le corps de sa mère ?

— C'est elle qui lui a montré tout l'enseignement acquis qu'elle a. Elle dit que sa mère l'aide encore maintenant même.

Je secoue la tête.

— Ça suffit. Je m'en vais au poste de police pour leur dire que cette malade garde le cadavre de sa mère !

— Julien...

— Ta gueule !

Et nos gueules demeurent closes jusqu'au poste de police. Gracq, placide, m'attend dans la voiture tandis que je monte l'escalier du poste. À l'intérieur, je vais directement à la réception, où un sergent m'accueille avec un large sourire de *preacher* américain.

— Bonjour, citoyen ! Comment la police de Saint-Trailouin peut-elle vous aider à vivre dans la sécurité et la quiétude d'esprit ?

— Je viens dénoncer une personne qui garde un cadavre chez elle.

— Un cadavre ! C'est tout à fait illégal ! Sans compter les problèmes hygiéniques qu'une telle pratique peut entraîner !

Il appuie sur un bouton et, trois secondes plus tard, cinq policiers entourent le comptoir, aussi prêts qu'une bande de louveteaux sur le point d'aider un aveugle à traverser la rue. Enfin, la chance me sourit : je suis tombé sur le flic le plus zélé de la région, on dirait. L'air solennel, le sergent déclare :

— Vous avez eu raison de venir nous voir, citoyen. J'envoie des hommes là-bas sur-le-champ. Dites-nous donc : qui s'adonne à cette répréhensible activité ?

— Une vieille femme qui vit dans le bois, Mélusine Fudd.

L'attitude « grand-justicier » du flic vacille soudain.

— Ah !… La vieille Fudd…

— Oui. Vous la connaissez, on dirait. Le cadavre serait celui de sa mère.

— Je vois…

L'ardeur des autres policiers flanche aussi, ils se regardent d'un air incertain.

— Alors, vous y allez ?

— C'est-à-dire que… nous allons examiner votre requête, vous pouvez en être certain, et nous prendrons les mesures qui s'imposent.

Les flics commencent même à se disperser. Mais qu'est-ce qui se passe ?

— Mais il y a deux minutes vous étiez prêts à mettre la ville en quarantaine !

— Faites-nous confiance, citoyen. Allez, bonne journée.

Il sourit à nouveau, mais de manière crispée, comme lorsque vous passez un dépistage de MTS et que le docteur, juste avant de vous enfoncer la tige dans l'urètre, vous dit de relaxer.

Lentement, je tourne les talons et je sors, ébranlé.

Dans la voiture, Gracq ne dit rien mais affiche un petit sourire candide. Je suis convaincu qu'il sait exactement ce qui s'est passé dans le poste de police. Je ne mets pas le moteur en marche tout de suite. Les deux mains sur le volant, j'observe la rue tranquille avec ses quelques passants qui déambulent. Je me tourne vers mon élève :

— Simon, tu penses quand même pas que… que cette femme est une…

Je peux pas croire que je vais dire le mot !

— … une sorcière !?

— Tu te donnes des airs d'attitude rationnelle, mais je suis dans la conviction que tu as vu des choses qui se défileraient face à des explications.

J'appuie mon front contre le volant.

— On va-tu absorber le contenu d'une bière ? propose Gracq avec désinvolture.

— Oui… Oui, pourquoi pas ?

— Super ! C'est toi qui paies ?

◆

Nous sommes dans la même taverne où j'ai rencontré la femme mariée, hier soir. Mais disons que l'ambiance n'est pas du tout prometteuse de plaisirs nocturnes. Nous sommes assis face à face à une table, deux pintes de bière entre nous. Gracq, penché en avant, avec cinq ou six feuilles de papier étalées devant lui, parle lentement mais avec passion, son regard passant de ses papiers à moi, brillant d'enthousiasme.

— On s'entend de manière mutuelle que ça peut pas être un hasard que les numéros des cadenas des trois filles soient les codes permanents des trois victimes qui sont, en surplus du surcroît, les gars avec qui elles fréquentaient une relation amoureuse il y a un an et demi. Donc, quelqu'un a modifié le changement des numéros pour qu'ils coïncident avec lesdits codes permanents. Pis la seule manière de procéder ça, c'est d'ensorceler les cadenas. Pis on vient de se faire approuver une confirmation par une experte que ça se peut possiblement.

J'ai la tête entre les mains. Ensorceler des cadenas! Comment peut-on articuler ces mots sans perdre toute crédibilité? Je me sens aussi déboussolé que si l'on venait de m'annoncer que toutes les femmes que j'ai baisées jusqu'à maintenant étaient des transsexuelles. Je ne dis donc rien, mais Gracq poursuit:

— Pis pourquoi ensorceler ces cadenas? Parce que c'est l'actionnement des numéros du cadran qui désigne la victime en lien avec. C'est pour la raison de cette cause que les gars meurent le lendemain de l'utilisation initiale des cadenas. Je peux commander une autre bière?

— Je t'en prie.

— Merci, tu feras le signe d'un geste à la serveuse quand elle frôlera notre coin. Donc, la première fois que les cadenas servent dans leur utilisation, le processus de la désignation de la victime se met en branle.

Criss, même énoncées avec un langage cohérent, ses explications seraient tordues! Insubmersible, Gracq poursuit:

— Pis qui aurait l'intérêt du bénéfice à ourdir tout ça? Des gens qui veulent se venger des trois gars. Genre, des blondes ou des ex en colère de frustration. Donc, les trois filles: Thibodeau, Caillé pis Farer.

La serveuse s'approche et Gracq commande une bière. La tête qui tourne toujours entre mes mains, l'esprit toujours flottant dans la gadoue, je trouve la force d'objecter :

— Mais si ce sont elles les… les *responsables,* elles ont pas été subtiles, franchement ! Dans leurs propres casiers !

— Justement, justement ! De cette manière de façon, elles passent elles-mêmes pour des victimes aussi ! C'est astucieux d'habileté ! La preuve que ça marche : on les a relâchées dans leur liberté !

Je me frotte les joues furieusement. Question : suis-je vraiment en train d'avoir cette discussion ? Réponse : oui. Je dis d'un ton presque désespéré :

— Simon, c'est… Tout ça n'a *aucun* sens !

— On est à Saint-Trailouin, Julien. Le sens est différemment pas pareil qu'ailleurs. Je suis sûr que tu l'as réalisé en t'en rendant compte.

Je baisse les yeux en secouant la tête. Le pire, c'est que je ne peux pas vraiment le contredire là-dessus. La serveuse revient avec la bière :

— Je termine mon chiffre dans cinq minutes, vous pouvez me payer les consommations tout de suite ? Ça fait douze dollars.

Distraitement, je lui donne quinze dollars en marmonnant qu'elle peut garder la monnaie. Elle devient alors très émue, comme si je l'avais demandée en mariage, et, une main sur la poitrine, bredouille :

— Oh ! Merci… Merci beaucoup… Les gens sont si généreux !… Dieu vous le rendra…

Et elle s'éloigne d'un pas heureux, telle Dorothée sur le chemin de briques jaunes. Je la suis des yeux un moment, déconcerté. Je pense que, ce soir, je vais me taper une émission de télé insignifiante, genre *La poule aux œufs d'or*, juste pour me convaincre que la réalité morne et ennuyante existe encore… Gracq prend une bonne gorgée de bière et propose :

— Il faut aller questionner un entretien avec les trois filles…

— Pas ce soir, que je dis en me levant, les jambes aussi lourdes que si je venais de courir le marathon. Demain. En ce moment, j'ai besoin de… j'ai besoin d'être un peu seul.

— OK, je comprends. Demain, alors. Moi, je vais rester ici pour poursuivre la continuité de ma réflexion…

Et il se relance dans ses feuilles, stylo dans une main, bière dans l'autre. Pendant une seconde, sa persévérance m'impressionne, puis je sors.

Il est dix-sept heures. C'est tôt pour manger, mais si je n'avale pas de nourriture d'ici cinq minutes, je vais attaquer le premier piéton venu pour lui croquer une cuisse. J'entre donc dans un *fast food* et commande trois cheeseburgers avec une grosse frite. Je mange mécaniquement, en songeant à cette journée insensée. Je m'imagine aller voir Garganruel pour lui raconter la théorie de Gracq. Impossible. Et puis, déjà qu'il ne me prend pas au sérieux… Un chevreuil ne fournit tout de même pas les cartouches au chasseur qui va l'abattre ! Qu'a dit Gracq, déjà ? Que le bon sens ne voulait pas dire la même chose ici qu'ailleurs ? J'observe les gens autour de moi dans le restau : des adultes, des ados, une ou deux petites familles… En apparence, le film banal de la vie quotidienne, ni plus ni moins.

Ce gars, là-bas, qui mange mollement son hamburger… Je ne connais qu'un être humain qui peut imiter le mollusque avec autant de naturel : Davidas. Pas étonnant de le retrouver ici. Il croit sans doute que ce restaurant est un épicentre de la haute gastronomie. Il n'est pas seul, il y a une femme aux longs cheveux bruns assise devant lui… et tout un canon, en plus. Trente ans au maximum. Ça ne peut tout de même pas être la compagne de ce flasque imbécile ! Une si belle fille peut certes fréquenter un idiot, mais pas un idiot qui dégage autant de charme qu'un spéculum rouillé ! Mais comme je n'ai pas du tout envie de parler à Davidas, je n'aurai sans doute pas la réponse aujourd'hui. Je m'empresse de terminer mon dernier hamburger avant qu'il ne m'aperçoive, puis me lève.

— Eh, mais c'est Julien ! Hé, Julien !

Enfer et damnation ! Impossible de l'ignorer, surtout que la sortie est à trois mètres de sa table. Sans ralentir mon pas, je lui envoie rapidement la main, sans sourire. On peut me reprocher bien des défauts, mais pas celui de l'hypocrisie. Mais l'amibe insiste :

— Viens donc que je te présente.

Alors là, j'avoue qu'il m'atteint au talon d'Achille : comment refuser d'échanger deux mots avec une telle bombe ? Et puis, cela satisfera ma curiosité. Je m'approche, salue Davidas très sobrement (soulignez : « très ») tandis qu'il se lève :

— Julien, voici Thérèse.

Jamais nom ne fut si mal porté. Comme si Gandhi s'était prénommé Adolph. Davidas ajoute :

— C'est ma blonde. Thérèse, voici Julien, un nouveau collègue.

Sa blonde ! S'il y a encore des gens qui doutent de l'injustice généralisée en ce monde, en voici la preuve définitive. Thérèse se lève, ce qui me permet d'admirer son corps dans toute sa hauteur et surtout dans toute sa tridimensionnalité. C'est encore pire que je ne le croyais : elle est parfaite. Nous nous donnons la main et je jurerais qu'elle me fait un sourire franchement coquin.

— On sort du cinéma, justement, explique Davidas. On est allés voir *Sex and the City II*. C'est bien meilleur que le premier.

— Oui, le questionnement sur le rôle de la femme dans notre société est beaucoup plus profond, ajoute la fille.

L'absence de goût et de jugement est un trait de caractère qui permet à bien des gens de trouver un terrain d'entente. Mais je n'arrive toujours pas à croire que ces deux-là peuvent aussi s'entendre dans un lit.

— Content pour vous. Mais là, je dois partir.

Thérèse (comment de tels seins peuvent-ils s'appeler ainsi ?) a une petite moue charmante.

— Dommage. Mais on pourrait s'appeler pour passer une soirée très agréable, juste tous les trois, qu'est-ce que t'en dis, Elmer ?

Je sais que j'ai tendance à déceler des connotations sexuelles partout (au secondaire, quand mon enseignante nous expliquait que les contes se transmettaient oralement, j'imaginais des assemblées de conteurs où tout le monde se taillait des pipes), mais là, franchement, je considère comme tout à fait légitime de ma part de déceler une certaine ambiguïté dans cette invitation déroutante. Je ne sais que dire et lance un regard incertain à Davidas. Ce dernier, pas choqué du tout, laisse plutôt échapper un soupir de lassitude et, comme pour éviter cette discussion, dit :

— Je vais me chercher un autre Coke. On se voit demain au cocktail de rentrée ?

— Heu... Je sais pas, je suis pas sûr...

Il marche vers le comptoir. Je ne suis pas encore revenu de ma perplexité que Thérèse fait un pas vers moi et, à voix basse, me confie avec une totale absence de pudeur :

— C'est incroyable ! Même un *threesome,* ça l'intéresse pas ! Je sais plus quoi faire pour l'allumer !

Elle a une lippe boudeuse, puis ajoute :

— Peut-être que c'est moi qui suis pas assez désirable...

Je me mordille les lèvres. Je suis sur le point de lui glisser mon numéro de téléphone afin de pouvoir la rassurer sur ce dernier point, mais en voyant Davidas revenir, je me contente de lui dire :

— On en reparle une prochaine fois…

Je marche vers la sortie. Non seulement ce demeuré de Davidas sort avec un canon, mais sa libido réagit à peine face à ce concentré de stimuli. Camus avait raison : la vie est absurde.

Chez moi, durant la soirée, ni la lecture ni la musique ne réussissent à me nettoyer les méninges des traces, impressions et questionnements laissés par cette journée. Et cette cigarette que j'ai vue chez Fudd… Qu'est-ce qu'Archlax senior est allé faire chez cette harpie ? Mais je saute trop vite aux conclusions : peut-être que ces cigarettes démodées sont populaires à Saint-Trailouin…

À vingt heures, je décide de fumer un joint, mais me souviens que je n'ai plus de pot. Merde alors.

Au volant de ma voiture, je roule dans les rues de Saint-Trailouin, plus animées en ce samedi soir particulièrement chaud. Le ciel est couvert, ça sent l'orage à plein nez. Je réussis sans trop de problème à retrouver où habite Zazz. Dans le vestibule d'entrée de l'immeuble, j'appuie sur la sonnette au-dessus de son nom, appartement 2, rez-de-chaussée. Pas de réponse. Elle est peut-être dehors, il fait si chaud. Je contourne l'édifice et trouve ma collègue assise sur son petit patio, à fumer un joint en fixant la pleine lune. Il faut que je la salue pour qu'elle me voie enfin. Cette fois, elle n'affiche aucune gêne à être prise à fumer de l'herbe en ma présence.

— Salut, Julien…

— Je peux me joindre à toi ?

Elle réfléchit une seconde, puis hausse ses épaules squelettiques, deux triangles pointus qui tressautent de chaque côté de sa tête ébouriffée. J'enjambe la petite rangée de fleurs et m'assois sur une chaise à ses côtés. Elle est vraiment démolie, la Zoé. L'absence de son air hilare habituel la rend aussi méconnaissable qu'un humoriste qui se mettrait à bien parler.

— Ça va?

— Bof…

— Est-ce que… est-ce que tu l'aimais?

— Ben non, voyons, il avait dix-huit ans!

Elle ajoute douloureusement :

— Mais quand même, c'est… Ça me rentre dedans… Pis le pire, c'est qu'on sait pas ce qui leur arrive au juste! Ils sont déchiquetés, il manque des bouts, ils… c'est…

Elle prend une touche. J'ai tout à coup envie de lui raconter tout ce que j'ai trouvé, même les théories de Gracq. Tout déballer à un tiers m'aiderait peut-être à y voir plus clair. Mais je n'ose pas. Elle se tourne vers moi :

— Qu'est-ce qui t'amène ici, au juste?

— Eh ben… Je passais dans le coin…

Elle a un petit sourire piteux.

— J'espère que tu veux pas encore essayer de me *cruiser*, parce que…

— Ben non, ben non, j'ai été con, l'autre soir…

Je ne suis pas loin de le penser réellement. Allez, assez de tergiversations :

— Je me demandais si tu pourrais pas me donner l'adresse de ton *dealer*.

— Ah, c'est ça…

Elle se lève, me tend le joint et rentre dans son appart. J'attends en prenant une touche et en observant les autres immeubles à appartements autour, banals, avec les fenêtres illuminées, quelques silhouettes qui passent. Rien de particulier en apparence. Et pourtant, depuis que je suis arrivé, le mot « normal » est sans doute celui qui me vient le moins à l'esprit.

Zazz revient et me tend un bout de papier sur lequel elle a inscrit une adresse et un nom : Ginette Sardou. Une fille ? Je ne crois pas avoir jamais eu de *dealer* du beau sexe.

— Je me présente là et c'est tout ?

— Oui. Mais le jour, pas le soir.

Pas le soir ? Quelle sorte de *dealer* est-ce là ? Je remercie et glisse le papier dans une poche de mon jeans. Zazz est toujours perdue dans ses pensées. Elle ne m'offre ni verre ni rien, donc je comprends le message. De toute façon, j'ai ce que je voulais, j'ai même pu fumer un peu. D'ailleurs, mes sinus s'engourdissent, je commence à planer : excellent moment pour retourner relaxer chez moi. Je me lève :

— Bonne soirée.

— Désolé, Julien, je suis pas très sociale, ce soir. Ça m'arrive pas souvent.

— C'est pas grave, je comprends.

— Je vais me reprendre demain soir. Tu seras là ?

— Où ça ?

— Le 5 à 7 au cégep, pour la rentrée…

— Je sais pas. Ces petits cocktails officiels, c'est pas mon fort…

— Viens donc. Juste pour l'exposition de notre directeur général, ça vaut la peine.

— Bouthot ? Il expose quoi ?

— Je te gâcherai pas la surprise.

Et elle ricane légèrement, déjà amusée rien que d'y penser. Chez elle, le naturel ne revient pas au galop mais en vol direct.

— OK, j'irai sans doute. À demain. Et, en passant, c'est bien que tu sois allée voir les flics…

Elle hoche la tête en prenant une touche. Son iris s'embrume. Elle commence à planer sérieux. J'ajoute :

— J'imagine qu'ils ont trouvé intéressant le fait que Duval se doutait qu'il serait la prochaine victime...

La bouche entrouverte, le regard un peu perdu, elle ânonne :

— Je leur ai pas dit ce détail...

— Ah, non ?

— Nonnnnn... Je leur ai juste dit que j'étais avec Duval jusqu'à minuit... pis qu'il avait disparu bennnnn vite...

— Pourquoi tu leur as pas dit qu'il avait peur d'être la prochaine victime ?

— Je sais pas... Je pensais pas que c'était immmm-portant... J'étais...

Elle s'humecte les lèvres au ralenti. Oh là là, j'ai rarement vu un adulte planer aussi haut et rapidement que cette fille. Sans doute que son extrême maigreur permet à la dope de l'emplir plus rapidement...

— J'étais mal à l'aise d'être... d'être au poste de policccccce pis de raconter ça, alors... jjjjjjjje leur ai juste dit que... que j'étais avec lui pis...

Donc, les flics ne sont pas au courant que Duval savait qu'il y avait un lien entre lui et les deux autres victimes. Si j'allais trouver les flics pour les mettre au parfum, sans doute qu'ils interrogeraient les filles là-dessus. Mais je songe à Garganruel, lors de notre dernier entretien, son mépris à mon égard... et je sens mon orgueil monter aux barricades. Il ne me prend pas au sérieux ? Il ne veut plus que je l'emmerde avec mes théories ? Parfait. Je vais garder cette info pour moi, et demain, quand Gracq et moi irons ren-contrer les filles, nous leur annoncerons que nous sommes au courant. Enfin, JE leur annoncerai, parce que Gracq commence à se prendre un peu trop pour le *leader* de cette enquête. Et si les filles craquent ou nous révèlent quelque chose, je pourrai faire face à

Garganruel la tête haute. C'est plutôt ridicule, j'en conviens, mais on trouve ses petites victoires où on peut.

Je vacille un peu sous l'effet du pot. Bon, je vais aller écouter de la musique en planant. Un vieux groupe des années 70, pour être vraiment dans le cliché.

— En tout cas, tu as bien fait d'y aller, Zoé. Allez, je te laisse…

— C'est pas fini…

J'arrête mon mouvement de départ et me retourne vers elle.

— Pardon ?

— C'est pas fini…

Ce visage absent, ce regard grand ouvert sur l'invisible, ces traits tendus comme si elle se tenait sur le bord d'un précipice… Ça y est, elle est en plein délire, comme l'autre soir.

— C'est pas fini…

Les mêmes mots, en plus. Je fais un pas vers elle, fasciné. Entre ses doigts, le joint tremble comme un puceau face à une professionnelle. Et comme l'autre soir, je perçois cette seconde voix qui tente de couvrir la première, une voix plus sombre, plus graillante, qui semble surgir de plus loin que son larynx.

— Il en reste un dernier…

Je me penche vers elle, pose ma main sur sa cuisse. Elle n'a aucune réaction, perdue dans sa vision hallucinogène. Je sens les vapeurs de la drogue s'atténuer en moi. Je lui demande doucement :

— De quoi tu parles ? Qu'est-ce que tu veux dire ?

Oui, oui, je m'intéresse à ce qu'elle dit, beaucoup plus que la première fois ! Et si vous aviez vécu les journées que je viens de traverser, je crois que vous feriez de même. Après avoir vu des cadenas qui ont

le même numéro que le code permanent des victimes, des corps liquéfiés et incomplets qui se rendent
de manière inexplicable dans des casiers, des portes de
métal surveillées comme s'il s'agissait de la NASA
et une pseudo-sorcière qui conserve le cadavre extra-
ordinairement bien conservé de sa mère comme animal de compagnie, je ne vois pas pourquoi je ne
prêterais pas une oreille attentive aux visions mystiques
d'une droguée anorexique. Soyons conséquent, tout
de même.

— Un dernier quoi, Zoé ?

Le joint glisse sur le sol. Cette fois, la voix sépul-
crale est la seule à jaillir de sa bouche tordue :

— *Ils ont encore faim !*

Elle baisse la tête en gémissant, et quand elle la
redresse au bout de trois secondes, elle a le visage
hagard de la fille qui se réveille un lendemain de
brosse. Ça y est, elle est revenue parmi nous. Merde,
alors. Même si je sais que c'est inutile, je lui demande :

— Qui sera le dernier, Zoé ?

— Le dernier quoi ?

Je hoche la tête, puis, sans aucune moquerie :

— Tu sais que lorsque tu es *high,* tu as des sortes
de… transes ?

— Ah, tu viens d'être… témoin de ça…

Elle a un claquement de langue embêté, mais elle
sourit en même temps, le sourire bêta de la fille gelée.

— On m'a souvent dit que j'avais de courts délires
quand je planais… Moi, je m'en souviens jamais…
Il paraît que je suis pas mal incohérente, désolée…

— C'est pas grave.

Elle ricane à nouveau.

— Ça, ça veut dire que… j'ai assez fumé pour ce
soir !

Elle redevient tout à coup très triste.

— Pauvre Guillaume... Mais qu'est-ce qui leur est arrivé, au juste ?

Et elle ajoute en soupirant :

— Pourquoi c'est... juste à Malphas que des affaires de même arrivent ?

Ça, c'est sans doute la meilleure question de la journée. Je me relève et lui conseille d'aller se coucher. En m'éloignant, je lui jette un dernier coup d'œil : toujours assise, à fixer la pleine lune, toute triste (Zoé, pas la lune).

À la maison, je n'arrive finalement pas à vivre mon trip *seventies*, la tête trop pleine d'images folles : des cadenas qu'on ensorcelle, la vieille Fudd qui danse autour d'une chèvre sacrifiée, Archlax senior qui se rend chez Fudd... C'est cette dernière image qui m'intrigue le plus. Qu'est-ce que cet homme élégant, brillant et digne est allé foutre chez cette folle ? À moins que je me fasse des idées, que Fudd aussi fume ce genre de cigarettes anciennes... Mais je n'arrive pas vraiment à me convaincre.

En soupirant, je m'installe devant mon ordinateur et tape « Rupert Archlax » dans Google. J'ignore les quelques rares entrées qui concernent le fils et je m'attarde à celles sur le père. Avec Internet basse vitesse, l'opération est aussi longue et exaspérante qu'un roman de Robbe-Grillet, mais je réalise que l'homme a une certaine notoriété : ses livres ont gagné plusieurs prix, certains même internationaux ; il a participé à plusieurs œuvres caritatives ; sa compagnie de mine de fer, Ax Corp, est souvent citée comme entreprise modèle... On parle aussi un peu de la création du cégep, mais beaucoup moins : de tous les projets d'Archlax, Malphas est sans doute le moins concluant.

Je finis par tomber sur un article de 1979, archivé par le journal local de Saint-Trailouin. Il s'agit d'un

vieil article de journal numérisé sans profession-
nalisme. Je lis le titre embrouillé : *Rupert Archlax
fait un don de 10 000 dollars à l'hôpital Fargon*. Le
reste de l'article est illisible, mais une photo montre
une dizaine de personnes réunies devant ce qui
semble être un hôpital. En plissant les yeux comme
si je tentais de déceler l'expression faciale d'une
fourmi, je réussis à déchiffrer la légende, qui décline
les noms du directeur de l'hôpital, de certains docteurs,
mais aussi d'Archlax qui « est accompagné de sa
femme Hélène, de son fils Rupert junior et de sa fille
Justine ». Je me concentre sur la photo. La qualité
est si médiocre que les visages sont aussi mal définis
que ces clichés de soucoupes volantes que l'on voit
souvent dans les tabloïds américains, mais je reconnais
vaguement Archlax Sr, plus jeune d'une trentaine
d'années. Je souris en observant Archlax Jr. Même
adolescent, et sur une photo si imprécise, il a l'air
coincé. Quant à la femme d'Archlax, impossible de
se faire une idée bien nette.

Je m'attarde sur la fille en chaise roulante. Encore
une fois, la photo est trop floue pour que l'on distingue
clairement, mais sa posture est étrange, sa tête semble
difforme et le peu que je perçois de ses traits laisse
deviner un visage assez... Ma foi, il y a la version
polie : esthétiquement peu enviable. Et la version
directe : laid à provoquer des cauchemars.

Je regarde cette petite famille un moment. Un an
plus tard, mère et fille allaient mourir dans un accident maritime... La vie est vraiment une ostie de garce,
par moments. J'examine de nouveau la handicapée :
malgré le flou de la photo, je ressens un frisson juste
à deviner son visage, au point que je suis presque
content que la reproduction de la photo soit si mauvaise.

Je me frotte les yeux. Qu'est-ce que je cherche, au juste ? Je m'attends à trouver un article qui va m'expliquer pourquoi Archlax rend visite à une vieille sorcière alcoolique ? Merde ! il faut que j'arrête de penser à tout ça, ne serait-ce qu'une nuit…

L'effet du pot est depuis longtemps disparu. Je ferme mon ordinateur et vais m'étendre sur le divan en fixant le plafond. Je songe aux paroles inconscientes de Zazz : il en reste un dernier.

Tout à coup, j'ai vraiment hâte de rencontrer les trois filles demain.

CHAPITRE NEUF

Où tout s'explique enfin, du moins si l'on peut appeler ça une explication

— Allez, on s'y dirige ! Il est une heure dix, on est avancés dans le retard, elles nous attendent sûrement !

La journée s'annonce à nouveau très chaude et le ciel est plus lourd que jamais. Quand ça va gicler, on va en avoir plein la gueule. C'est ce que je me dis en sortant de ma voiture et en observant les lourds nuages. Gracq, déjà sorti, démontre de l'impatience :

— *Let's go*, Julien !

Nous marchons vers le petit café, genre Second Cup mais qui porte le nom de Première Tasse. On comprend tout de suite que la première motivation du proprio est le besoin de se démarquer.

— Elles ont toutes les trois accepté de te rencontrer ? Elles doivent pourtant être assez traumatisées…

— Je leur ai dit que j'élaborais d'écrire un article dans le journal qui raconterait ce qui est arrivé à leur mésaventure, pis le fait qu'elles aient été interrogées par des questions policières… Ça fera un excellent papier humain, que je leur ai dit. Elles ont embarqué à pieds joints dans le panneau.

Je le retiens par l'épaule alors que nous atteignons la porte. Il faut que je le calme un peu, sinon il va les effrayer et elles vont disparaître aussi vite qu'une émission culturelle à la télé de Radio-Canada.

— Écoute, Simon, pas question de les accuser dès le départ de quoi que ce soit. On est sûrs de rien. Il faut y aller mollo. Laisse-moi diriger la discussion.

— Mais… mais c'est moi le journaliste ! Elles vont déceler l'étrangeté de la chose si c'est toi qui interroges les questions. D'ailleurs, va falloir justifier la présence de ta personne !

Bon point. Je réfléchis un moment, puis :

— Pour commencer, tu poseras les questions. Uniquement des questions sur ce qu'elles ont vécu, pour les mettre en confiance. Et quand ce sera le temps de passer à l'étape qui nous intéresse vraiment, je prendrai le relais.

— Pis ta présence, tu vas en expliquer la justification comment ?

— Laisse-moi faire… Alors, tout ça te va ?

Gracq mime une baboune boudeuse, puis opte pour la magnanimité :

— OK… De toute façon, si tu causes des erreurs, je serai présent sur place pour rattraper le tout.

Si ça lui fait plaisir de voir ça comme ça… Je lui souris, puis nous entrons. L'endroit est à peu près désert, mais la table du fond est occupée par trois adolescentes que je reconnais aussitôt. Elles sont silencieuses, stressées et ont le visage tiré des gens qui dorment peu ou mal. Elles sont toujours très jolies, mais disons que les épreuves qu'elles viennent de traverser ont quelque peu terni leur éclat. Nous nous assoyons devant elles. Simon prend un air important :

— Bonjour. Simon Gracq, j'imagine que vous reconnaissez ma réputation.

Marilou Caillé me désigne du menton, avec cette arrogance propre aux ados de son âge, et encore plus prononcée chez certaines belles filles qui érigent naïvement leur beauté tel un diplôme en Mépris International.

— Pis lui, c'est qui?

— Je vous ai vu au cégep, me semble, ajoute Julie Thibodeau avec moins de froideur. Vous étiez là le jour où… Quand j'ai…

Elle se tait, incapable de mettre des mots sur ce terrible souvenir.

— Oui, je suis enseignant, je m'appelle Julien. Comme c'est un article très délicat qui va paraître dans le journal étudiant, la direction du cégep a exigé qu'un professeur supervise l'entrevue. D'où ma présence.

Gracq me lance un rapide coup d'œil admiratif, comme si je venais d'élaborer un plan digne du contre-espionnage américain. Les filles paraissent accepter cette explication. Après que tout le monde a commandé un café ou un jus, Gracq sort son calepin, plante sa cigarette éteinte entre ses lèvres (je me demande s'il s'agit toujours de la même) puis commence à poser ses questions, la plupart très classiques, du genre: « Qu'avez-vous ressenti? », ou « Comment avez-vous vécu l'interrogatoire? », et, à l'exception de ses tournures de phrases emberlificotées et d'une ou deux questions pas très pertinentes (« Les toilettes du poste de police sont-elles propres? »), il s'en tire plutôt bien. Les filles répondent lentement, assez remuées, particulièrement Amélie Farer, qui garde la tête baissée, le visage crispé de chagrin, et émet des sanglots à quelques reprises. Alors qu'hier, j'étais prêt à reconsidérer leur éventuelle culpabilité, leur prestation actuelle me fait douter à nouveau. Si elles jouent la comédie, Juliette Binoche et Sylvie Drapeau devraient se recycler en agents d'assurances.

— Donc, finit par demander Gracq qui a noirci au moins la moitié de son calepin, vous avez aucune idée sur l'explication de ce qui a bien pu arriver lorsque ça s'est passé?

— La police a pas arrêté de nous le demander !
soupire Caillé. Comment je pourrais le savoir ? Ça
faisait presque un an et demi que je sortais plus avec
Guillaume, pis comme on s'est pas laissés en bons
termes, je lui parlais plus vraiment.

Pas en très bons termes… Je dresse le tympan.

— Moi, je venais juste de casser avec Nico, ajoute
Thibodeau. C'est moi qui l'avais laissé. On était pas
vraiment en chicane, mais on se voyait plus vraiment,
fait que…

— Mais moi, moi, je sortais encore avec Ludo ! se
met à chialer Amélie Farer, laissant libre cours à son
désespoir. On fêtait justement nos deux ans ensemble !
Pis on s'aimait ! Pis on voulait avoir des enfants ! Pis on
voulait s'ouvrir un magasin de meubles écologiques
plus tard ! Pis… pis…

Elle pleure comme une gagnante de l'Adisq.

— Un magasin de meubles écologiques ? demande
Gracq.

Je lui fais signe que ça n'a aucune importance, puis
décide que c'est le moment d'entrer dans le vif du
sujet et de les confronter un peu. Je pose mes coudes
sur la table collante de consommations anciennes et
avance la tête :

— Comment vous expliquez que les numéros des
codes permanents de vos ex…

— Ludo était pas mon ex ! chiale Farer, le nez
morveux.

— … et de vos *chums* soient les mêmes que les
numéros de vos cadenas de casiers ?

Trois paires d'yeux stupéfaits me dévisagent avec
scepticisme. À nouveau, je me dis qu'une telle authen-
ticité peut difficilement être simulée. Je sais bien par
expérience personnelle qu'il y a des filles expertes
dans l'art de feindre, mais tout de même…

— C'est une *joke*, ça, là ? demande Caillé avec méfiance.

— Pas du tout. Avouez que ce serait un hasard trop extraordinaire que vous ayez reçu des cadenas avec les codes permanents de vos ex.

— Ludo était pas mon ex !

— Si c'est pas un hasard, c'est quoi alors ? demande Thibodeau.

— Eh bien, peut-être que... (je m'humecte les lèvres, hésitant à plonger dans une piscine aussi démente) que c'est vous qui avez changé les numéros des cadenas...

— Ben voyons ! Pour quoi faire ? Pis on aurait fait ça comment ?

— Grâce aux soins de l'aide de la magie noire ! explose Gracq qui, cessant soudain de grafigner son calepin, ne peut plus se retenir davantage. En invoquant un démon qui a transformé la modification des cadenas ! Comme ça, en actionnant les numéros, ça lançait une malédiction sur vos ex pis...

— Ludo était pas...

— ... pis comme ça, vous vous accomplissiez dans la vengeance de quelque chose qui s'est effectué un an et demi dans le passé d'avant !

Il se tait, essoufflé, défiant les filles d'un regard de conquérant, comme s'il s'attendait à ce qu'elles applaudissent sa perspicacité. Moi, je me masse doucement le front en retenant un soupir. Comment ai-je pu croire que Gracq suivrait ma consigne de subtilité et de discrétion ? C'était aussi vain que de demander à Pierre Maisonneuve de ne plus interrompre ses invités. Pendant deux secondes, les filles se contentent d'afficher le plus total ahurissement, puis Caillé éclate de rire, un rire sans joie, condescendant et vaguement désespéré. Et à nouveau, je me dis que ces filles sont innocentes, comme je l'ai toujours cru, comme la police le croit aussi… ce qui ne veut pas dire qu'elles ne peuvent pas nous aider.

— T'es *fucking* malade dans ta tête, toi! réplique amèrement Caillé en attrapant son sac à main vintage, manifestement sur le point de décrisser.

— C'est quoi, ces niaiseries-là? ajoute Thibodeau, outrée.

— Écoutez, que je m'empresse de poursuivre d'une voix conciliante. Guillaume Duval se doutait qu'il serait la prochaine victime.

Caillé stoppe net son mouvement de retraite. Même Farer interrompt ses vagissements en un couinement interrogatif.

— Comment ça? balbutie Caillé, dont la curiosité l'emporte enfin sur son petit air supérieur.

— Il avait confié à… à quelqu'un qu'il avait peur d'être le prochain parce que, selon lui, Fermont, Rivard et lui-même payaient pour quelque chose qu'ils avaient fait.

Caillé m'examine avec suspicion:

— Vous êtes sûr que vous êtes ici pour superviser une entrevue?

Mais Thibodeau, intriguée par toute cette histoire, m'évite de répondre en demandant:

— Pis pourquoi vous pensez que c'est quelque chose qu'ils ont fait il y a un an et demi?

— Parce que, il y a un an et demi, explique Gracq pas démonté le moins du monde, c'est le seul moment ponctuel précis durant lequel vous sortiez toutes les trois avec les trois victimes concernées!

Elles réfléchissent.

— Attends, marmonne Caillé. Ben oui, c'est vrai…

— Oui, je pense que c'était le cas, approuve Thibodeau.

— Ça semble pas clair dans le flou de vos souvenirs, fait Gracq en mâchouillant sa cigarette éteinte, l'air accusateur. Pourtant, vous étiez toutes les trois à la fréquentation de la même école secondaire, non ? Ah, ha ! Vous voilà prises dans vos propres contradictions au pied du mur !

— Oui, on se connaissait un peu, c'est sûr, la ville est petite, précise Thibodeau. Mais on se tenait pas vraiment ensemble…

— Pas plus qu'aujourd'hui, ajoute Caillé, un brin hautaine.

Je prends le relais en faisant signe à Gracq d'y aller mollo.

— Mais vos trois *chums* de l'époque…

— Pas juste de l'époque ! se remet à pleurnicher Farer.

— … est-ce qu'ils se connaissaient, eux ?

— Un peu, j'imagine, mais eux autres non plus, ils se tenaient pas ensemble, répond Caillé.

— Mais ils jouaient dans la même équipe de hockey, non ? nuance Thibodeau, qui s'efforce vraiment de se rappeler.

— Oui… Oui, c'est vrai…

— Pis vous avez voulu vous commettre dans la vengeance parce qu'ils vous tenaient dans la négligence à cause de la raison de la trop grande importance de leurs soirées de hockey ! s'écrie Gracq en bondissant presque de sa chaise.

— Coudon, toi, c'est quoi ton ostie de problème ? se fâche Caillé.

— Simon, ça suffit, calme-toi, sinon je paie pas ton café !

Ma menace porte fruit. Grognon, il se remet à noircir son calepin, sa cigarette presque coupée en deux entre ses lèvres serrées. Je lisse mes cheveux et reprends posément :

— Vous avez pas une idée de ce qu'ils auraient pu faire tous les trois, à ce moment-là ? Quelque chose de pas *cool* qui les aurait rattrapés un an et demi plus tard ?

Tandis que Thibodeau continue de se creuser les méninges à grands coups de pelle mentale, Caillé fronce un sourcil en me jaugeant intensément :

— C'est pas pantoute une entrevue pour le journal qu'on fait là, hein ?

Je soutiens son regard. Cette fois, je ne me défile pas.

— Non, pas vraiment.

Elle hoche la tête, l'air mauvais. C'est le genre de fille qu'on ne dupe pas souvent et qui déteste quand ça se produit. Elle reprend son sac à main, se lève pour une seconde tentative de départ, mais Thibodeau, la main devant la bouche, hoquette alors :

— Oh, mon Dieu… Ça peut-tu être ça ?

— Quoi ? Quoi ? s'excite Simon, la barbe toute frétillante.

Farer, le nez dans un mouchoir, se tourne vers elle, intriguée. Même Caillé retarde de nouveau son départ et attend, mais toujours debout. Thibodeau explique :

— Y avait un gars de la polyvalente, en même année que nous autres, qui m'a *cruisée* pendant au moins dix jours. J'avais beau lui dire que je voulais rien savoir, que j'avais un *chum*, il me lâchait pas. En plus, c'était un des pires rejets de l'école, c'était pathétique. J'ai fini par le dire à Nicholas. Quand j'ai nommé le gars, il a pogné les nerfs pis il m'a dit que certains coéquipiers de son équipe de hockey avaient raconté que leurs blondes avaient des problèmes avec le même *looser*.

Quelque chose s'allume dans les yeux des deux autres adolescentes, même dans ceux remplis de larmes de Farer. Caillé demande :

— C'était quoi, le nom de la sangsue ?

— Mathieu... Non, Mathis... Mathis, heu... comment déjà...

— Loz, complète Caillé en se rassoyant, le visage grave.

— C'est ça, Mathis Loz.

Je recule sur ma chaise, soufflé. Loz. Le roux boutonneux au physique d'éternelle tête de Turc. Celui qui, au secondaire, a dû regarder la vie de ses congénères en simple spectateur envieux. Évidemment. Évidemment.

— Il m'a *cruisée* pas mal, moi aussi, ajoute Caillé en grimaçant. Je peux pas croire qu'il pensait *vraiment* avoir des chances avec moi !

— Moi aussi, il m'a tourné autour pendant un boutte, murmure Farer qui en oublie de pleurer. Pis j'en avais parlé à Ludo, qui trouvait pas ça drôle... Lui qui, pourtant, aimait tellement rire avec moi !

Elle ouvre à nouveau les vannes. Caillé précise :

— Moi, je l'avais pas dit à Guillaume, j'ai pas l'habitude de me plaindre. Mais il s'en était rendu compte lui-même pis c'est vrai que ça le faisait chier pas mal.

— C'est ça, reprend Thibodeau en hochant la tête. Quelques jours après que j'ai raconté ça à Nico, il m'a dit que Mathis me laisserait tranquille, que lui pis quelques autres gars lui avaient fait comprendre que les belles filles, c'était pas pour lui. Pis le lendemain, j'apprenais que Mathis était à l'hôpital. Il est resté là un bon mois certain. Je... j'en ai jamais reparlé à Nico.

Elle rougit, baisse les yeux. Elle se sent coupable, tout à coup, c'est évident. Je jette un regard entendu vers Gracq. La bouche entrouverte, la cigarette pendante, il paraît hypnotisé par le récit de Thibodeau. Je demande :

— C'était qui, les autres gars avec Nicholas ?

— Je le sais pas, mais… Je pense que c'est assez évident…

Et elle regarde les deux autres filles. Farer secoue la tête, incrédule.

— Ludo m'a jamais parlé de ça… lui qui pourtant me disait tout…

— Guillaume non plus m'a jamais rien dit… Mais c'est vrai qu'en sortant de l'hôpital, Mathis m'a plus jamais *cruisée*…

— Moi non plus, renchérit Thibodeau. Même quand j'ai laissé Nico y a pas longtemps. Même dans les corridors du cégep, Mathis me regarde pas.

— L'autre jour, quand j'ai vu qu'il travaillait à la COOP pis que c'est lui qui nous remettait nos cadenas pis nos agendas, j'ai eu peur qu'il recommence à me faire des avances poches, dit Caillé. Mais non, il m'a à peine regardée… J'étais contente : il est encore plus pichou que dans le temps, je pense…

J'hésite une seconde, puis demande à Thibodeau :

— Est-ce que… est-ce que tu sais s'il y avait un quatrième gars impliqué ?

Gracq m'interroge silencieusement des yeux. Thibodeau dit qu'elle n'en a aucune idée, Nico n'a pas été aussi précis.

— Vous… vous pensez que c'est ce Mathis Loz qui a… tué mon Ludo ? bafouille Farer entre deux sanglots.

— Il a fait ça comment ? demande Thibodeau, confuse. En changeant nos numéros de cadenas ? Je *catche* pas, là…

— C'est-tu sérieux, tout ça, ou vous nous niaisez ? s'énerve Caillé qui se remet sur le mode arrogance pour camoufler sa nervosité.

Je ne trouve rien à dire, éperdu moi-même. Gracq, lui, la langue pointant entre les poils de sa barbe, gribouille dans son calepin comme si sa vie en dépendait.

◆

Tandis que nous attendons devant la porte contre laquelle nous venons de cogner, Gracq me demande :

— Pourquoi t'as demandé la question de savoir si les gars étaient du nombre de quatre ? Tu penses qu'il y en a un autre ?

— Peut-être.

— Qu'est-ce qui t'apporte à songer ça ?

Je ne peux quand même pas lui parler du délire hallucinatoire de Zazz. Mais il y a autre chose : je me souviens que Zazz m'a dit, l'autre jour, que juste avant de disparaître, Duval était allé partager ses doutes avec quelqu'un d'autre et que cette personne s'était moquée de lui. Ce quelqu'un d'autre est peut-être le quatrième gars impliqué, la prochaine victime...

Mais avant que je puisse trouver une réponse pour Gracq, Mathis Loz ouvre la porte. Son physique ne s'est pas amélioré depuis notre dernière visite, sauf qu'il porte un pantalon noir bien propre, un veston de la même couleur et une chemise blanche classique rarement arborée par les adolescents. Ses cheveux sont même bien peignés. Du moins, on sent qu'il y a eu volonté de les coiffer : venir à bout de laine d'acier rousse n'est pas une mince tâche. Son étonnement indique qu'il ne s'attendait vraiment pas à nous revoir.

— Heu... Oui ?

— On voudrait te parler, Mathis, que je dis.

Et cette fois, je ne tente pas d'être diplomate, mon ton est plutôt hivernal. Pourtant, intérieurement, je suis très excité car je sens qu'on touche au but. Et je m'imagine déjà la gueule de Garganruel quand on va lui livrer le coupable. Il n'aura pas le choix de reconnaître mes talents d'enquêteur !

— Encore ? fait Loz qui ne peut empêcher la contrariété de teinter sa voix. Écoutez, j'avoue pas trop saisir où vous voulez en venir...

— Ça sera pas long. On peut entrer ?

— Non, je travaille ce soir, je dois être au boulot dans sept minutes et dix-huit secondes, alors...

Il est mal à l'aise, mais moins intimidé que la dernière fois. Je fais signe à Gracq que je lui laisse le champ libre. Tel un chien attendant l'hallali, il se lance et surpasse même mes attentes :

— C'est toi qui as assassiné les trois étudiants de cette semaine en les tuant, hein, Loz ? Allez, admets ton aveu !

Loz a la générosité de me fournir la réaction escomptée : il devient blanc, un long frisson le parcourt, ses yeux s'emplissent de panique, bref, tous les symptômes classiques du coupable pris la main tout au fond du sac. Il ne manque que l'accord d'orgue dramatique. Bon joueur, Loz pousse la caricature jusqu'à s'exclamer :

— Quoi ? Mais c'est faux, voyons !

Oh là là ! Autant la prestation des filles était digne d'un Oscar, autant celle de Loz ressemble à un hommage à Keanu Reeves. Merci, ma chouette, je n'en espérais pas tant. Maintenant, plus l'ombre d'un doute : c'est lui le coupable. Gracq l'a aussi compris, car il se met à le mitrailler à bout portant, le doigt pointé vers lui comme si un rayon laser allait en jaillir, et lui déballe tout : son harcèlement des trois pitounes, la terrible raclée qu'il a reçue des trois machos, son désir de vengeance... Loz balbutie des objections, joue l'offensé, reprend même de l'assurance, mais c'est trop tard, il s'est trahi.

— Pis pour arriver à tes moyens, tu as usé de l'utilisation de la sorcellerie ! postillonne Gracq. À la distribution des cadenas, tu t'es organisé un arrangement pour donner aux filles trois cadenas que tu avais imbibés d'un ensorcellement !

— Mais… mais ça tient pas debout, voyons, c'est du pur délire ! Ça suffit ! J'en ai assez entendu !

Et il nous claque la porte au nez. Gracq, insulté, vient pour frapper à nouveau, mais je l'attrape par le bras et le ramène à ma voiture. Déconcerté, il se laisse faire en rangeant maladroitement son calepin dans sa poche. Une fois assis à mes côtés dans ma bagnole, il me demande :

— Qu'est-ce qui te saisit ? Tu penses quand même pas qu'il s'agit pas de lui en tant que coupable ?

— C'est lui, je suis sûr… Mais on a pas de preuve, pis il peut être dangereux, Simon ! Il est responsable de trois meurtres, oublie pas ça !

— Bon, je saisis la compréhension, mais on fait quoi, d'abord ?

Je démarre enfin et m'engage sur la route. Je regarde dans mon rétroviseur : j'aperçois Mathis Loz sortant de chez lui et montant derrière le volant d'une vieille camionnette garée devant son appartement.

— Je sais pas…

On roule en silence un moment sous le ciel noir de nuages. Gracq propose que j'aille le reconduire chez lui et qu'on réfléchisse chacun de notre côté.

— On se contacte en s'appelant demain pour une mise à jour du bilan, qu'est-ce que t'en penses ?

J'approuve en silence, soucieux. Cinq minutes après, je laisse Gracq devant un triplex et, une fois dehors, il se penche devant ma portière :

— On l'a presque, Julien.

Il marche vers son appartement. Je roule deux coins de rue plus loin, m'arrête et me prends le visage à deux mains. Ostie, je fais quoi, maintenant ? Je vais trouver Garganruel pour lui dire que Loz s'adonne à la sorcellerie?

Je ris, c'est plus fort que moi. Il y a un an à peine, j'étais enseignant à Drummondville, en plein divorce, et tout à coup, je me retrouve plongé dans un épisode de *Buffy the vampire slayer*. Moi qui pensais qu'à Saint-Trailouin, je trouverais au moins la tranquillité…

Mon portable émet une alerte et je le consulte pour y lire le message suivant: *Appeler Émile*. Je songe un instant à remettre ça à ce soir, quand j'aurai les idées plus claires, puis me dis que ma procrastination commence à frôler l'irresponsabilité parentale. J'appelle donc chez mon ex en m'allumant une cigarette. En entendant sa voix polaire, j'en déduis qu'elle a vu mon nom sur son afficheur.

— Salut, Laura. Ça va?

— C'est bizarre. Chaque fois que je me sens particulièrement en forme et de bonne humeur, tu choisis ce moment pour téléphoner. Comme pour me rappeler que la vie est pas si parfaite.

— C'est très judéo-chrétien.

— C'est surtout très injuste.

Je lisse un de mes sourcils. Pas question que j'embarque dans son petit jeu. Je vais être poli et civilisé. Juste pour lui montrer que j'en suis capable.

— Je viens de terminer ma première semaine d'enseignement, ici…

— Ça t'a laissé le temps de fourrer tout ce qui bouge, j'imagine.

Je tambourine sur le volant en rejetant longuement la fumée de ma cigarette. Ma voix demeure lisse, mais je sens la salive littéralement bouillir dans ma bouche.

— Non, seulement une. Il y a deux jours. Une femme mariée, en plus. Tu vois, y a pas juste les maris qui peuvent être des salauds.

Silence. Je me réjouis bêtement de mon *smash*. Enfin, elle marmonne :

— Je te passe Émile.

Eh bien, ça n'a pas été si mal, finalement ! Notre dernière discussion s'était terminée dans les cris et les insultes, je crois même que plusieurs fils téléphoniques s'étaient décrochés de leurs poteaux. Il y a du progrès, c'est bien.

— Salut, p'pa.

Émile vient d'avoir treize ans, mais il a déjà la voix blasée et traînante d'un ado de quinze. Le genre de voix que je déteste, qui donne l'impression que le jeune a subi une régression dans la chaîne évolutive.

— Salut, Émile. Ça va bien ?

— Ouais, ouais… Toi ?

— Pas mal. Je suis installé, tout est en ordre.

On discute pendant deux ou trois minutes. Et je sens mon cœur qui se barbouille de plus en plus, parce que même si sa voix m'exaspère, même si ses notes à l'école sont désastreuses, même si son unique but dans la vie est de battre le record mondial au jeu *Call of duty*, je me rends compte que je m'ennuie vraiment de lui. Quand je sens qu'il commence à se lasser de notre discussion, je demande :

— T'as envie de venir ici, une fin de semaine ?

— T'as-tu Internet chez vous ?

— Oui, mais à basse vitesse.

— Ça veut dire quoi, ça ?

« Ça veut dire que les filles toutes nues que tu as commencé à regarder en cachette apparaissent si lentement que tu as le temps d'éjaculer trois fois avant de leur voir la chatte… », ai-je envie de répondre. Mais bien sûr, je dis plutôt :

— C'est juste que les infos arrivent plus lentement, mais tu peux quand même aller sur Facebook.

Court silence durant lequel je l'imagine réfléchir en replaçant sa longue frange de cheveux que j'ai envie de lui couper chaque fois que je le vois.

— Ouais… Ça pourrait être *cool*…

— Dans deux semaines ?

— M'a voir ça avec m'man.

— OK, on se rappelle. J't'aime, mon grand.

— Moi aussi, je t'aime.

Il a beau avoir treize ans et jouer les blasés, il n'a jamais eu de difficulté à me dire « je t'aime ». Et je me répète que tant qu'il me le dira sans gêne, il continuera d'être mon petit garçon.

Je coupe le contact et termine ma cigarette en regardant dehors, plus retourné que je ne l'aurais cru. Je sais que je suis un irresponsable et un égoïste, et que cela a causé du tort à des gens autour de moi. Mais je n'arrive pas à m'en vouloir parce qu'après tout il s'agit d'adultes qui me connaissaient et qui ont accepté de me prendre comme je suis. La seule personne envers qui je me sens coupable est Émile. Parce que lui ne m'a pas choisi. Lui n'a pas eu le choix.

Fuck, ça sent la déprime. J'ouvre la fenêtre, jette la cigarette et regarde ma montre : seize heures trente. Finalement, je vais aller à ce 5 à 7 au cégep, ça va me changer les idées. Rachel sera peut-être présente. Un cocktail qui compte cette femme parmi ses convives ne peut pas être complètement ennuyant. Et comme ça commence dans vingt minutes et que j'ai horreur d'arriver le premier, j'ai le temps de faire un peu de shopping. Je sors donc de ma poche le papier que m'a donné Zazz hier et lis le nom de la personne au-dessus de l'adresse : Ginette Sardou.

Ginette… Je secoue la tête : il n'y a qu'à Saint-Trailouin qu'une *dealeuse* peut porter un tel prénom…

◆

Debout sur le trottoir, j'observe l'édifice devant moi, puis consulte à nouveau mon papier. Pas de doute, c'est la bonne adresse. Je reviens au magasin et lis pour la dixième fois l'affiche :

AUX TROUVAILLES DE GINETTE
cadeaux, bibelots et déco

Je secoue la tête et entre dans le magasin.

C'est une sorte de Dollarama comme on en voit tant : casseroles et vaisselle, figurines diverses, accessoires de bricolage, cadres et toiles quelconques, jeux divers, outils, fleurs, kits de toilette, lunettes de soleil… Bref, le genre de magasin fréquenté par trois types de clientèle : les troupes de théâtre amateur qui doivent fabriquer un décor pour pas cher ; les enfants qui organisent une fête, et les gens qui croient qu'une abeille en céramique butinant une fausse fleur est une œuvre d'art. Dans un des trois corridors, un employé, grimpé sur un escabeau, nettoie la poussière sur une série de faces de clowns hilares en argile dont les dents forment le mot *Bienvenue*. Je me rends au comptoir où une cliente dans la trentaine tend de l'argent à la caissière, une obèse dans la quarantaine avancée aux cheveux châtains en boule.

— Merci, bonne journée…

La cliente prend son achat (un récipient en forme de loutre qui peut aussi bien être un plat à lasagne qu'un bain de pied), puis sort. Je m'approche et un sourire amical apparaît au milieu des immenses joues graisseuses de la caissière.

— Bonjour, monsieur, je peux vous aider ?

— Je voudrais… heu… Je voudrais voir Ginette.

— Vous l'avez devant vous, mon bon monsieur, comment je peux vous aider ?

Est-ce que je suis vraiment sur le point de demander du pot à ce sosie de ma tante Guylaine, celle que l'on confondait à chaque réveillon avec le père Noël, autant à cause du poids que de la barbe ? Je me gratte la joue, dubitatif. Je remarque, assis au pied de la femme, un cocker roux qui, de temps à autre, grimpe sur la jambe de sa maîtresse. Si Zazz m'a joué un sale tour, elle va m'entendre. J'appuie mes deux mains sur le comptoir et avance la tête.

— On m'a donné votre nom au cas où je chercherais des... substances particulières.

— Ah, oui, je comprends, vous êtes nouveau, vous, hein ?

— Heu, oui, je viens d'arriver...

— Ahhhhh, je me disais, aussi, ça faisait longtemps qu'on m'avait pas approchée comme ça, ah-ah ! Couché, Sultan, couché. Allez, venez avec moi, mon bon monsieur... Denis, mon grand, tu tiens la caisse pendant deux ou trois minutes ?

Denis, dans son escabeau, émet un « OK » laconique sans cesser d'épousseter ses clowns. Ginette marche vers le fond du magasin et nous la suivons, Sultan et moi. Elle ouvre une porte et la franchit :

— Entrez, mon bon monsieur, entrez, pis essuyez vos pieds, s'il vous plaît, je viens de laver mon plancher, ce serait ben maudit de le resalir, tranquille, Sultan, tranquille, mon chien. Venez vous asseoir, faites comme chez vous.

Nous sommes dans une banale cuisine dont les décorations criardes proviennent sans aucun doute du magasin même. Ça sent la délicieuse nourriture maison, les desserts bien riches, et plusieurs chaudrons souillés attestent qu'on a mijoté de bons petits plats dans la journée. Je m'assois à une table recouverte d'une nappe orange aux motifs de fermière dansante. Ginette referme la porte, demeure debout et, tout en caressant d'une main son chien (qui ne cesse de monter sur sa jambe), demande :

— Alors, mon bon monsieur, qu'est-ce que vous cherchez, exactement ?

— Je... On m'a dit que vous aviez du pot ?

— Ah, mais oui, pis de l'excellent, même les jeunes de la région trouvent qu'il est meilleur que celui de Montréal. Ça m'étonne pas ! Comment voulez-vous que du pot qui pousse dans une ville si polluée soit sain ? Je suis allée juste trois fois à Montréal dans toute ma vie, pis je comprends pas comment les gens font pour rester là, c'est vraiment la folie, vous trouvez pas ? Le monde est devenu fou, mon bon monsieur, voyons, couché, Sultan, couché, j'ai dit ! Pis la violence, pis le sexe, le bon Dieu va finir par faire le ménage dans cette ville-là, retenez ce que je vous dis ! (Elle va ouvrir une armoire, remplie de sachets et de sacs de toutes sortes, et elle en prend un.) J'ai une sœur qui habite là-bas, pis je trouve qu'elle a tellement l'air malheureuse ! Évidemment, elle s'est divorcée, pis je pense même qu'elle a plusieurs amants, voir si ç'a de l'allure ! Si maman voyait ça, Dieu ait son âme... Voilà, ça, c'est mon meilleur, mon bon monsieur, trois grammes et demi, vous serez pas déçu !

Elle dépose un sac empli d'herbes, comme s'il s'agissait de banales épices. Je le soupèse, toujours dubitatif, puis :

— Combien ?

— Trente dollars, mon bon monsieur.

Tandis que je sors mon portefeuille, elle me demande :

— Pis vous venez d'où, vous ?

— Drummondville.

— Ahhhh, ça, c'est un coin tranquille. J'y suis jamais allée, mais je suis sûre que c'est un beau coin.

C'est là qu'il y a le Mondial du Folklore, non ? Ça doit être un ben beau festival, ça, avec les costumes, les danses pis tout plein d'ethnies du monde entier... Il paraît qu'il y a même des Russes parmi les invités. C'est-tu vrai ? Ils peuvent sortir de chez eux, les Russes ?

Tandis que je lui tends l'argent, je remarque qu'il y a d'autres substances dans son armoire et je me surprends soudain à demander :

— Est-ce que... Avez-vous aussi quelque chose d'un peu plus... heu...

— De plus fort ? De l'ecstasy ? De la cocaïne ?

— De la coke, oui.

Je ne consomme pas souvent de la poudre, seulement quand quelqu'un m'en offre au cours de soirées particulièrement décadentes. Et je n'en achète jamais. Mais ce soir, je sens que je vais faire une exception. J'ai *vraiment* besoin de m'éclater. De m'éclater au point de ne plus penser à rien.

— Ouf, j'ai eu peur que vous me disiez de l'héroïne, parce que moi, je vends pas ça ! fait Ginette en retournant à son armoire. J'ai des valeurs, moi, mon bon monsieur, c'est pas comme à Montréal où on vend du crack à un bébé aux couches, arrête, Sultan, ça suffit, gros mal élevé ! Vous en voulez combien ?

— Juste un demi.

— Parfait, pas de problème. (Elle prend un petit sachet.) De toute façon, vous avez pas l'air d'un *junkie*, ça se voit tout de suite.

Elle hésite avant de me donner la poudre ; elle ressemble à une mère qui veut s'assurer que son fils regarde bien des deux côtés avant de traverser la rue.

— Vous en prenez pas trop souvent, de la coke, hein ?

Est-ce qu'elle va me dire en plus que le danger croît avec l'usage ? Normalement, je devrais l'envoyer au diable. Mais je ne peux m'empêcher de sourire :

— Juste de temps en temps, inquiétez-vous pas.

Rassurée, elle me tend le sachet :

— Je le savais, ça se voit. Voilà, mon bon monsieur, pis c'est de la pure, hein ? Pas coupée avec du Ajax ou d'autres cochonneries comme ça, non, non, non ! Avec Ginette Sardou, c'est de la qualité partout, ah, ah ! Sultan, bout d'viarge, je vais te botter le derrière ! Cinquante dollars, s'il vous plaît.

Je paie à nouveau. Elle glisse mes billets dans un pot à biscuits sur le comptoir.

— Merci, mon bon monsieur. Venez, je vais vous reconduire. Pis hésitez pas, j'ai plein d'autres choses : du *speed*, du Valium, des anti-anxiogènes, des stéroïdes, du Prozac, du Viagra… À un moment donné, si vous voulez passer une bonne nuit avec une dame de votre connaissance, vous viendrez m'acheter de la Royale.

— De la Royale ?

— Vous connaissez pas ça, hein ? C'est une exclusivité que me fournit un jeune homme qui vient dans le coin de temps en temps… C'est une drogue qui vous met de la mine dans le crayon, si vous voyez ce que je veux dire, ah-ah ! Excusez-moi d'être grivoise, mais, bon, de temps en temps, on peut ben rire un peu, hein ? C'est tellement explosif, cette Royale-là, vous croiriez pas ça ! Sultan en a mangé un plat complet par erreur y a six mois, pis regardez ce qu'il est devenu. Par ici, mon bon monsieur, par ici… Sultan, arrête, je vais te castrer, mon torrieux !

Une minute plus tard, la grosse Ginette a repris sa place derrière son comptoir. Dans le magasin, deux autres clients examinent les jeux de dard en velcro et les chandeliers en forme de girafes. Je sors du magasin, déboussolé mais plutôt satisfait. Ginette a désormais un nouveau client. Et c'est la première fois qu'un *dealer* me fournit du *shit* qui sent la cannelle…

◆

Quand j'entre dans le café étudiant, je ne suis pas surpris de retrouver les mêmes murs verts que partout ailleurs dans le cégep. Une cinquantaine de personnes, verre à la main, écoutent Bouthot qui, sur une petite scène, livre son laïus de bienvenue. Près de lui se tient Archlax, droit comme un i, les mains dans le dos, si imperturbable qu'il ressemble à un vieux garde du corps. Je finis par repérer Poichaux, Mortafer et Davidas et je m'approche d'eux. En m'apercevant, Poichaux éprouve un réel soulagement.

— J'ai eu peur que tu viennes pas, me chuchote-t-elle. C'est pas que c'est obligatoire, évidemment, il y en a toujours qui viennent pas, mais un nouveau prof, normalement, faut qu'il joue le jeu un peu. Je veux pas dire que c'est un jeu, ce soir. Sûrement pas, c'est pas assez amusant pour que ce soit un jeu… Enfin, je dis pas non plus que c'est plate, jamais de la vie, c'est juste que…

— Je vais me chercher un verre.

Je me dirige vers le bar. En attendant ma consommation, j'écoute le discours de Bouthot qui, les yeux plissés derrière ses lunettes et le nez contre ses feuilles de papier, éprouve quelques difficultés à parcourir les lignes :

— … et je peux dire qu'après trente ans de loyaux sévices… de loyaux services, j'ai encore le feu, sacré Ingrid. Heu… J'ai encore le feu sacré. Ingrid, ma femme, peut en témoigner.

Et il désigne dans la salle un silo à grains souriant qui envoie timidement la main. Je prends une gorgée de ma bière. Trente ans, c'est tout de même incroyable… Bouthot est donc devenu DG à la fin de la vingtaine, début trentaine. C'est jeune. Et comment un cégep peut-il conserver un DG aussi longtemps ? Surtout quand il est si manifestement incompétent ! Dans la salle, les visages ne font aucun effort pour camoufler l'ennui. Archlax lui-même, près de son patron, et malgré son impassibilité, dégage des vapeurs de lassitude. La voix du directeur se gonfle de fierté et je comprends qu'il en est à sa grande sortie :

— Je suis fier de Malphas ! Un cégep de région qui peut se draguer... se targuer de compter neuf départements...

Archlax se penche discrètement à l'oreille de Bouthot et y glisse brièvement une information. Bouthot se reprend :

— ... sept départements, quinze programmes universitaires...

Nouveau murmure d'Archlax.

— ... treize programmes universitaires, six diplômes techniques...

Murmure. Bouthot essuie son front.

— ... trois diplômes techniques et, heu... un DEC international ?

Archlax, les mains dans le dos, a un léger signe de dénégation. Le DG s'humecte les lèvres, puis lève les bras, exalté :

— Malphas, c'est ma fierté et ma vie ! Je suis le directeur général de ce cégep depuis sa création, et j'espère le rester jusqu'à sa disparition !

Il semble réaliser l'incongruité de ce qu'il vient de clamer et, perplexe, fouille dans ses feuilles, sans doute à la recherche de la bonne phrase. Toussotements dans la salle. Bouthot abandonne ses feuilles qu'il plie en deux, en quatre, en six (s'il avait pu, je crois qu'il les aurait pliées en vingt-quatre), puis annonce :

— Et maintenant, je laisse la parole à un autre pilier de notre établissement, nul autre que Rupert Archlax, deuxième du nom !

Tandis que les applaudissements aussi tièdes que ma bière clapotent dans l'assistance, Archlax fait quelques pas, mais Bouthot se rappelle quelque chose car il revient pour lancer :

— Ah, oui : n'oubliez pas de jeter un œil à mon exposition ! Cette année, j'ai trois nouveaux cahiers !

De quoi parle-t-il ? Tout en rejoignant mes collègues, je remarque que tout autour de la salle, sur des tables, sont installés des cahiers. Mortafer me glisse :

— Tiens, Julien. Alors, tu t'ennuyais à ce point ce soir ?

Davidas rigole, tandis que Poichaux paraît outrée par la blague. Je réplique :

— Toi aussi, on dirait.

— J'avais le choix entre écouter une comédie romantique avec ma femme et venir ici. Entre l'humour médiocre et l'humour involontaire, j'ai choisi le plus distrayant.

Archlax, les mains dans le dos, sans discours écrit, sérieux comme s'il allait annoncer la fermeture du cégep, commence :

— Bonsoir, chers amis. Vous me connaissez, je serai bref. Je veux tout simplement vous souhaiter une très bonne année scolaire à Malphas. Même si elle a commencé plutôt tragiquement cette semaine, je suis convaincu que tout est maintenant rentré dans l'ordre.

Toujours aussi délicat pour aborder les sujets dramatiques, ce cher Double-Pénétration… Il a prononcé cette phrase de la même manière qu'il aurait annoncé quelques problèmes de chauffage dans le cégep qui, rassurons-nous, seront réglés d'ici quelques jours.

Sauf qu'Archlax se trompe peut-être. Du moins, si l'on peut se fier au délire hallucinogène de Zazz. Il y en aura peut-être un quatrième… Mais qui ?

« Ils ont encore faim… »

La nervosité et le malaise me gagnent à nouveau et je prends la moitié de ma bière d'une seule gorgée. Archlax poursuit :

— Je voudrais souhaiter la bienvenue à trois nouveaux enseignants, cette année. En mathématiques, madame Céline Fallu…

Dans la salle, une quadragénaire au visage hautain lève la main tandis qu'on l'applaudit.

— En économie, monsieur Sylvain Dradir…

Un mulâtre dans la trentaine, l'air de fort bonne humeur, secoue sa main dans les airs, tout heureux des applaudissements.

— Et en arts et lettres, monsieur Julien… Sarkozy.

Léger mouvement de surprise. En soupirant, je lève une main résignée. On applaudit, tout en observant avec curiosité le malheureux affublé d'un tel patronyme. Dans la salle, une fille applaudit plus fort en criant des « hourrah ! » juvéniles et je reconnais Zazz, plus loin, qui me sourit en levant le pouce. Au moins, elle a repris du poil de la bête depuis hier. La déprime est sans doute de courte durée chez cette fille. Archlax poursuit :

— Et je tiens à souligner la présence d'une personne très importante ce soir parmi nous. Elle l'est pour moi, mais aussi pour ce cégep. Car dans les deux cas, nous n'aurions pu exister sans cet homme.

Il énonce cela avec orgueil, mais on trouverait sans doute davantage de chaleur dans un formulaire d'impôt.

— Mesdames et messieurs, le créateur de Malphas et celui qui en a été le directeur pédagogique pendant douze ans, Rupert Archlax, premier du nom.

Nouveaux applaudissements, plus respectueux cette fois, tandis que dans l'assistance, papa Archlax salue humblement de la main. Je demande à mes collègues :

— Est-ce qu'il assiste à chaque ouverture de session?

— Non, seulement de temps en temps, répond Poichaux. Il habite à Montréal, mais comme il a un chalet ici, il vient faire un tour assez souvent. Je pense que son cœur est encore ici.

— Ou bien il vient surveiller son fils, ajoute Mortafer d'un air entendu.

— J'ai cru comprendre qu'il revenait de France, que je précise.

— C'est possible, fait Poichaux. Grâce à ses livres, il voyage beaucoup.

— De France? intervient Davidas. Quel beau pays. La culture, l'architecture... Dommage qu'on y mange si mal.

Et il prend une gorgée de sa bière, inconscient des regards exaspérés qui déferlent sur lui. Je songe à la bombe charnelle qui était avec lui tout à l'heure et je me dis que la malédiction de Toutankhamon est un mystère bien bénin comparé à certains autres.

Le discours d'Archlax étant terminé, des petits groupes se forment et mes collègues me présentent deux autres professeurs d'un autre département. Une discussion tout à fait insignifiante se met en branle et j'en profite pour examiner plus attentivement toute la tribu présente. Je constate que ni Valaire ni Hamahana ne sont venus (le contraire aurait été étonnant), mais une présence immobilise le panoramique de mon regard de manière si abrupte que mes globes oculaires en déraillent presque: Rachel, debout, verre à la main, portant une robe toute simple mais bien moulante. Vision absurde: elle discute avec Archlax junior. Même le stoïcisme de notre DP ne peut résister aux charmes de la déesse et se fissure à plusieurs endroits, laissant échapper des coulées d'émoi qu'il tente de camoufler à grandes lampées de vin. Mais la discussion entre eux deux s'anime rapidement et l'excitation d'Archlax se teinte de nervosité. Il secoue la tête, marmonne des réponses qui ne semblent pas plaire à Rachel, tout en jetant des regards embarrassés vers un coin de la salle. Je télescope dans cette direction et constate que plus loin, au centre d'un groupe, Archlax senior toise son fils d'un regard pénétrant.

Puis Rachel hausse les épaules, dépose son verre vide sur une table et s'éloigne. Je bondis vers le bar et commande un verre de vin. Il arrive au bout de trente secondes, je le prends et me mets en marche à la recherche de mon fantasme, mais aucune trace. Elle est donc partie ? si vite ? Je me tourne à nouveau vers Archlax qui, maintenant, s'entretient avec son père qui l'a rejoint. Senior a le visage désapprobateur en parlant tandis que junior, mal à l'aise, tente de rassurer le vieil homme. Papa gronde fiston ? À quel sujet ? Le prévient-il qu'il ne devrait pas s'intéresser à des femmes qui sont d'un niveau esthétique supérieur au sien ? Je songe un moment à courir vers la sortie pour rattraper Rachel, mais me retiens à temps. J'ai envie de la sauter, certes, mais pas au point de perdre toute dignité.

Comme ça fait deux jours que je ne suis pas venu au cégep, l'odeur désagréable qui y règne me paraît plus évidente ce soir et je renifle en grimaçant. Mortafer, qui s'est approché, sourit :

— Tu essaies d'identifier l'odeur, pas vrai ?

— Ça sent plusieurs choses, des choses qu'on connaît mais qui sont comme mêlées...

— Exactement. À mon arrivée, il y a quinze ans, moi et quelques collègues nous sommes amusés à identifier les composantes de cette odeur. On a décelé des fruits pourris, de la sueur, du crottin de cheval, de l'urine, de l'eau de caniveau, de la viande avariée…

Je m'étonne. Il n'a pas tort, il y a un peu de tout ça, mais de manière subtile, pas trop envahissante. Mortafer poursuit :

— Tu as lu *Le Parfum* de Süskind ? Tu te rappelles le fameux passage au début du roman, quand on décrit l'odeur des rues parisiennes d'il y a trois cents ans… C'est exactement ça.

Il rigole en prenant une gorgée de sa bière :

— Malphas a des relents du Paris du dix-huitième siècle.

— C'est vrai, que j'articule, bouche bée. C'est dingue, mais c'est tout à fait vrai…

Mes autres collègues s'approchent, on me présente d'autres professeurs et on s'emmerde tous consciencieusement. Discrètement, j'examine la salle : sur les murs verts, on a accroché une dizaine de tableaux pour mettre un peu de vie. Sauf que les peintures représentent toutes des gens immobiles et de dos.

À un moment, je vais jeter un œil sur l'exposition de Bouthot et constate avec ahurissement qu'il s'agit de ses *scrapbooks*. Il y en a une vingtaine, montés sur des petites tables, comme s'il s'agissait de reliques incas. Chacun a son thème : les vacances d'été, Noël, anniversaire de mariage… J'en feuillette deux ou trois, incrédule. Bouthot et sa grosse moitié y sont à l'honneur à chaque page. Je me demande s'il y en a un sur leur nuit de noces, puis me dis que je ne tiens pas à voir ça. À peu près personne d'autre n'admire l'œuvre du maître, sauf Poichaux qui les examine un par un, avec toute la concentration de l'exégète qui plongerait dans un manuscrit inédit de Cervantes. Je demande à ma coordonnatrice si notre DG les expose comme ça chaque année. Elle me confirme la chose et précise que, depuis huit ans, il y en a deux ou trois nouveaux à chaque session. Elle me dit cela sans aucune trace d'humour ou de moquerie.

Je voudrais partir, mais on me confirme qu'il y aura un buffet d'ici quelques minutes. Manger à l'œil, c'est toujours agréable, même s'il s'agit de sandwichs au poulet pressé et de céleri noyé dans la trempette. Sauf que je n'arrête pas de songer à Mathis Loz. Il faut prouver que c'est lui le responsable, mais comment ? Je dois me changer les idées... C'est sans doute le bon moment pour essayer le sucre de tante Ginette. En plus, ça m'aiderait à trouver la soirée amusante, pourvu que mon *high* n'attire pas trop l'attention. Et puis, j'ai remarqué deux ou trois femmes pas trop vilaines qui se lasseront bien des céleris et, sait-on jamais, auront envie d'essayer un autre type de trempette...

Je vais donc m'enfermer dans une cabine des toilettes pour hommes. Tandis que je dépose la poudre sur ma clé de voiture, je me dis que je suis bien imprudent de faire ça ici, dans le cégep. Sauf que je ne suis pas dans un cégep comme un autre, je suis à Malphas... Et comme pour confirmer ce constat, j'entends des gémissements en provenance de la cabine voisine, ponctués de chocs réguliers contre la paroi. Je comprends qu'un couple baise à mes côtés, et si je me fie à la tonalité des sons, les deux partenaires ont tout à fait le droit de se trouver dans les toilettes des hommes. Je souris en reniflant la coke. Finalement, ce cocktail n'est pas tout à fait aussi *straight* que ceux que j'ai connus chez mes employeurs précédents...

Elle avait raison, tante Ginette, c'est de la bonne ! Remonté, les idées embrasées, je retourne dans le café étudiant, bien décidé à m'amuser un peu. Mais non seulement la coke ne me change pas les idées, elle les rend encore plus obsédantes, et malgré le fait que je discute depuis une dizaine de minutes avec une enseignante en psychologie intéressée à m'expliquer concrètement et privément à quel point *Tropique du cancer* a changé sa vie, je n'arrive pas à effacer Loz de mon esprit, au point d'en éprouver une froide colère dirigée autant contre lui que contre moi-même. Une seule solution : aller voir Garganruel et tout lui raconter, du moins ce qui s'est passé il y a un an et demi entre Loz et les trois victimes. Cette partie de l'histoire, rationnelle et sans sorcellerie, devrait suffisamment lui mettre la puce à l'oreille pour qu'il rende visite au rouquin boutonneux. Une fois sur place, le flic découvrira peut-être quelque chose. En tout cas, ça ne coûte rien d'essayer. N'empêche, l'idée que Garganruel règle toute l'affaire grâce à Gracq et à moi provoque en mon for intérieur des remontées d'acide gastrique brûlantes. Mais ai-je le choix ?

On annonce alors que le buffet arrive, gracieuseté de la COOP du cégep. Cinq ou six personnes, dont certaines sont des étudiants travaillant à la COOP, entrent en tenant des assiettes de victuailles (les sandwichs et les céleris sont au rendez-vous, les traditions ne se perdent pas) qu'elles déposent sur des tables. Et qui vois-je parmi ces bons petits soldats ? Loz lui-même, emprunté dans son attitude d'employé imperturbable et son costume chic, transportant une assiette de petits gâteaux sans doute secs. Dans mon esprit survolté qui tourne dans sa roue comme un hamster hystérique, je déduis que si Loz travaille ici ce soir, c'est qu'il n'est pas chez lui en ce moment (la cocaïne m'amène à ce genre de raisonnements spectaculaires). Pendant un instant, je jongle entre l'idée de partir tout de suite pour exécuter le plan qui vient juste d'apparaître dans mon esprit électrifié et celle de demeurer auprès de cette enseignante qui en est à me confier que chaque fois qu'elle parle d'Henry Miller, elle ressent une folle envie de baiser avec son interlocuteur. Finalement, je me dis qu'avec la coke, je n'arriverai sans doute pas à bander, et comme je suis vraiment obsédé par l'idée de démasquer Loz, je me dirige enfin vers la sortie du café étudiant. Dans le hall d'entrée, je croise Archlax junior en train d'avaler des friandises provenant d'un distributeur. Tel l'alcoolique anonyme pris en train de s'envoyer une gorgée de gin, il rougit violemment, s'éloigne du distributeur comme s'il était radioactif et, par contenance, me lance :

— Vous partez déjà, Julien ?

— Ouais, que je dis sans ralentir. Et vous, ce soir ? Vous vous êtes fait virer par Rachel ?

La coke me donne de l'esprit, certes, mais très peu de jugement. Je continue à marcher, sans attendre sa réaction, mais tout à coup, on me saisit le bras et on me retourne brutalement : je ne savais pas qu'Archlax était capable d'une telle agressivité, j'en demeure sans voix. Il me dévisage, la bouche crispée comme s'il voulait se pulvériser les dents. Même sa voix tremble. On dirait presque Bruce Banner sur le point de se transformer en Hulk.

— De quel droit ! *De quel droit !* Je ne suis pas comme ça, vous saurez, je ne suis pas si bassement... bassement... C'est elle qui me tourne autour, vous entendez ? C'est elle !

Rachel qui tourne autour de cet antidote au désir ? Tu rêves, ma chouette ! J'émets un petit ricanement et rétorque :

— Du calme, mon vieux, j'ai bien vu, tout à l'heure, que vous tentiez de la retenir alors qu'elle voulait partir...

Il blêmit et effectue même un pas de recul. J'ajoute :

— Je vous comprends, voyons. Et même, ça me rassure de constater que vous êtes un homme comme les autres.

— Taisez-vous ! me coupe-t-il, presque terrifié. Taisez-vous immédiatement !

— Tout va bien, ici ?

C'est papa Archlax qui approche, un verre de vin à la main, débonnaire. À croire qu'il est le Jiminy Cricket de son fils. Archlax junior se ressaisit, replace une mèche de ses cheveux un rien dérangés, maugrée : « Ça va, ça va », puis retourne rapidement vers le café étudiant d'où provient une ambiance sonore digne d'un congrès de nonnes octogénaires. Archlax senior suit son fils des yeux un moment, pensif, puis revient à moi avec son sourire convivial.

— Vous prenez congé, monsieur Sarkozy ? Comme Mauriac, vous croyez sans doute que « les êtres nous deviennent supportables dès que nous sommes sûrs de pouvoir les quitter »…

Il se souvient de moi, c'est pas mal. Je l'observe un bref moment, en songeant que cet homme a perdu sa femme et sa fille il y a trente ans mais qu'il a su surmonter cette tragédie en travaillant, en écrivant, en remportant un certain succès auprès de l'élite intel-lectuelle… Mais je songe surtout à la cigarette trouvée sur le sol devant la cabane de Fudd. Je n'ose pas lui demander directement s'il connaît la vieille alcoolo, mais joue tout de même au provocateur :

— Tout le monde est un peu dingue, ici, non ?

Il soutient mon regard, son sourire se teinte d'une sorte de défi hautain.

— Pas tout le monde. Et puis, bientôt, ça va changer.

— Ah bon ?

— Enfin, quand je dis bientôt... Si vous demeurez ici suffisamment longtemps, je vous garantis que vous assisterez à des changements spectaculaires. Malphas ne restera pas le repaire de tous les cancres du Québec *ad vitam æternam*...

Il prend une gorgée de son vin. Je voudrais lui demander d'être plus clair, mais Loz vient frapper à la fenêtre de ma conscience en brandissant effrontément ses deux majeurs.

— Bonne soirée, monsieur Archlax.

Et je tourne les talons, m'éloigne rapidement, les pensées en feu. En passant devant la fresque sur le mur, je lève brièvement les yeux : les adolescents dessinés semblent me fixer de leurs yeux dingues, comme si leurs sourires se foutaient carrément de ma gueule. Je m'empresse de sortir.

Au diable Garganruel ! Au diable la police ! Ils ne pourront rien faire de toute façon ! Loz n'est pas chez lui, aussi bien que j'en profite ! Je roule donc dans ma voiture en tentant de me rappeler le trajet. C'est la coke qui me rend aussi imprudent et aussi excessif, je le sais très bien, mais tant pis ! Après tout, c'est mon enquête, non ? Je vais donc la conclure moi-même ! Après avoir roulé jusqu'au bout de la rue Drock, une des trois avenues du centre-ville, je tourne à droite dans un quartier résidentiel, puis retrouve l'appartement de Loz. Je me stationne à une cinquantaine de mètres de l'immeuble et marche vers la porte du rez-de-chaussée. Les mains agitées, je tente de l'ouvrir. Évidemment, c'est verrouillé : n'en déplaise à Michael Moore, il y a encore des gens prudents au Canada. J'inspecte autour de moi en reniflant nerveusement : personne. Je prends mon élan et donne un coup d'épaule. Ostie, c'est pas mal plus difficile que dans les films ! Je masse mon bras endolori, me retourne et attaque de l'autre épaule, avec plus de force. Ça craque, heureusement dans la porte et non dans mon os. J'ouvre et une hésitation vient me tambouriner la conscience : Loz ne travaillera sûrement pas très longtemps au cocktail qui, à mon départ, affichait déjà des symptômes d'agonie avancée. Mais tant pis. Je n'arrive pas à m'enlever de la tête l'avertissement psychédélique de Zazz et je veux absolument *trouver quelque chose* !

Je referme la porte, cherche une lumière, me fracasse le tibia contre un meuble, sacre pendant vingt bonnes secondes puis trouve une lampe, que j'allume. Je perquisitionne partout, en tentant de ne pas trop foutre le bordel : des photos de famille, des livres de cours, des films pornos (ce qui me permet de constater que Shyla Stylez vient de produire une compilation de ses meilleures scènes : je note mentalement), de la bouffe de mauvaise qualité à profusion... mais rien de mystérieux ou de louche. Je tombe enfin sur la porte qui mène à la cave. Nouvelle fluctuation : ça fait déjà quinze minutes que je suis ici ; si Loz me trouve dans sa cave, je suis bon pour le renvoi de Malphas dans l'immédiat, la prison pour quelques semaines et les moqueries de Garganruel pour l'éternité. Mais je ne peux pas reculer si près du but. Si but il y a. Je descends.

L'ampoule du plafond éclaire froidement des étagères emplies de livres. Sur le sol, un pentacle est dessiné et de la poudre charbonneuse est éparpillée en son centre. Le cliché même du parfait petit kit de magie noire. Je vais feuilleter un ou deux livres : ça parle de sorcellerie.

Je prends une grande respiration. C'est donc vrai ? Tout ce grotesque carnaval grand-guignolesque est vraiment vrai pour vrai ?

— *Fuck!* que je crie en marchant de long en large.

J'ai vécu des années de galère avec mon ex-femme, j'ai commis au cégep de Drummondville une connerie irréparable qui a causé mon renvoi, je vis dans la misère pendant six mois seul dans un appart minable, et lorsque enfin un cégep accepte de me prendre comme prof, je me dis que je vais pouvoir recommencer une vie un peu plus équilibrée en pleine campagne apaisante, *mais non!* Parce qu'il faut que je tombe sur une ville de craqués mentaux dont certains habitants pratiquent la magie noire! La magie noire, câlice, pas la simple fraude, pas le banal trafic d'armes, ni même la rassurante prostitution, non, non: la *magie noire!* Pourquoi assassiner les gens d'un mécanique coup de couteau ou d'une ennuyante détonation de revolver, alors qu'on peut s'envoyer des malédictions par cadenas ensorcelés? Ah, le charme des régions! Ceux qui s'y ennuient font vraiment preuve de mauvaise foi!

— *Fuck, fuck, fuck, fuck!*

Tout à coup, ma colère disparaît, pulvérisée par une révélation brutale: si tout est vrai, alors je suis dans la cave d'un gars qui pratique la magie noire. D'un tueur. D'un sorcier psychopathe.

Bref, je devrais aller terminer ma soirée ailleurs. Et rapidement.

Je m'apprête à partir, mais j'aperçois au même moment, sur une large table en bois, un tas de feuilles parmi lesquelles traînent quelques cadenas. Je ne peux m'empêcher de m'approcher. Toutes les feuilles sont recouvertes de mots incompréhensibles en une langue inconnue, sauf une, sur laquelle je discerne quatre paires de noms avec des numéros de codes permanents.

Quatre paires!

Je m'empresse de prendre la feuille et la lis :

Julie Thibodeau – Nicholas Fermont : 090816
Marilou Caillé – Guillaume Duval : 090635
Lucia Gonzalez – Kevin Charvy : 093314
Amélie Farer – Ludovic Rivard : 092712

Kevin Charvy… C'est le prochain ! Sans doute le type à qui Duval est allé parler avant de disparaître ! J'imagine Duval en train de partager sa peur avec lui : « Hé, Kevin, tu te souviens de ce qu'on a fait à Loz en secondaire 5 ? Je pense qu'il est en train de se venger, *man*, pis que toi et moi, on est les prochains ! » Et Charvy s'est manifestement foutu de sa gueule…

Et Lucia Gonzalez, c'est la blonde ou l'ex de Charvy ! C'est elle qui déclenchera inconsciemment la mort de Charvy lorsqu'elle ouvrira son cadenas ! Mais pourquoi n'est-ce pas déjà fait après une semaine de cours ?

Lucia Gonzalez… Je me souviens de ce nom… C'est une étudiante de mon cours de jeudi. Lorsque j'ai relevé les présences, elle était absente et on m'a dit qu'elle avait été malade toute la semaine. Elle n'a sans doute pas encore utilisé son cadenas. Mais si elle va mieux, elle va revenir au cégep, peut-être demain… Donc il n'est pas trop tard !

— Je vais au moins en sauver un ! que je crie, triomphant.

— Vous êtes un optimiste. C'est touchant mais vain.

Stupéfait, je n'ai pas le temps de me retourner que je perds conscience à la suite de l'abattement brutal sur mon occiput d'un objet lourd et très dur, dont la nature demeurera à jamais inconnue, ce qui, au fond, représente le moindre des soucis qui m'attendent.

CHAPITRE DIX

*Où l'on a droit à l'inévitable
affrontement et à la non moins
inévitable course contre la montre*

Est-ce qu'on se sent toujours aussi nauséeux lorsqu'on se réveille après avoir été assommé ? Moi, je n'en sais rien, c'est la première fois que je vis cette expérience. C'est extrêmement désagréable. Premièrement, j'ai le crâne douloureux comme si toutes les cuites prises dans ma vie se concentraient en un seul et unique mal de tête. De plus, pendant quelques secondes, je me sens totalement éperdu, incapable de comprendre où je suis. Ensuite, je ressens une terrible nausée qui me fait littéralement hoqueter. Le seul autre réveil que j'ai connu qui s'approche un tant soit peu de celui-ci est ce matin de septembre, il y a deux ans, lorsque j'ai ouvert les yeux dans un motel minable, allongé près d'une obèse endormie de cinquante-cinq ans à la bouche à moitié édentée.

Après quelques secondes, je comprends que je suis allongé sur le plancher à l'arrière d'une camionnette. Je réussis à m'asseoir en gémissant et constate qu'on a lié mes poignets ensemble par-devant avec une sorte de lanière de cuir. Le véhicule ne roule pas. La petite lumière du plafond me permet de voir Loz, assis sur la banquette du conducteur et tourné vers moi, vaguement amusé.

— Vous en avez mis du temps à vous réveiller. (Il consulte sa montre.) Onze heures huit. Vous avez donc été évanoui pendant trois heures quarante-deux minutes. Je pensais pas qu'on pouvait demeurer inconscient si longtemps.

— Où tu m'as amené?

— Vous le saurez très bientôt. Prenez le temps de bien retrouver vos esprits, je vous donne quatre minutes avant qu'on sorte.

Sa voix est calme. Même si je suis son prisonnier et sa victime, il demeure poli et me vouvoie. Je lui en suis presque reconnaissant. Je m'appuie contre la paroi de la camionnette et ferme les yeux en grimaçant, le temps que le champignon nucléaire entre mes tempes se volatilise. Loz, un tantinet admiratif, commente :

— Je vous félicite, vous pis Gracq. Vous avez manifestement tout compris en très peu de temps. De plus, vous avez eu l'ouverture d'esprit d'y croire. C'est admirable. J'imagine que c'est surtout Gracq qui a d'emblée accepté l'idée qu'il y avait de la magie noire dans cette histoire…

Mon silence équivaut à un acquiescement, car Loz hoche la tête :

— Je me suis toujours douté que, malgré ses airs de parano incohérent, Gracq était pas un con… Il va falloir que je m'occupe aussi de lui.

— Tout ça parce que quatre filles ont refusé de sortir avec toi !

Loz cesse de sourire et un rictus haineux déforme son visage qui n'avait pas besoin de cette crispation pour être repoussant :

— J'étais prêt à accepter leurs refus ! Après tout, j'étais habitué au rejet continuel. Mais elles se sont foutu de ma gueule, elles ont été odieuses ! Ça, elles vous l'ont pas dit, évidemment ! Mais le pire, l'inacceptable, l'humiliation suprême, ç'a été de me faire casser la gueule par leurs quatre *chums*! Ils m'ont dit: « Comme ça, tu t'intéresses à des filles qui font pas partie de ton monde minable? On va te faire revenir sur terre, *fuckface*... » Ils m'ont battu comme un chien: trente-sept coups de poing, vingt-huit coups de pied, dix-neuf coups de planche de bois, le tout pendant vingt-trois minutes! Juste avant que je perde conscience, ils ont ajouté: « T'es un nul, Loz, alors reste avec les nuls. » Trente-deux jours huit heures douze minutes à l'hôpital, vous imaginez? Et ces mots... ces mots qui ne me sont jamais sortis de la tête! Il fallait que je me venge. Mais d'une manière qui m'impliquerait pas directement. Pis l'année passée, pendant que je travaillais à la COOP, j'ai eu cette idée, cette *brillante* idée! Un moyen qui non seulement éliminerait les quatre salauds qui m'avaient envoyé à l'hôpital, mais qui traumatiserait à jamais les quatre salopes qui m'avaient montré tant de mépris! Le huit avril dernier, j'ai commencé mon plan.

— À quelle heure, exactement? Faudrait être précis, tout de même.

— Je me suis assuré que ce serait moi qui m'occuperais de la distribution des cadenas cette session-ci. Avant la fin de la dernière année scolaire, j'ai réussi à trouver les codes permanents de mes quatre victimes. Durant l'été, j'ai ensorcelé les quatre cadenas. Puis, il y a dix jours, ç'a été la rentrée. J'étais prêt. À tous les élèves, je donnais les vrais cadenas, au hasard, mais je conservais à l'écart les quatre ensorcelés, et j'attendais l'arrivée des filles... Je suis même pas sûr qu'elles m'ont reconnu quand je leur ai donné leur cadenas ou, en tout cas, elles m'ont complètement ignoré. Comme tout le monde m'a toujours ignoré...

Il est vraiment fâché, le Harry Potter des moches. Même si chacune de mes paroles me fait l'effet d'un coup de hache dans le front, je me mets à parler à mon tour, parce que je veux savoir :

— Alors, quand une des filles ouvrait son cadenas pour la première fois, ça… ça lançait la… la… (j'ai encore de la difficulté à prononcer ce mot insensé) la *malédiction* sur le gars concerné la journée suivante ?

Le sourire revient sur la face de l'adolescent, si fier que ses boutons d'acné s'illuminent d'orgueil.

— Exact. Dès que le cadenas est ouvert, la malédiction est irréversible pis débute à minuit exactement. C'est le principe de la poupée vaudou, mais on remplace la poupée par un cadenas pis la mèche de cheveux par le code permanent. Faut être de son temps, pas vrai ?

— Mais… c'est quoi, cette malédiction ? À minuit, la victime est télé-transportée dans le casier ?

— Pas à minuit, le lendemain. C'est pour cette raison qu'il y a pas de sang qui suinte des casiers : les restes de la victime apparaissent dans le casier seulement au moment où le cadenas est à nouveau ouvert.

— Mais à minuit, il se passe quoi, au juste ? La victime est… enlevée ? Elle disparaît ?

— Quelque chose du genre.

— Mais pourquoi, le lendemain, elle réapparaît dans… dans un tel état ? Il lui arrive quoi, au juste ?

Il hausse les épaules.

— Je sais pas trop, exactement.

— Comment, tu sais pas trop ?

Il sort alors de la camionnette, vient ouvrir la portière arrière et me dit :

— Allez, dehors, c'est le temps d'y aller.

Je m'extirpe tant bien que mal du véhicule, mes poignets attachés ensemble devant moi. Nous sommes en pleine forêt. Aucune trace de la lune, le ciel est trop lourd de nuages prêts à éclater. Loz n'a qu'une lampe de poche en main. Aucune arme. Il doit deviner à quoi je songe car il précise :

— M'attaquer avec vos mains attachées serait aussi inutile qu'humiliant. Mais si vous tenez vraiment à vous ridiculiser…

Il a raison, le boutonneux. Je me tiens donc immobile et me contente de le fusiller du regard, réaction d'autant plus bête que, dans la nuit noire, il ne s'en rend sans doute même pas compte. Il allume sa lampe de poche et la tourne vers la gauche.

— Il y a un sentier à peine visible, par là. Avancez. Je vais l'éclairer de derrière. On a trois cent trente-six pas à faire.

Il renifle et se frotte le nez.

— On va où ?

— Avancez, Sarkozy.

Ohhh que je n'aime pas ça. Cette promenade nocturne ne mène sans doute pas à un belvédère avec vue imprenable sur la ville.

— Et si je refuse ?

Il soupire, ennuyé.

— J'ai une clé anglaise dans la camionnette. Je vais vous assommer avec pis vous traîner moi-même jusqu'à l'endroit désiré. Ce sera plus long, plus emmerdant, mais ça reviendra au même. De plus, si je frappe trop fort, je risque de vous tuer. À vous de choisir.

Le petit sentier pédestre m'apparaît tout à coup plus attirant. Je m'y engage donc, guidé par le faisceau lumineux de la lampe de poche derrière moi. Au-delà de quatre mètres, c'est la nuit noire. Aucune idée où je vais. Derrière moi, Loz éternue, puis renifle en jurant. Incapable de supporter ce silence, je reprends notre discussion, pour gagner du temps :

— Tu sais pas du tout ce qui arrive à tes victimes à minuit ?

— Juste une vague idée que j'ai pas vraiment envie d'approfondir.

Je songe à nouveau au délire de Zazz, à sa voix rauque. Malgré la chaleur de la nuit, un long frisson me parcourt tout le corps.

— On en parle dans les livres, mais pas avec précision, ajoute Loz derrière moi.

— Quels livres ?

— Dans ma famille, on est pas, hélas ! sorcier de père en fils. Quand j'ai forgé mon plan, l'année passée, j'avais aucune notion de magie noire. Il a fallu que j'aille voir la vieille Fudd pour avoir des conseils.

— Mélusine Fudd ? Pourtant, on lui a parlé des cadenas et elle semblait au courant de rien ! Elle nous a dit que c'était possible de les ensorceler, mais sans plus !

— Elle vous a rien révélé parce qu'elle était pas au courant. Je lui ai juste mentionné que la magie noire m'intéressait. Pis même si je lui avais parlé des cadenas, elle est tellement imbibée d'alcool que je suis pas sûr qu'elle s'en serait souvenue.

— Tu la connaissais ?

— Tous les habitants de Saint-Trailouin connaissent Mélusine Fudd, du moins, de réputation. Pis tout le monde a entendu parler des rumeurs qui la prétendent sorcière. Quand elle vient en ville, les gens l'évitent. Quelques-uns ont osé aller la voir pis la payer pour avoir des conseils. Dont moi. C'est quelque chose, sa cabane, n'est-ce pas ? Surtout sa mère momifiée. J'avais vraiment la frousse, mais le souvenir des quatre salauds et de leurs quatre pouffiasses m'a donné le courage suffisant pour rester. Je lui ai expliqué que... que... que...

Silence d'une seconde, suivi d'un bruyant éternuement. Loz renifle en produisant un son qui indique clairement un urgent besoin de mouchoirs, puis poursuit :

— ... je lui ai expliqué que je voulais me venger pis que, pour ça, j'avais besoin de la magie noire. C'est tout ce que je lui ai dit, je lui ai pas parlé des cadenas, j'ai rien précisé. Je lui ai allongé de l'argent, qu'elle a sans doute bu en moins de trois jours, pis elle m'a donné quelques tuyaux.

— Quels tuyaux ?

— Je lui ai promis que j'en parlerais à personne. Je suis un homme de parole, vous saurez.

Il ricane, amusé par son propre humour, puis éternue à s'en arracher la glotte. J'en profite pour piquer un sprint. J'ai peut-être les mains attachées, mais pas les pieds ! Sauf qu'aussitôt que je me mets en branle, la lumière s'éteint derrière moi et je me retrouve dans le noir total, comme si l'on m'avait jeté au fond d'un baril de goudron. Tant pis, je poursuis ma course, quitte à me casser la gueule. Ce qui ne manque pas d'arriver d'ailleurs, après quatre secondes à peine. Je trébuche dans une branche ou je ne sais quoi et m'étends de tout mon long. Je réussis à me protéger le visage à temps, mais mes genoux et mon coude droit écopent. Je pousse un petit cri de douleur et me mets à sacrer. J'entends Loz qui s'approche, puis la lumière se rallume.

— Rien ne vaut une bonne défaite pour bien comprendre l'inutilité du combat, n'est-ce pas ?

— Va chier, je me lève pas !

— J'ai négligé d'apporter la clé anglaise, mais une bonne pierre québécoise pourra sans doute produire le même résultat.

Je soupire. Moi qui ai toujours rêvé de tomber sur des étudiants qui s'expriment avec une telle élégance, il faut que le seul que je rencontre enfin soit un psychopathe. Je me relève donc tandis que Loz se bouche la narine droite et souffle de la gauche pour évacuer la morve.

— Maudites allergies ! maugrée-t-il en essuyant ses doigts sur sa chemise.

— Si t'as des allergies, on peut aller ailleurs. Au centre-ville, par exemple, il y a beaucoup moins de graminées et de…

— Allez, avancez !

Je suis à nouveau le faisceau lumineux devant moi, soumis et endolori. Loz se remet aussitôt à parler avec exubérance et enthousiasme. J'imagine qu'on ne l'écoute pas souvent et qu'en ce moment il se paie la traite.

— Maintenant, j'ai plein d'autres projets en tête ! Par exemple, une incantation pour connaître toutes les réponses à tous les examens ! Plus besoin d'étudier, vous imaginez ? J'obtiendrai mon DEC en comptabilité les doigts dans le nez !

— Si j'étais toi, je mettrais rien dans mon nez, en ce moment…

— Ce sera génial ! Je veux aussi changer mon physique, devenir beau !…

— Il y a quand même des limites à la sorcellerie, tu penses pas ?

— Une fois beau, plus aucune fille me dira non ! Ensuite, j'aurai de l'argent ! Fudd m'a dit qu'aucune incantation peut rendre riche, mais je suis sûr qu'il y a un moyen et je vais travailler fort pour le trouver ! Vous auriez pas un mouchoir ?

— Non.

Je l'entends arracher une feuille d'arbre et se moucher dedans. Puis :

— Mais tous ces projets, c'est pour plus tard. Avant tout, je dois compléter ma vengeance.

Saisissant pleinement ce qu'il insinue, je m'arrête et me retourne :

— Mathis, arrête tout ça pis épargne Kevin Charvy !

— Continuez à avancer, Sarkozy.

Je me remets en marche tout en répétant :

— Tu entends ce que je dis ? Il est pas trop tard !

Il éclate de rire, éternue, rit à nouveau.

— Mais oui, il est trop tard ! Sa blonde de l'époque, Lucia Gonzalez, va sûrement revenir à l'école demain, j'ai entendu dire qu'elle était rétablie. Pis comme je lui ai donné son cadenas il y a dix jours, elle va l'utiliser pour la première fois demain. Aussitôt qu'elle l'ouvrira, tout sera enclenché !... Ça y est, on est arrivés, arrêtez-vous ici. Pis appuyez votre dos contre le gros chêne, juste là, à soixante-quatre centimètres derrière vous.

La lumière de sa lampe de poche éclaire un immense arbre. Je m'appuie le dos contre le tronc. Loz va coincer la lampe de poche dans un buisson de telle manière qu'elle nous éclaire, moi et le chêne. Je devine sa présence qui s'approche tandis qu'il dit :

— Je vais vous détacher.

C'est ça, et aussitôt que j'ai une main libre, tu vas recevoir le plus spectaculaire coup de poing sur la gueule, ça va décoller tous tes boutons d'acné en une seconde... Mais alors qu'il est tout près de moi, je le vois fouiller dans sa poche, sortir sa main, qu'il place devant sa bouche, puis souffler sur sa paume. Une poudre malodorante me saute au visage et, pendant quelques secondes, je me sens totalement étourdi et nauséeux, comme lorsque j'ai fumé avec une étudiante, il y a trois ans, ce pot beaucoup trop fort. Heureusement, contrairement à ce moment-là (j'avais terminé la nuit accroupi dans les toilettes, à vomir mon âme), la sensation est de très courte durée et lorsque je retrouve enfin mes esprits, mes deux poignets sont toujours liés, mais par-derrière et séparés, avec la même lanière de cuir qui entoure aussi le tronc contre lequel j'ai le dos appuyé : Loz a profité de mon malaise pour m'attacher contre le chêne. Devant moi, il a de nouveau la lampe torche en main et s'éclaire le visage, souriant. Une longue coulée serpente hors de sa narine droite jusqu'au menton.

— C'était quoi, cette poudre ? que je demande.

— Un des petits trucs que m'a enseignés la vieille Fudd.

— Elle t'a vraiment expliqué comment devenir un sorcier ?

— C'est pas si simple. Pour être un vrai sorcier, il faut faire partie d'une lignée. Fudd est une fille de sorcière, pas moi. Mais je peux devenir un apprenti respectable, apprendre quelques trucs grâce à des livres. Fudd m'en a donné quelques-uns... enfin, elle me les a vendus pour deux cent quatre dollars et quatre-vingt-six sous. C'est grâce à ces livres que j'ai mis sur pied mon plan des cadenas.

— C'est tout ce qu'elle a fait ? Tu l'as payée et elle t'a donné des livres ? Ça me paraît trop simple.

— C'est vrai que ça paraît simple. Quelques livres, et hop ! on apprend la magie. En fait, ça fonctionne seulement si on a l'environnement adéquat, apte à la sorcellerie. Pour ça, Saint-Trailouin est vraiment l'environnement idéal.

— Comment ça ?

Il approche de deux pas. Avec l'éclairage de la lampe de poche sous son visage, il est plus hideux que jamais, surtout que morve et acné n'ont jamais formé un mariage très heureux.

— Vous trouvez pas ça bizarre, comme nom de cégep, Malphas ? Vous vous demandez pas d'où ça vient ?

C'est la seconde personne qui aborde ce sujet, Gracq a été le premier. Manifestement, il ne s'agit pas d'un simple hommage rendu à un ancien habitant de la ville, comme je l'ai lu sur le site du cégep. Je me démène mais mes liens tiennent bon.

— Criss, Loz, j'ai pas envie de jouer aux devinettes! Pourquoi Saint-Trailouin serait-il un... un environnement idéal?

— Fudd m'a expliqué qu'il y a une grande présence maléfique, à Saint-Trailouin. Une présence qui aurait été invoquée il y a longtemps. Pis cette présence forme un terreau parfait pour la sorcellerie. Moi, je fais pas affaire directement avec cette présence pour mes sortilèges, je suis trop novice pour ça. Disons que je fais affaire avec ses... ses subalternes.

— Mais... c'est quoi, cette présence?

Son visage se fige, une grimace lui déforme les traits... Ça y est, il va me tuer, maintenant! Mais il se contente d'éternuer comme s'il voulait déraciner l'arbre contre lequel je suis attaché, tandis qu'un véritable raz-de-marée gluant m'inonde le visage. Il a vraiment de la chance que j'aie les mains liées, sinon ce ne serait pas que de la morve qui lui coulerait du nez... Il recommence à jurer, renifle, se frotte les yeux, arrache deux ou trois feuilles avec lesquelles il se mouche furieusement. Je ne suis même pas foutu de tomber sur un criminel capable de m'éliminer avec une certaine dignité, c'est vraiment pitoyable. Il tourne enfin la lumière de sa lampe de poche dans la direction opposée. À environ vingt mètres devant nous s'élève une petite colline de pierre, au pied de laquelle s'ouvre une caverne. L'entrée doit faire quatre mètres de hauteur sur trois de large. Le faisceau de la lampe est insuffisant pour illuminer l'intérieur, mais je dirais que c'est noir, profond et crissement pas rassurant. Loz se remet à parler, le nez si bouché que son élocution en est altérée :

— Vous abez de la chance. Contrairement à boi, vous allez *le* rencontrer. Bais une seule et unique fois, bien sûr. Ébidemment, cette rencontre sera très brève et pinira mal. Du boins, pour vous.

Rencontrer qui ? De quoi parle-t-il ? La lumière revient à son visage, sur lequel sont collés plusieurs morceaux de feuilles.

— Je be dis qu'*il* aibera ce petit cadeau que je *lui* fais. Sûrebent que ça be donnera des abantages dans bes prochaines expériences.

— Qu'est-ce qu'il y a, dans cette caverne ?

Loz commence à s'éloigner.

— Adieu, Sarkozy. Cobbe j'ai congé debain batin, je vais profiter de la batinée pour réfléchir au sort de votre abi Gracq…

— Mathis, attends… Mathis !

Il ne ralentit pas. Je l'appelle, je crie, mais en vain. Ses éternuements se font entendre pendant une bonne minute, puis s'estompent. Je suis seul dans la forêt. En pleine nuit. Devant l'entrée d'une caverne que je ne vois plus. La face recouverte de glaires séchées.

Je me mets à gigoter en hurlant à l'aide comme si mon ex-femme s'approchait en m'annonçant qu'elle me pardonnait tout. J'entends tout à coup un bruit lointain de moteur, mais je comprends rapidement que c'est la camionnette de Loz qui s'éloigne. À nouveau je hurle, j'appelle, je me démène. La corde qui me lie les poignets ne lâche pas, contrairement à celles de ma gorge qui finissent par s'enrouer. Je me tais, haletant. Peu à peu, mes yeux s'habituent à la noirceur, en tout cas suffisamment pour que je distingue les contours de l'entrée de la caverne, une sorte de gueule plus noire que la nuit environnante.

Fuck, qu'est-ce qui va sortir de là ? Un ours ? Un dragon ? Un représentant du Tea Party ?

Pire… Bien pire…

J'ai beau tenter de me raisonner, de me dire que j'ai passé l'âge de croire à ces conneries, j'ai peur comme un enfant de six ans qui fixe son placard avec terreur. Et j'ai beau me dire que tout ça est une blague, que Archlax, Zazz et compagnie vont surgir de la caverne en riant et en affirmant qu'il s'agissait là de mon initiation, ça ne fonctionne pas.

Je vais mourir. Je ne sais pas encore comment, mais je vais mourir. C'est épouvantable. À trente-huit ans. Moi qui m'étais promis de participer à au moins une partouze dans ma vie. Trop tard, je vais mourir.

Émile… Vas-tu me pardonner d'avoir été un si mauvais père ?

Maman… Vas-tu me pardonner d'avoir frappé mon salaud de père ?

Et toi, la grande brune dont j'oublie le nom… Vas-tu me pardonner d'avoir été malade au moment de ton orgasme ?

Un bruit d'ailes d'oiseau. Une petite silhouette volante surgit de la caverne et va se percher sur une pierre. Je devine un corbeau. Je fixe le volatile à peine visible, comme si je craignais qu'il crache du feu dans ma direction. Mais il ne bouge plus.

Je tire sur mes liens : ils tiennent bon.

Au bout de cinq minutes, un autre battement d'ailes se fait entendre dans la forêt silencieuse : un second corbeau émerge de la gorge de pierre et se pose sur un rocher, près de l'entrée.

J'entends des petits bruits au-dessus de ma tête : je comprends qu'il commence à pleuvoir. Manquait plus que ça, bordel. Au bout de quelques minutes, les feuilles du chêne deviennent insuffisantes pour me protéger. Je commence à recevoir des gouttes, puis la pluie devient averse. Je cesse alors de me débattre, épuisé. Rapidement, je suis trempé comme une lavette. Et le temps passe, s'étire, s'allonge. Toutes les cinq minutes environ, la caverne crache un nouveau corbeau qui va se percher près de ses congénères. Une heure passe, peut-être deux, difficile d'avoir une notion du temps précise quand on est attaché dans une forêt sous la pluie en attendant d'être attaqué par on ne sait trop quoi. Maintenant, il y a une quinzaine de corbeaux postés tout autour de l'entrée de la grotte, et je jurerais qu'ils m'examinent tous. La longue attente et la peur doivent commencer à me ramollir le cerveau car je me mets à leur hurler en postillonnant de la pluie :

— Vous voulez quoi ? Hein ? Vous voulez quoi ?

Les oiseaux n'ont aucune réaction, indifférents à mes cris et à la pluie. Je perçois alors un mouvement au sol, à quelques mètres de moi. Je plisse mes yeux et distingue un animal qui déambule dans ma direction. Je finis par reconnaître une mouffette. Merde, je vais quand même pas me faire pisser dessus avant de crever ! Ce serait vraiment la plus lamentable des sorties ! Je n'ose pas bouger mes pieds dans sa direction de peur que cela lui donne envie de m'arroser.

— Ouste ! que je marmonne. Décrisse, ostie de bête puante ! Décrisse, j'te dis !

L'animal s'arrête, paraît me considérer un moment, puis s'éloigne en se dandinant le derrière. Je soupire, soulagé… puis me rappelle que je ne suis pas tout à fait tiré d'affaire : ah, oui, c'est vrai, je suis attaché dans une forêt face à une caverne menaçante, j'avais presque oublié, ah-ah, suis-je bête.

Devant moi, d'autres corbeaux ont continué de surgir de la caverne. Je recommence à me démener…

et je sens alors que les liens qui entourent mes poignets sont moins serrés que tout à l'heure. D'abord surpris, je me rappelle qu'il s'agit d'une lanière de cuir. Et le cuir sous l'effet de l'eau (et donc de la pluie) se ramollit, se détend, s'assouplit.

C'est fou comme l'espoir peut revenir vite. Je commence à tirer sur mes poignets, à les tourner, à faire jouer les liens qui, je le sens, se relâchent de plus en plus. Pendant une bonne demi-heure, je tire, et je tire, et je sens que la pluie assouplit de plus en plus le cuir, et pendant tout ce temps, d'autres corbeaux sont apparus. Si je pouvais me libérer une seule main, ce serait suffisant. Quatre doigts de ma main gauche ont commencé à se glisser sous le nœud de la corde... mais c'est mon pouce, mon ostie de pouce qui bloque, ou plutôt l'espèce de gros os de mon pouce (comment ça s'appelle, déjà ?) qui refuse de glisser sous la lanière...

Tout à coup, malgré le vacarme de l'averse, je perçois un nouveau son. Des pas pesants. En face. Je cesse de tirer sur ma corde et lève mon visage dégoulinant de pluie. La trentaine de corbeaux, toujours perchés, montent la garde autour de la grotte, tel un comité d'accueil qui attend, qui annonce l'approche des pas.

Ça marche. C'est lourd. C'est gros.

Et un autre son accompagne les pas. Un claquement sonore et sec.

Clac.

Comme un bec d'oiseau. Un *très* gros bec.

Clac.

Un bec fait en lames de ciseaux tranchants.

Clac !

Je me remets à tirer comme un dément, affolé. Faut pas que *ça* sorte de la caverne ! Faut pas que *ça* me voie ! Faut pas que *ça* s'approche de moi ! Mes doigts gauches sont maintenant complètement glissés sous la corde, mais pas mon pouce, pas mon ostie de métacarpe (c'est ça! le métacarpe!) qui accroche toujours! Les corbeaux me fixent stoïquement, tandis que les pas approchent, que le sinistre claquement s'intensifie, que je crois même entrevoir, au fond des ténèbres de la grotte, un vague mouvement d'ouverture et de fermeture…

… Clac… Clac… Clac…

Quelque chose se pose sur mon pied gauche et je pousse un hurlement hystérique. Je baisse la tête… C'est l'ostie de mouffette! Elle s'est couchée sur mon pied, tout bonnement! Criss, elle me prend pour une terrasse de café ou quoi? En jurant, je balance mon pied de toutes mes forces vers le haut. La mouffette effectue un long vol plané, que je suis d'un regard fasciné, jusqu'à ce qu'elle disparaisse dans les ténèbres de la grotte.

… Clac… Clac… *Sclotch!*…

Silence. J'attends, haletant. Peut-être que la chose a apprécié ce hors-d'œuvre et que ce sera suffisant… Mais au bout de quelques secondes, une odeur épouvantable d'urine de mouffette parvient à mes narines, puis les pas et les claquements reprennent, plus rapides, plus rageurs…

… Clac-Clac-Clac…

— C'est pas de ma faute! que je crie. Elle était couchée sur mon pied, je voulais juste… Je voulais pas…

En gémissant, je tords mon pouce, le triture, le frotte au sang contre le tronc d'arbre, et je crie de douleur, de rage et de terreur pure, tandis que les claquements deviennent assourdissants. Enfin, un craquement atroce déchire ma main, me fait mal jusqu'au fond du cœur. Je pousse un ultime hurlement de souffrance tandis que mon pouce cassé glisse enfin sous le cuir. Ma main gauche se libère et je tombe à genoux sur le sol détrempé. Je me relève rapidement et, tel l'imbécile qui ne peut s'empêcher de regarder le train qui fonce vers lui avant de s'écarter, jette un ultime coup d'œil vers la grotte. Cette fois, je vois deux lueurs orange, deux lueurs *infernales*…

Clac!

En un ensemble parfait, tel un troupeau de nageuses synchronisées (et ce n'est pas l'eau qui manque), les trente corbeaux s'envolent en croassant. Je me détourne enfin et me sauve à toutes jambes, au moment où *quelque chose* surgit de la caverne. Mais je ne ferai pas comme cette conasse de femme de Loth: pas question que je me retourne! La lanière pendante à mon poignet droit, je cours en tendant les mains devant moi, aveuglé par la nuit et la pluie, les oreilles bourdonnantes du grondement de l'averse et de mes propres gémissements de panique. Mes mains percutent des arbres (ce qui déclenche d'atroces ondes de douleur dans mon pouce), je m'écarte, m'élance à nouveau, trébuche, puis finis par m'étendre pour de bon. Sur le sol, je me retourne sur le dos, convaincu d'apercevoir un monstre hideux fondre sur moi. Mais je ne vois rien. Plus de lueurs orange, plus de corbeaux, plus de claquements.

Criss, j'ai pissé dans mes culottes! Pas besoin de mouffette: je peux m'humilier moi-même…

Je me relève lentement, à bout de souffle. *Ça* ne m'a pas suivi. *Ça* ne peut sans doute pas s'éloigner de la caverne. Mais inutile de courir le risque. Je me remets donc en marche rapidement, titubant de peur.

Je fouille dans mes poches: mon portefeuille, de la monnaie, le cadenas que j'ai acheté hier à la quincaillerie, mon reste de cocaïne… Mais pas mon cellulaire. Je me rappelle l'avoir laissé dans ma voiture. Merde.

Je n'ai aucune idée de la direction à prendre, merde ! je vois rien ! Est-ce que je m'éloigne de la route ou je m'en approche ? Et cette maudite pluie qui continue à me gicler dessus !

Pendant au moins une heure, je marche au hasard, tel le puceau qui explore nerveusement un corps féminin, puis je finis par m'arrêter, en colère contre moi-même. Ce que je fais est complètement imbécile. Le plus sage serait d'attendre le lever du soleil.

Mais si j'attends trop longtemps, vais-je arriver à temps pour empêcher Lucia Gonzalez d'utiliser son cadenas ? Car elle a peut-être un cours à huit heures du matin… Il faut que je sois au cégep avant le début des cours.

Je regarde autour de moi, accablé. Là-bas, une faible lueur jaune entre les arbres… Une maison ? Ici ? Mû par le même espoir qui étreint le vendeur de voitures usagées face à un client de seize ans, je m'élance vers la lumière et, au bout de deux minutes, me retrouve face à une cabane familière.

La maison de la vieille Fudd.

Pas sûr que ce soit une nouvelle rassurante, ça. La caverne n'est donc pas très loin de chez elle, ce qui n'aide en rien la réputation de la vieille. De plus, c'est elle qui a expliqué à Loz comment se venger… Non, correction : elle lui a vendu des livres de magie, elle n'était pas au courant de ses intentions. Tout de même : c'est une sorcière alcoolo qui conserve le cadavre de sa mère au salon. Est-ce vraiment une bonne idée de me précipiter chez elle ?

Je m'approche doucement, jusqu'à la porte d'entrée. La porte est si vermoulue et bancale que je peux sans problème appuyer mon œil contre une des nombreuses fissures pour voir l'intérieur. Je distingue le même salon que la dernière fois. La pièce est illuminée par quelques chandelles. Fudd est assise dans le divan sale, à côté du corps de sa mère qui contemple toujours le néant de ses yeux morts, ses longs cheveux en bataille, sa robe en charpie. Merde, je fais quoi ? J'entre, je salue et je demande si je peux utiliser le téléphone ? Il n'y a même pas d'électricité dans cette cabane ! À moins que je lui emprunte sa vieille moto…

Fudd, les yeux fermés, un sourire extatique sur ses lèvres gercées, tient une bouteille de bière de sa main gauche, tandis que sa droite, enfouie sous son fouillis de jupes, bouge doucement, accompagnée d'un léger vrombissement. Elle émet alors un long râle qui signifie sans doute le plaisir mais qui, à mes oreilles, sonne comme le grognement d'un orang-outan asthmatique. Elle rouvre les yeux, satisfaite, et sort sa main de sous ses jupes : elle tient le vibrateur à tête de chauve-souris que j'ai vu hier sur une de ses étagères. Elle se tourne vers le cadavre de sa mère et marmonne :

— OK, môman, c'est à ton tour…

Écœuré, je la vois plonger le vibrateur en marche sous la robe de sa mère et l'activer lentement. Et même si vous allez croire que je suis totalement fou ou totalement pervers, je distingue un scintillement de plaisir traversant les pupilles mortes de la momie. Je me mords le poing droit pour ne pas crier, ou vomir, ou les deux.

Tout à coup, la vieille alcoolique fronce ses sourcils broussailleux, ce qui redouble les millions de rides sur son visage. Elle relève la tête, comme un chien qui perçoit des ultrasons. Elle dépose sa bière et retire le vibrateur de sous la robe de sa mère.

— Tu ressens ça, maman ?

Elle prend le bras inerte du cadavre et ajoute, suspicieuse :

— L'enfer est ben agité, c'te nuitte… J'me demande ben ce qui se passe…

Elle se lève et laisse tomber le bras de la morte. La main rebondit mollement, s'immobilise et je remarque avec horreur que son index est pointé vers la porte... vers moi! Fudd le voit aussi. Elle tourne alors la tête vers la porte et son regard rencontre le mien. J'en suis si terrifié que je paralyse sur place, à peine conscient de la pluie qui me martèle la tête et le dos. Fudd marche alors vers la porte, en émettant cet odieux sifflement de serpent.

— C'est le destructeur de mon château de cartes, ça...

Et elle s'approche de plus en plus, sa chauve-souris phallique et ronronnante à la main.

Épouvanté, je m'enfuis à toutes jambes. Je trouve le petit sentier que Gracq et moi avons emprunté hier et me mets enfin à courir sur un vrai chemin, obscur, certes, mais au moins sans obstacles. Derrière moi, j'entends la porte de Fudd s'ouvrir, mais je suis déjà loin.

Après quelques minutes d'une course qui m'aurait sans doute permis de figurer dans le livre des records, j'atteins enfin la grande route. Je m'arrête, à bout de souffle, et m'allonge carrément sur le sol boueux, le visage tourné sur le côté. Je demeure ainsi dix bonnes minutes.

Enfin, je me relève et hésite : Saint-Trailouin est à droite ou à gauche? Malgré la confusion qui règne dans mon esprit, je fais de grands efforts pour me rappeler. À gauche, il me semble. Ma longue marche débute. Gracq et moi avons roulé certainement sept ou huit minutes à bonne vitesse avant d'atteindre la ville. À pied, épuisé comme je le suis, j'en ai pour une couple d'heures certain. La joie, quoi.

La pluie finit par cesser. Il fait frais et, trempé, je me mets à frissonner. Je détache la lanière qui pend toujours de mon poignet droit (avec mon pouce cassé, l'opération n'est pas évidente) et la jette au loin.

Tout en marchant, j'attends qu'une voiture passe, mais je crois que j'aurais plus de chance d'en croiser une dans le désert du Sahara. J'ignore pendant combien de temps j'avance ainsi, mais l'aube finit par pointer. Je suis épuisé, j'ai froid, j'ai le pouce gauche tout enflé et j'en ai plein le cul. Des idées folles mais délicieuses me traversent l'esprit : je trouve une bombe atomique et je la balance sur Saint-Trailouin pour balayer cette ville de fous de la carte. Puis, je trouve Loz et, comme il aime la précision, je lui enfonce trois cent quarante-deux cadenas débarrés dans l'anus. Ensuite, je le secoue jusqu'à ce qu'ils se verrouillent tous.

Le soleil est maintenant levé. Lorsque je passe une nuit blanche, c'est normalement à la suite d'événements plus festifs que ceux de cette nuit. J'aperçois enfin la ville, à environ un kilomètre devant. Dans cette dernière portion de ma marche, deux voitures me croisent. La première, malgré mes grands signes, ne ralentit même pas. La seconde s'arrête à ma hauteur et la vitre de la portière s'abaisse. Je me penche vers le conducteur, un type dans la trentaine qui m'observe avec inquiétude :

— Vous allez bien ?

— Pas vraiment, il faut que je retourne en ville au plus vite !

— Mais… qu'est-ce qui vous est arrivé ?

— J'ai été enlevé, j'ai failli mourir et…

— Mon Dieu, c'est épouvantable ! Qui vous a enlevé ?

— C'est trop long à expliquer, mais…

— Je comprends, je comprends… Pauvre vous !

— Il faut que je retourne en ville le plus rapidement possible…

— Je comprends très bien ! Bonne chance, mon vieux !

Et il démarre ! Pantois, je le regarde s'éloigner. Je le vois même sortir son bras de la fenêtre et brandir son pouce en signe d'encouragement.

Résigné, je me remets en marche. Quelle heure peut-il bien être ?

J'entre enfin en ville, traverse péniblement les rues désertes. Je songe un moment à retourner chercher ma voiture chez Loz, mais cela serait un trop grand détour. Et puis, s'il me voit… Je poursuis donc vers le cégep. Quelques rares piétons me dévisagent. Je finis par demander à l'un d'eux :

— Vous avez l'heure ?

— Sept heures dix… Vous allez bien ?

— En pleine forme. C'est juste que j'ai pas changé de chemise depuis hier.

Il n'est donc pas trop tard. Vraiment pas trop tard. Un regain d'énergie me traverse le corps. Malgré mes membres en compote, je me remets à courir. En passant devant la rue où j'habite, je ralentis. C'est la première fois que mon lit est si tentant sans fille dedans. Mais je résiste et poursuis mon chemin. Je cherche un taxi des yeux, mais en vain. Je réussis encore à courir pendant dix minutes, puis je m'arrête, à bout, pour me contenter de marcher le plus rapidement que mon état me le permet.

Quand j'arrive au cégep, j'ai l'impression que mes pieds ne sont plus que deux moignons qui s'effritent sur l'asphalte à chacun de mes pas. Quant à mon cerveau, j'ai dû le suer en chemin. J'entre par la porte principale. Il y a déjà pas mal de monde. On marmonne sur mon passage, mais je m'en fous. Je trouve une horloge : sept heures trente-cinq. La COOP est ouverte depuis cinq minutes, mais inutile que j'y aille, Loz lui-même m'a dit qu'il avait sa matinée de libre. Gracq sera-t-il si tôt au local du journal ? Est-il maniaque à ce point ? J'accélère le pas, zigzague entre les jeunes, percute même de plein fouet une étudiante qui s'étale de tout son long sur le sol, marmonne une excuse en ignorant son regard meurtrier, poursuis mon chemin… Je croise aussi Hamahana, que je ne salue pas et qui, je crois, me toise avec le pire des mépris, révolté sans doute par mon allure de clochard.

La porte du journal est verrouillée. Je frappe dessus en gémissant de rage.

— Julien ?

Je me retourne : Gracq approche, son sac dans une main, la clé de la porte du local dans l'autre. Il me considère avec effarement. Je l'embrasserais si je ne me retenais pas. Et s'il n'avait pas de barbe. Et s'il était une fille. Jolie.

— Mais… qu'est-ce qui t'est arrivé dans ce qui s'est passé ?

— Simon ! Si tôt même un lundi matin, tu es incroyable !

— C'est… c'est parce que je fais partie du groupe de ton cours à huit heures…

C'est vrai, je suis censé enseigner dans vingt-cinq minutes ! J'en rirais presque ! Je saisis de ma main valide l'épaule gauche de Gracq :

— Simon, il faut que tu me trouves si Lucia Gonzalez a un cours ce matin !

— Mais tu t'es toisé dans le reflet d'un miroir ? Pis c'est qui, cette Gonzalez ?

— Je te jure que je vais tout t'expliquer après, mais là, faut faire vite si on veut sauver la dernière victime de Loz !

— T'as vu Loz en soirée d'hier ?

À son tour, il m'agrippe les épaules et, pendant quelques secondes, nous avons l'air de deux contorsionnistes emmêlés au cours d'un numéro mal ficelé.

— Simon, ostie, faut faire ça vite !

Il s'empresse d'ouvrir la porte et on entre. Il s'assoit devant son ordinateur déjà allumé. Je le vois aller sur le site du cégep, dans la section administrative.

— Qu'est-ce que tu fais ?

— Je *hacke* l'ordinateur du cégep. Comment tu crois que je déniche toutes les informations des renseignements que j'ai trouvés jusqu'au présent d'en ce moment ?

À nouveau, je me dis que ce gars est vraiment étonnant. Il se tourne alors vers moi en grimaçant :

— C'est de ta personne à toi qu'émane une senteur de pisse ?

— Désolé, je… c'est…

— Regarde dans le contenu de ce placard, j'ai un ou deux t-shirts en cas de rechange. Pis si tu veux aller aux toilettes pour rafraîchir ton attitude, j'en ai pour quelques minutes avant d'arriver à trouver le résultat en lien à ta demande.

Je prends un t-shirt au hasard et vais aux toilettes. J'enlève ma chemise infecte, me passe du savon à main et de l'eau sur le torse et le visage, me place un peu les cheveux puis enfile le vêtement de Gracq. Je me sens ridicule avec ce t-shirt trop petit sur lequel on peut lire en grosses lettres : « Nous ne sommes pas dupes ! », mais au moins, je ne fais plus aussi peur que tout à l'heure. Mon pantalon est toujours souillé et nauséabond, mais je n'ai pas le choix.

Je me retrouve dans le local du journal au moment où Gracq me lance avec fierté :

— Et voilà : Lucia Gonzalez assimile un cours de chimie à huit heures ce matin.

Je regarde l'heure : huit heures moins quart.

— Elle va sûrement aller à son casier avant son cours ! Il faut la trouver avant qu'elle ouvre son cadenas pour la première fois ! Tu as sa photo ?

— Tu me crois pour un amateur ?

Il indique l'écran et je m'approche. Gracq fait remarquer :

— Le t-shirt t'aide dans la généralité de ton allure, mais pour l'odeur…

Sur l'écran, au-dessus des renseignements se trouve une photo de l'étudiante. Une jolie Hispano. Je reconnais la fille que j'ai percutée tout à l'heure dans le couloir.

Je sors en trombe du local et cours vers l'aile des casiers. Je tombe sur une meute d'étudiants qui vont et viennent et je me fraie un chemin parmi eux en examinant chaque visage. Et enfin, je la vois, là-bas… devant son casier… elle fouille dans son sac… en sort son cadenas… Je me propulse vers elle lorsqu'un bras me retient. Je me retourne brusquement, sur le point d'assommer l'emmerdeur. C'est une jeune Noire, mignonne et souriante avec deux tresses, et je reconnais Nadine Limon, la brillante schtroumpfette *black*.

— Bonjour, Julien ! On a un cours dans dix minutes ! J'ai vraiment hâte !

— Moi aussi, Nadine, moi aussi, je…

— J'ai déjà lu les trois livres du cours ! C'était tellement bon ! J'ai même acheté tous les Rougon-Macquart ! Je voulais savoir si…

— Tout à l'heure, Nadine !

Et je m'élance à nouveau. Gonzalez a son cadenas en main. Elle consulte le petit papier qui indique la combinaison et elle commence à tourner le cadran…

— *Hey*, arrête ! Arrête !

Quelques regards se tournent vers moi, dont celui de Gonzalez, qui comprend que je m'adresse à elle. Elle cesse de tourner son cadran et je me plante devant elle. Froidement, elle me dit :

— Vous venez vous excuser de m'être rentré dedans tantôt ?

— Heu, oui, entre autres… Mais c'est surtout que tu… tu peux pas utiliser ce cadenas.

— Comment ça ?

Elle me reluque comme si j'étais un mononcle quétaine, renifle en grimaçant comme si elle percevait une odeur immonde et jette un regard douteux vers mon pantalon.

— Vous êtes qui, au juste ?

Ça, je n'y avais pas pensé. Comment la persuader ? Fébrile, je frotte ma main valide contre ma jambe.

— Je… c'est…

Autour de nous, l'animation a repris. Tout à coup, ma main sent le cadenas dans ma poche, celui que j'ai acheté hier avec Gracq à la quincaillerie. Je le sors en vitesse en expliquant :

— Je travaille pour la COOP pis… pis ton cadenas fait partie d'une mauvaise série défectueuse, il… il fonctionne pas. Tiens, on t'en offre un autre.

J'espère qu'elle ne remarque pas trop que ma main tremble. Elle observe mon cadenas, puis le sien.

— Vous êtes sûr ?

— Tout à fait.

Elle est en train de me croire, c'est merveilleux. Elle hausse les épaules et me tend le cadenas maléfique. Je le prends et lui donne le mien. Puis elle ne s'occupe plus de moi, consulte le nouveau numéro et commence à tourner le cadran.

Je m'éloigne lentement, les jambes si tremblantes que j'ai peine à tenir debout. J'ai réussi ! Je peux pas croire que j'ai vraiment réussi ! Je m'arrête, appuie ma tête contre le mur du couloir et ferme les yeux. J'ai l'impression que tout ce qui est en moi, sang, tripes, eau, merde, tout, s'écoule lentement au sol. Une main sur mon épaule me fait ouvrir les yeux. Gracq me considère, inquiet.

— Ça va ?

Je lui montre le cadenas de Gonzalez.

— Kevin Charvy est sauvé, Simon.

— Qui ça ?

— La quatrième victime de Loz.

Je remets le cadenas dans ma poche en me disant que je vais devoir trouver un moyen de m'en débarrasser. Gracq joue dans sa barbe, songeur :

— Écoute, tu vas me livrer l'explication de tout ça plus tard que maintenant, mais là, ton cours commence son début dans deux minutes…

Mon cours… *Fuck*. Je marmonne à Gracq d'y aller, que j'arrive tout de suite. L'étudiant hoche la tête et s'éloigne.

J'appuie mon dos contre le mur. La douleur bat dans mon pouce. Autour de moi, les élèves se dirigent vers leurs classes. Tout a l'air normal. Moi-même, je me calme peu à peu. Je me surprends même à déshabiller des yeux une jolie fille qui passe. C'est plutôt bon signe.

Et Loz ? On fait quoi de lui ?

Plus tard. Mon cours d'abord.

Je marche vers mon local. Je réalise enfin que si je ferme à nouveau les yeux ne serait-ce que dix secondes, je vais littéralement m'endormir debout. Dans la classe, mes étudiants (il doit bien en manquer encore une dizaine) me dévisagent, déroutés par mon visage cadavérique et mon pantalon de sans-abri. Au milieu d'une rangée, Nadine attend avec enthousiasme, sa pile de romans bien droite devant elle sur son pupitre. Au fond, Gracq me considère d'un air entendu.

J'humecte mes lèvres. J'ai l'impression d'avoir passé la nuit à boire, à fumer et à fourrer, plaisir en moins.

— Écoutez, je…

C'est ma voix, ça? On m'a greffé les cordes vocales de Tom Waits à mon insu, ma parole…

— Je me sens vraiment pas bien, ce matin… Je pense qu'il y aura pas de cours…

Satisfaction générale, euphorie débordante. S'il y avait eu des lampions dans la classe, la plupart des jeunes en auraient allumés. Seule Nadine paraît au désespoir. Gracq hoche silencieusement la tête. Je me tourne vers le tableau en annonçant de ma voix brisée:

— Avant que vous partiez, je vais juste écrire ce que vous devez faire cette semaine.

Je cherche une craie, n'en trouve pas. Je soupire. C'est drôle, mais j'ai zéro patience, ce matin.

— Voyons, criss! y a pas encore de craie cette semaine!

— Ça doit être Gus qui les a, lance une voix moqueuse.

Le dénommé Gus devient rouge pivoine:

— Arrêtez, avec ça! Je les ai pas, moi, les craies!

J'appuie mon front contre le tableau et me mets à rêver à un long vol de lits au-dessus d'une rivière calme et sereine. Dans mon dos, une fille demande:

— Ça sent la pisse, vous trouvez pas?

◆

Devant moi, la grande porte de métal, celle dans la cave du cégep. Et sur le sol, m'étudiant de ses yeux noirs, le corbeau. Toujours le même, je le jurerais. Il ouvre enfin le bec:

— Tu as eu de la chance, cette nuit, Julien. Mais ce ne sera peut-être pas toujours comme ça.

Sa voix est rauque et amusée. Je demeure immobile et dis:

— Il faut arrêter Loz. Et même Fudd. Si on les arrête, tout sera réglé, n'est-ce pas ?

Le corbeau croasse un ricanement. Ou ricane un croassement, au choix.

— C'est tellement, tellement plus compliqué que ça... Tu n'as pas idée...

La porte de métal commence à s'ouvrir. Un brouillard de ténèbres s'écoule lentement de l'ouverture, accompagné de cris, de gémissements et de rires atroces. Et tandis que la porte continue de s'ouvrir et que mon cœur s'emballe comme s'il allait se fendre, le corbeau répète, les yeux brillants :

— Tu n'as *vraiment* pas idée...

Le téléphone sonne et je me réveille. Je dormais si profondément que j'ai l'impression d'être en hibernation depuis des mois. Tout de suite après avoir annulé mon cours, je suis venu me coucher, sans même aller chercher ma voiture chez Loz. Pas question de m'approcher de cette maison avant d'être sûr que l'apprenti sorcier est hors d'état de nuire.

Nouvelle sonnerie du téléphone. En attrapant le combiné, je jette un coup d'œil à l'horloge : seize heures vingt. Je ne suis pas surpris de reconnaître Gracq à l'autre bout du fil :

— Mathis Loz s'est sauvé en s'enfuyant.

— Quoi ?

Il m'explique et, malgré ses phrases alambiquées, je saisis l'essentiel. Il semblerait que Thibodeau, Caillé et Farer ont été tellement ébranlées par notre rencontre de samedi qu'elles sont allées ce midi raconter à la police que Loz était sans doute le tueur et qu'il avait agi ainsi pour se venger d'avoir été rejeté puis battu par leurs amis alors qu'ils étaient tous en cinquième secondaire. Elles n'ont évidemment pas parlé de sorcellerie et c'est sans doute pour cette raison que Garganruel a accepté de se rendre chez Loz dans l'intention de le questionner. Bref, elles ont fait ce que moi-même j'ai un moment songé à faire hier soir. Mais lorsque le capitaine a frappé à la porte de Loz, il semble que l'adolescent se soit sauvé par-derrière, où se trouvait sa camionnette, et qu'il ait mis le feu à la cave de son appartement avant de fuir. Garganruel a appelé les pompiers, mais les flammes ont eu le temps de ravager toute la cave et une partie du rez-de-chaussée avant qu'ils ne puissent maîtriser l'incendie. Donc, plus aucune trace de magie ou de quoi que ce soit. Je soupire en me frottant le front, découragé. Puis :

— Comment tu sais tout ça ?

Garganruel a demandé aux filles pourquoi elles ne lui avaient pas raconté ça pendant qu'elles étaient interrogées. Elles lui ont expliqué que c'était Gracq et un prof, un certain Julien Sarkozy, qui les avaient mises sur la piste de Loz lors d'une rencontre en fin de semaine. Garganruel est donc allé rendre visite à Gracq pour lui raconter tout ça et lui demander des précisions.

— Et tu lui as dit quoi ? que je demande.

— Ben, tout ce qu'on a appris sur le savoir des cadenas ensorcelés…

J'imagine la tête de Garganruel pendant qu'il écoutait cette histoire.

— Il t'a évidemment pas cru…

— Il m'a conseillé en me disant de ne plus me mêler d'intervenir dans cette histoire qui s'est passée. Mais il a lancé un mandat d'arrêt sur Loz.

C'est toujours ça de pris. Gracq poursuit :

— Pis toi ? Tu m'as juré la promesse de m'expliquer ce qui s'est passé.

Je vais tenir ma promesse, ma chouette, sois sans crainte, laisse-moi juste me réveiller, prendre une douche, manger, peut-être me branler un peu pour me calmer les nerfs… Bref, essayer de me convaincre que les dernières vingt-quatre heures ont bel et bien existé. On se donne rendez-vous à vingt-deux heures au bar L'ami ne deux faire.

Une demi-heure plus tard, je me suis douché, rasé, branlé et habillé. À l'exception d'un mal de tête lancinant et de mon pouce que j'ai bandé tant bien que mal, je ne suis pas trop amoché. Pour un mec de trente-huit ans, je récupère assez bien, je trouve. D'ailleurs, je suis affamé. Je vais fouiller dans mon pantalon souillé pour transférer ma monnaie et mon portefeuille : je tombe sur le cadenas ensorcelé de Gonzalez. Je l'examine un moment. Qu'est-ce que je vais faire de cette bombe à retardement ? Il faut s'assurer que personne ne l'ouvrira jamais. J'en parlerai à Gracq ce soir.

Je le range dans la poche de mon pantalon et sors. Maintenant que Loz est en fuite, je peux récupérer ma voiture…

◆

Lundi soir, pas foule. Une quinzaine de personnes, surtout des jeunes. Il y a Valaire, au bar, manifestement éméchée, qui discute avec deux adolescentes, mais elle n'a même pas remarqué ma présence. Moi, je suis installé à une table avec Gracq, et nous observons en silence Kevin Charvy, un beau gosse de dix-huit ans aux cheveux noirs frisés, qui rigole plus loin avec des amis et qui, bien sûr, ne nous prête aucune attention.

Je viens de passer la dernière heure et demie à tout raconter à Gracq, dans les moindres détails. Au début, il voulait tout noter, mais quand j'ai fait mine de lui enfoncer son calepin dans la gorge, il a compris et l'a rangé. Quand j'ai mentionné Kevin Charvy, il a poussé une exclamation de surprise et m'a dit que justement Charvy se trouvait ici en ce moment même. Et il m'a désigné du doigt l'adolescent en train de prendre un verre avec ses potes. Ironique, quand même. Puis j'ai poursuivi mon histoire jusqu'à mon arrivée *in extremis* devant Gonzalez qui tournait la mollette de son cadenas. Gracq est soufflé, mais me croit sans l'ombre d'un doute. Évidemment.

— S'il savait à quel point il l'a échappé belle, que je marmonne, les yeux rivés sur Charvy qui s'esclaffe en enlaçant les épaules d'une belle brune.

Gracq acquiesce, regarde sa montre :

— Si tu avais laissé Gonzalez actionner l'ouverture de son cadenas, Charvy se retrouverait en bouillie de déchiquetage dans son casier dans moins de même pas une demi-heure...

Il grimace, puis :

— Pis aux victimes, il leur arrivait quoi dans l'exactitude, tu penses ?

Je hausse les épaules. Je repense aux paroles de Zazz... mais ces mots n'étaient peut-être que symboliques. Comment savoir ? Mieux vaut ne pas en parler à Gracq, qui a l'imagination quelque peu fertile. Et puis, je ne veux pas mêler davantage Zoé à tout ça.

Gracq avale une gorgée de sa bière et je l'imite, à moins que ce ne soit l'inverse. C'est notre troisième consommation. Jamais houblon ne m'a paru si délectable. Il regarde encore Charvy :

— C'est toi qui l'as sauvé, Julien...

J'affecte la modestie, mais j'avoue que mon orgueil en bande un tantinet. Je souris à Gracq :

— On a quand même formé une sacrée équipe, tous les deux.

Gracq est si touché que je crains qu'il éclate en sanglots. Nous trinquons.

— Tu penses croire que la police va rattraper la fuite de Loz? demande-t-il.

— J'imagine… J'espère.

— Pis le cadenas?

Je le sors de ma poche. On l'examine comme s'il s'agissait de la balle qui a tué JFK.

— Il faut s'en débarrasser de façon sûre, mais je sais pas trop comment.

— On réfléchira à ces pensées demain, dit-il en se levant, soudain excité. Là, je vais aller me diriger chez moi pour rédiger l'écriture de tout un article!

— Simon, t'écris rien de tout ça dans le journal, voyons!

Il gémit, supplie, se met à genoux pour cirer mes chaussures avec sa salive, mais je le relève et lui fais entendre raison: personne ne va nous croire, il n'y a pas de preuves. De plus, ça risque de nous nuire plutôt que de nous aider, la police va se rendre compte qu'on a mis notre nez dans plein de trucs sans lui en parler… Gracq insiste, tient son bout, et je finis par lui asséner l'ultime argument: si son article provoque trop de remous et n'est pas pris au sérieux, il risque de perdre son poste de rédacteur du journal. Il blêmit, ébranlé. Je crois même que certains poils de sa barbe ont blanchi. Pour le consoler, je lui suggère de pondre un papier expliquant que Loz est recherché pour le meurtre des trois étudiants. C'est quand même pas mal comme article, non? Gracq reconnaît que c'est mieux que rien. Nous nous saluons, puis il part. Je me demande pour la première fois si ce grand barbu maigrichon perdu dans son veston trop grand a une vie sociale, des amis, une blonde… Autre chose que son ostie de journal…

Je range le cadenas dans ma poche et bois lentement ma bière en étudiant le décor sans unité, les jeunes, les quelques clients plus vieux… Je ne suis vraiment pas en train de rêver, j'ai vraiment vécu tout ça. Comment est-ce que je peux *accepter* que c'est arrivé, que ça existe réellement ? En fait, je n'ai pas le choix. Et parmi les autres citoyens, combien savent ? Combien connaissent cette *autre* réalité ? Mais la vraie question est celle-ci : ai-je réellement envie de demeurer dans un bled où l'on jette des malédictions à des jeunes qui se font déchiqueter dans des casiers, où une vieille sorcière conserve le cadavre de sa mère dans son salon, où une force inconnue vit dans une caverne à l'affût d'offrandes humaines ? La réponse est non, bien sûr. Donc, je fais quoi ? Je quitte ? Sans même terminer ma session ? Pas mon genre, ça, d'abandonner en cours de route. Mais il y a quelques circonstances atténuantes, vous ne pensez pas ? Sauf que si je quitte, je ne suis pas plus avancé : suis-je en train d'oublier que l'année dernière, j'ai envoyé un de mes étudiants à l'hôpital ? Après une telle bêtise, aucune institution scolaire ne m'engagera. Sauf Malphas. J'ai l'impression que ce cégep accepterait même un pédophile membre d'Al-Qaida.

Alors si je n'enseigne pas, je ferai quoi ? Je ne sais rien faire d'autre, à part écrire – et encore, ce n'est pas l'avis de la majorité.

Je frotte mon visage à deux mains. Je vois Valaire sur le point de quitter le bar, pas mal soûle, accompagnée d'une fille de dix-sept, dix-huit ans qui confirme tous les stéréotypes concernant le *look* des lesbiennes. Ma collègue me voit, puis s'approche :

— Tiens, Sarkozy ! Il paraît que t'as pas donné ton cours ce matin ?

— Ouais, je me sentais pas bien, alors… Mais là, je suis OK.

— Oublie pas d'aller déclarer ton absence pour cause de maladie à la direction. Sinon, ces osties-là vont te couper ta paie, je te jure ! Ils en manquent pas une !

— Oui, je sais, c'est comme ça partout.

— T'as ben raison !

Elle me salue, puis, sans se gêner ni tenter de se cacher, elle prend la main de la jeune gouine et elles titubent toutes deux vers la sortie.

Je secoue la tête. De la sorcellerie, une ville bizarre, une école pleine de profs et d'élèves refusés ailleurs… Tout le monde qui semble vivre de manière normale… Et moi, si je me retrouve dans cette galère, avec eux, est-ce vraiment par hasard ? Peut-être, après tout, est-ce *normal* ?

Je divague un peu, on dirait. J'ai beau avoir dormi quelques heures cet après-midi, la fatigue me retombe dessus avec l'insistance d'une ex-épouse qui n'a pas reçu sa pension alimentaire. Je termine ma bière d'une traite. Me lève. Jette un dernier coup d'œil à Charvy qui, en trinquant avec la belle brune, rigole toujours. Sors enfin.

Un peu plus frais, cette nuit. L'été va peut-être finir par finir. Je fais quelques pas sur le trottoir, vers ma voiture stationnée plus haut, mais je n'ai pas parcouru cinq mètres qu'une voix basse et antipathique résonne sur ma droite :

— C'est quoi, cette histoire de cadenas maléfiques ?

Dans une ruelle, à quelques pas, le capitaine Jingo Garganruel se tient debout, immense, les mains dans les poches d'un long manteau, et il sourit. Le genre de sourire qu'affichent tous les méchants dans les James Bond. Sauf que je n'ai pas tout à fait la gueule ironique de Sean Connery.

— Gracq t'a parlé, on dirait.

— Ouais, il m'a expliqué votre petite théorie. De la magie noire, hein ? Ça va pas, Sarko ? T'es pas habitué à l'air de la campagne pis ça te fait délirer ?

J'entre dans la ruelle et m'avance vers lui.

— Si Loz n'a rien fait, pourquoi s'est-il sauvé en mettant le feu chez lui ?

Le sourire de Garganruel s'élargit. Sa bouche doit contenir au moins deux cent cinquante dents. Pas toutes propres, d'ailleurs.

— Loz est coupable, pas de doute là-dessus. On l'a pas encore attrapé, mais on va le trouver. Pis à ce moment-là, il va cracher la vérité, je suis capable d'être pas mal persuasif.

— J'ai aucun doute là-dessus. Du moins, sur la dernière partie de ta phrase.

— On va le trouver, je te dis. Pis il va nous expliquer comment il s'y est pris, pis on va se rendre compte qu'il y a pas de magie là-d'dans, qu'elle soit noire, blanche ou à pois jaunes. Je l'ai toujours dit : faut pas se fier aux apparences.

— Loz m'a capturé, cette nuit ! Il m'a attaché à un arbre dans la forêt pour me livrer à un… à une…

— À quoi ?

— Je sais pas trop, quelque chose de… de maléfique, de…

— Tu l'as vu ?

— Pas… pas vraiment. Mais je l'ai entendu !

— T'as entendu quoi ?

Il attend, narquois. Vais-je m'humilier jusqu'à lui parler de ces claquements sinistres ? Et je ne peux pas lui parler des livres de sorcellerie que j'ai vus dans la cave de Loz, ça lui ferait trop plaisir de me coffrer pour intrusion par effraction dans un domicile privé. Je rage intérieurement.

— Et la vieille Fudd, c'est pas une sorcière ?

— Des rumeurs ! C'est une vieille alcoolo qui vit dans le bois, c'est tout !

— Et qui garde le cadavre de sa mère ! Tu le sais, hein ? Je suis sûr que tout le monde le sait mais que personne ose rien faire !

Cette fois, le flic paraît pris au dépourvu et passe une main sur son crâne rasé.

— On s'occupe de ce dossier-là, OK ? La magie a rien à voir là-d'dans.

— Pis les numéros des cadenas qui reprennent les mêmes chiffres que les codes permanents des victimes ? Gracq t'a raconté ça, non ?

— Ouais, pis après ? C'est ça, tes preuves de magie noire ?

Je m'approche encore plus. La moutarde me monte aux sinus, ce qui a l'habitude de me rendre imprudent.

— Criss, c'est quoi ton problème, Garganruel ? Si Gracq et moi on avait pas fait notre enquête, si on avait pas découvert ces traces de sorcellerie, ni toi ni les filles auraient jamais soupçonné Loz de quoi que ce soit !

Comment ai-je pu oublier pendant une seconde que je m'adressais à un clone de gorille ? Garganruel a l'obligeance de me le rappeler d'un bref mais solide coup de poing dans le ventre. L'impact est tel que je suis convaincu que la configuration de mes intestins en a été bouleversée à jamais. Je me plie en deux, râlant, souffrant, tandis que, au-dessus de ma tête, la voix du mastodonte me tombe dessus telle la foudre de Jupiter :

— Écoute ben, Sarkozy, j'ai voulu te le faire comprendre poliment l'autre jour, mais faut croire que t'as besoin qu'on te mette les poings pas juste sur les i. Ça fait trente ans que je suis le chef de police de cette ville, tu m'entends ? Trente ans ! Pis j'ai toujours réussi à mener toutes les enquêtes qu'il fallait mener, pis de manière rationnelle ! Fait que c'est pas un écrivain manqué de la grande ville qui va venir me dire comment enquêter, c'est clair ?

— Je… je viens de Drummondville…

— Ouais, ben, tu devrais peut-être y retourner.

Je l'entends s'éloigner. Je demeure un bon cinq minutes à genoux à reprendre mon souffle. Une nausée terrible me monte à la tête. J'ai juste le temps de marcher vers le fond de la ruelle. Je dépasse un vélo appuyé au mur, m'agrippe à une poubelle et vomis un bon coup. Ah ! souvenirs de ces nuits à se vider les boyaux dans des ruelles à la suite de beuveries cosmiques ! Mais cette fois, contrairement à ces vieux faits d'armes, je me sens très rapidement beaucoup mieux. La preuve en est donc faite : recevoir un coup cause moins de dommages que prendre un coup. Alors, provenant d'une fenêtre au-dessus de ma tête, une voix outrée clame :

— Vous pourriez pas faire vos cochonneries ailleurs ? Arrêtez votre tapage, y a du monde qui veut dormir !

Je reconnais la voix de la vieille aveugle qui nous a admonestés l'autre soir, Zazz et moi. Je souris en me relevant et en essuyant ma bouche.

Je vois alors, au bout de la ruelle, un jeune couple qui discute : c'est Charvy avec sa jeune conquête. Mais il semble qu'il devra se contenter d'un *five fingers solo* cette nuit, car la fille l'embrasse sur la bouche avant de s'éloigner. Quelque peu penaud, Charvy entre dans la ruelle et marche vers moi. D'abord étonné, je comprends que le vélo est sans doute le sien. Il m'aperçoit au bout de quelques pas. J'ai un sourire d'excuse. Je suis plutôt habile dans ce genre de sourire, je l'ai pratiqué durant des années avec Laura.

— Je… J'ai été malade…

— Ah… Pis, heu… Ça va, là ?

— Oui, oui… Merci.

Il s'approche du vélo. Au moment de le prendre, il me regarde, incertain. Car je demeure sur place. Il est à quelques mètres de moi et je l'observe en silence, bêtement ému.

— Ça va ? me répète-t-il.

— Tu le sais pas, mais je t'ai sauvé la vie.

— Quoi ?

Je suis vraiment con. Avec un petit ricanement, je sors mon paquet de cigarettes, en attrape une.

— Non, non… Rien…

Il fronce les sourcils, doit croire que je suis dingue.

Et là, j'entends le craquement. Charvy aussi car il baisse le regard vers le sol : sous ses pieds, une fissure apparaît dans l'asphalte. Puis une autre. Elles s'allongent lentement. Un tremblement de terre ? Je regarde sous mes propres souliers : rien, pas de faille, pas de mouvement. Charvy fait un très léger pas de côté, intrigué :

— Que c'est que…

Brusquement, le sol se dérobe littéralement sous lui et il s'enfonce d'un bon cinquante centimètres dans l'ouverture. Il pousse un cri de surprise ahurie, tandis que la cigarette glisse de mes lèvres. J'entends une rumeur rauque et je songe un moment qu'il s'agit du sol qui craquelle, mais ça ressemble à des grognements. Charvy veut sortir du trou, mais il continue de s'enfoncer lentement. Il baisse la tête et ce qu'il voit dans l'ouverture lui fait écarquiller les yeux d'épouvante :

— Ostie, c'est quoi… ? C'est quoi *ça* ?

Tout à coup, des jets de sang se mettent à gicler par l'ouverture, comme si l'adolescent s'enfonçait dans un broyeur à déchets géant. Il hurle et se débat tel un épileptique, mais il descend toujours. D'abord paralysé (mes cours de pédagogie ne m'ont pas préparé à réagir face à ce genre de situation), je m'élance enfin en tendant les mains vers lui. Au même moment, je perçois la voix de la vieille aveugle qui gueule :

— Ça suffit, là, gang de sauvages ! Si vous vous taisez pas, je vous envoie mon chien, c'est clair ?

Charvy est maintenant enfoncé jusqu'aux hanches. Je lui attrape la main et, malgré la douleur qui explose dans mon pouce cassé, je commence à tirer lorsqu'à mon tour je distingue l'intérieur du trou.

J'ai déjà regardé à la télé un reportage sur la liposuccion. C'est de loin ce que j'ai vu de plus affreux dans ma vie. Mais ce soir, un nouveau standard est établi.

Parmi le sang qui fuse, il y a des membres qui bougent, des regards de braise qui clignotent... Mais, surtout, il y a des gueules. Au moins trois, peut-être plus. Des gueules dotées de dents monstrueuses, qui attaquent l'adolescent, le mordent, arrachent ses pieds, ses mollets, ses cuisses... Des gueules qui déchiquettent et qui rugissent. Ce spectacle me vide instantanément de toute volonté, mais les cris de Charvy me secouent :

— *Aidez-moi ! Par pitié, aidez-moi !*

Mais je fais que ça, bordel ! Je me remets à tirer de toutes mes forces, à m'en éclater mes modestes biceps, mais c'est aussi vain que si je voulais enlever un iPhone des mains d'un artiste branché, rien ne bouge. Et Charvy s'enfonce toujours, Charvy est graduellement réduit en purée par les gueules, Charvy hurle dans ses propres tripes qui fusent autour de lui... Affolé, je perçois une dernière fois le regard horrifié de l'adolescent tourné vers moi avant que deux gueules lui déchirent le visage. Aussitôt, le sol se referme en un clin d'œil. Et le silence règne à nouveau.

Debout, je respire à toute vitesse. Le tout a duré trente secondes au maximum.

Des aboiements aigus retentissent dans la ruelle et je tourne la tête : à deux mètres de moi, un minuscule caniche blanc me jappe après en une vaine tentative de ressembler à un T-Rex. En même temps, la voix de l'aveugle, là-haut, lance :

— Vas-y, Shark, attaque-les ! Vas-y, mon chien !

Je regarde autour de moi : il n'y a plus aucune trace de fissure dans le sol. Pas de traces d'hémoglobine nulle part, ni sur l'asphalte ni sur les murs. Plus aucun signe de ce qui s'est passé… sauf la main coupée de Charvy. Criss ! je n'avais pas réalisé que je la tenais toujours ! En meuglant de dégoût, je secoue mes doigts pour me libérer de cette immonde relique, tandis que le sale cabot continue d'émettre ses ridicules jappements. Mais j'ai beau agiter mon bras avec vigueur, la main tranchée est aussi tenace qu'un vendeur d'assurances. Je la fracasse contre le mur et elle cède enfin. Elle rebondit sur le sol devant le caniche qui, en apercevant ce joujou, cesse d'aboyer, agrippe la main dans sa gueule et retourne vers la rue en trottinant.

Je reprends mon souffle pendant quelques secondes, puis, tout tremblant, je fouille dans ma poche, sors mon cellulaire et consulte l'heure : minuit et deux. Incrédule, je remets la main dans ma poche et en extirpe le cadenas de Gonzalez.

Il est toujours fermé.

CHAPITRE ONZE

Où il est démontré que ce n'est pas fini tant que ce n'est pas fini

Gracq et moi sommes dans le local du journal étudiant. Lui, le bassin appuyé contre le bureau, les bras croisés. Moi, sur une chaise, les bras ballants de chaque côté. Tous les deux silencieux depuis trois bonnes minutes. Tous les deux déconcertés, confus. Mêlés en ostie.

— Pis ni toi ni personne de quelqu'un d'autre a ouvert le cadenas ? demande enfin Gracq.

Je sors le cadenas de ma poche, avec sa petite étiquette. Il est toujours fermé.

— Il n'a pas quitté mon pantalon depuis que je l'ai pris à Gonzalez.

Il se passe une main dans la barbe. Je lui demande à quelle heure Gonzalez commence ses cours aujourd'hui. Gracq consulte l'horaire de l'étudiante qu'il a imprimé :

— Dix heures.

Il est neuf heures vingt. Je me lève :

— On va aller l'attendre.

Nous nous retrouvons dans la section des casiers (c'est fou à quel point je connais ce secteur, désormais), à faire le pied de grue. Pendant une demi-heure, des étudiants circulent, quelques-uns me disent bonjour et je leur réponds brièvement. Presque personne ne salue Gracq, qui semble habitué à cette indifférence.

Enfin, Gonzalez s'approche de son casier et commence à tourner les numéros du cadenas. Tendus, nous attendons nerveusement, Gracq et moi. L'adolescente ouvre enfin son casier. Rien ne se passe. Pas de cadavre, pas de sang. Certes, nous sommes rassurés, mais plus déconcertés que jamais.

Merde, où est Charvy ? Ou plutôt ce qu'il en reste…

Je m'approche de Gonzalez et Gracq me suit. La fille nous voit au moment où elle referme son casier et, en me reconnaissant, arbore le genre d'expression qu'elle doit réserver aux témoins de Jéhovah. Et aux emmerdeurs comme moi.

— Encore des problèmes de cadenas ? Celui que vous m'avez donné marche très bien.

De but en blanc et un peu sèchement, je demande :

— Celui que je t'ai repris, hier, tu l'avais ouvert, avant ?

— Ben non, je venais juste de l'acheter.

— Comment ça ? Tu l'as pas pris à la COOP il y a dix jours durant la distribution gratuite ?

— Oui, mais c'est pas celui que vous m'avez pris hier.

Je comprends rien, criss, et je commence à en avoir ma claque. Plus calme, Gracq demande :

— Peux-tu nous raconter l'explication dans la précision du détail, s'il te plaît ?

Gonzalez dévisage le journaliste, lassée.

— Coudon, que c'est que vous avez à capoter avec ces cadenas-là ?

Je réussis à demeurer calme à mon tour et explique qu'il faut retrouver les cadenas défectueux pour les assurances. Je ne sais pas si elle me croit, mais elle en a tellement marre qu'elle soupire puis explique sèchement :

— Bon, ben, à la rentrée, je suis venue chercher mon agenda pis mon cadenas, comme tout le monde, mais j'ai été malade toute la semaine pis je suis revenue juste cette semaine. En allant à mon casier, hier matin, vous m'avez rentré dedans, vous vous souvenez?

Elle prononce ces derniers mots sur un ton de reproche. Elle poursuit :

— Mon sac s'est ouvert, tout est sorti, y'a fallu que je ramasse toute, mais j'ai pas retrouvé le cadenas. Je suis allée m'en acheter un autre à la COOP juste avant le début de mon cours. Bon. Vous allez me laisser tranquille, là ?

Et avant qu'on lui réponde, elle s'éloigne. Gracq et moi demeurons inertes quelques secondes, comme un couple de *geeks* dont l'ordinateur viendrait de rendre l'âme.

Je sors le cadenas de ma poche et, dégoûté, le jette dans une poubelle.

◆

Je marche lentement vers l'escalier qui mène à l'étage. Gracq et moi avons passé dix minutes à fouiller partout sur le sol autour de l'endroit où Gonzalez a chuté la veille : sous les tables, dans les coins, même dans certaines poubelles. *Niet*. Ce qui n'est pas étonnant : avec ce qui est arrivé hier à Charvy, il est évident que quelqu'un l'a trouvé. Et utilisé.

Chaque marche que je gravis augmente mon découragement. Non seulement je n'ai sauvé la vie de personne, mais on n'a aucune idée de l'endroit où se trouve le cadavre de Charvy. De plus, si je me fie à ce que m'a raconté Gracq ce matin, la police n'a toujours pas trouvé Loz. Et, pour couronner le tout, je me sens vaguement responsable : si je n'avais pas bousculé Gonzalez, hier, elle n'aurait pas perdu son cadenas. Et donc… Quelle épouvantable ironie, quand même. J'essaie de me dire qu'au moins j'ai essayé, mais la consolation est faible.

Bref, échec total.

Je traverse la mezzanine et m'arrête un moment pour regarder vers le rez-de-chaussée, ce rez-de-chaussée qui paraît absurdement si bas, au point qu'on a presque envie de se lancer dans le vide… Puis je lève la tête vers le puits de lumière… Puits de lumière à travers lequel le ciel est, comme toujours, sombre et nuageux… Mais aujourd'hui, ni cette perspective faussée de la mezzanine ni cet étrange puits de lumière ne m'étonnent.

Plus rien ne m'étonnera avant un bon bout de temps, je pense.

Pourtant, j'entends encore les paroles du corbeau de mon rêve, ironiques :

« Tu n'as vraiment pas idée… »

Je me remets en marche, avance dans le couloir vert en me demandant une fois de plus si je reste ou si je me tire de cette ville. Pourquoi je resterais ? Pour comprendre ? Comprendre quoi ? Y a-t-il quelque chose à comprendre ? Et puis, merde ! vais-je finir par comprendre que je ne suis pas un flic ou un enquêteur mais un prof ?

Un prof banni partout…

Je pourrais travailler dans une librairie… ou dans un resto… Ouais, à d'autres ! Moi, suivre un horaire précis ? Obéir à un patron ? Être poli avec des clients chiants ? Après un mois, je foutrais le feu à la baraque, c'est sûr.

Une vision de rêve écarte momentanément les nuages de mon esprit : droit devant, Rachel s'approche, pile de feuilles en main. Elle s'arrête devant moi et me sourit de sa bouche parfaite :

— Alors, tu vas mieux ?

— Comment ça ?

— Hier, tu n'es pas venu enseigner. (Elle regarde ma main.) Tu t'es blessé au pouce ?

— Ouais, une niaiserie…

— Ça va, aujourd'hui ?

Elle a noté mon absence ! À moins qu'on ne lui en ait parlé. Mais je veux croire qu'elle l'a notée. Je peux rêver, non ?

— Oui, ça va mieux… En fait, pas tant que ça.

J'hésite une seconde, mais j'ai trop besoin de me confier. Enfin, pas trop, mais juste en dire un peu, comme pour me rassurer moi-même. Je vérifie que nous sommes seuls dans le couloir, puis :

— T'as pas remarqué qu'il se passe des choses bizarres dans le coin ?

Elle ricane en replaçant une mèche de sa tignasse de flammes :

— Je pense que tout le monde le remarque depuis longtemps, Julien. Tu vas t'y faire.

— Non, je veux dire : *vraiment* bizarres…

Elle rétrécit les yeux, pivote légèrement son visage sur la gauche sans cesser de me regarder et je comprends qu'il s'agit là de l'expression qu'elle arbore quand elle s'intéresse réellement à ce qu'on lui dit. Je me demande si je dois être flatté d'y avoir droit ou insulté de ne pas en avoir été témoin auparavant.

— Tu parles de quoi, au juste ?

Mais qu'est-ce qui me prend ? Je veux vraiment perdre toute ma dignité et ma crédibilité auprès d'elle (en admettant que j'en aie un peu) en lui racontant des histoires qu'elle ne croira évidemment pas ? Je fais un geste vague de la main :

— Laisse tomber. De toute façon, je vais sûrement quitter la ville d'ici quelques jours. Je suis pas sûr que… que l'endroit me convienne.

J'ai envie de lui dire qu'elle sera ce que je regretterai le plus, mais à quoi bon pousser la drague si je m'en vais ? Elle paraît étonnée, ce qui ne doit vraiment pas lui arriver souvent. Indépendante comme elle est, je ne m'attends pas à ce qu'elle me demande des précisions, encore moins qu'elle tente de me convaincre de demeurer. Sa réaction est donc parfaitement surprenante :

— C'est dommage. J'aurais aimé que tu m'expliques ces choses bizarres que tu as remarquées. On aurait pu prendre un rendez-vous pour en discuter… juste tous les deux…

Et pendant qu'elle prononce ces derniers mots, son regard bleu s'emplit du plus pervers des scintillements, dans lequel j'entrevois en un éclair des reflets de corps nus et de fornication farouche, de queue avalée et de cuisses ouvertes, de seins offerts et de jets blanchâtres… Et je suis convaincu que ce sont exactement ces images qu'elle a voulu tatouer à son regard afin de les greffer à mon esprit. Tandis que je tente désespérément de me rappeler le mode d'emploi de la respiration, elle hausse les épaules et susurre :

— Enfin, si tu changes d'idée…

Et elle s'éloigne.

Je demeure longtemps statufié dans le couloir, le regard fixé sur rien sinon sur les soudaines possibilités qui viennent d'apparaître dans ma vie.

OK. D'accord. Je vais rester.

Je me remets en marche.

Oui, je vais rester. Du moins jusqu'à la fin de la session. Il faut que je respecte mon contrat, tout de même, vous ne pensez pas ? Et tant qu'à rester, je vais essayer de comprendre cette ville, ce cégep, ces gens… Pour y arriver, je vais écrire. Écrire ce qui m'est arrivé. Pas pour publication, du moins pas tout de suite. Pour l'instant, j'écrirai pour moi seul, afin de voir clair. Moi qui cherchais une motivation pour me remettre à l'écriture, je ne pourrai sans doute jamais trouver mieux. Voilà, bonne idée, je commence à écrire tout ça ce soir !

Et à la fin de la session, on verra.

Mais pour commencer, je vais immédiatement tirer une chose au clair…

J'entre dans le département, dans lequel ne se trouve aucun prof pour le moment (ils sont tous en cours), et vais au local des ordinateurs. Je me mets en ligne sur l'un d'eux et vais sur Wikipedia. J'inscris Malphas.

Deux entrées apparaissent. La première concerne le cégep lui-même : description, programmes, etc. La seconde, elle, semble s'intéresser à la démonologie. Pendant un moment, je ne bouge pas. Dans le département grince le tiroir d'un classeur s'ouvrant tout seul. Enfin, je clique sur la seconde entrée.

Malphas est un démon des croyances de goétie, science occulte de l'invocation d'entités démoniaques.

Le Lemegeton le mentionne en 39ᵉ position de sa liste de démons. Selon l'ouvrage, Malphas est un grand président des enfers. Il apparaît sous la forme d'un corbeau mais peut prendre forme humaine. Le son de sa voix est rauque. Il bâtit des citadelles et des tours inexpugnables, renverse les remparts ennemis et permet de trouver de bons serviteurs. Quarante légions infernales lui obéissent.

Je relis trois fois cette description. Je voudrais sourire, la trouver ridicule, me marrer un bon coup.

Je n'y arrive pas vraiment.

◆

Plus tard, alors que je suis à mon bureau en train de préparer des trucs pour mon cours de treize heures trente (donner un cours tout à l'heure, après tout ce qui est arrivé, m'apparaît tout à fait saugrenu), Mortafer et Zazz s'approchent de moi, leurs lunchs à la main.

— C'est l'heure du dîner, Julien, fait Zazz. Tu te joins à nous ?

— Oui, comme tu étais absent hier, tu as manqué la dernière ineptie de Davidas, ajoute Mortafer. Faut qu'on te raconte ça.

Zazz, à ce souvenir, éclate de son rire cartoonesque. Elle est rayonnante aujourd'hui. Mortafer, lui, a toujours son petit air cynique. La vie continue, quoi. Malgré tout. Malgré tout ce qui arrive. Malgré la disparition de Charvy, qui ne saurait pas tarder à être signalée. Malgré la vraie signification du nom de ce cégep.

— Oui, j'arrive, que je dis en me levant.

À ce moment, Hamahana fait son apparition, de très bonne humeur. Il nous jette un petit regard triomphant, puis entre dans le local-dîneur.

— Il a l'air en forme, lui, que je fais remarquer.

— C'est parce qu'il est enfin certain qu'on ne fouillera pas dans son frigo personnel, soupire Mortafer.

— Comment ça ?

— Hier midi, il a verrouillé son frigo devant tout le monde ! répond Zazz. Il était tout fier !

Un mauvais pressentiment. Comme quand, pendant que tu baises, tu sens que ton condom s'est fendu avant même de le constater…

— Le… le cégep lui a payé une barrure ?

— Pas du tout, répond Mortafer en ricanant. Il dit qu'il a trouvé un cadenas neuf par terre, en bas, avec le numéro et tout. Comme ça, il…

Je suis déjà debout, sur le point de m'élancer vers le local-dîneur, lorsqu'un hurlement féminin m'immobilise, hurlement accompagné par la sortie dudit local de Poichaux, qui court dans le département en répétant entre ses hululements : « Non, non, c'est pas vrai, pas encore, pas ici, non, non… ». Et tandis qu'elle ouvre un flacon de pilules déniché sur son bureau, je pousse un juron fataliste et me précipite, suivi par mes deux collègues stupéfaits.

Nous nous arrêtons dès l'entrée du local. J'avais beau m'y attendre, c'est tout de même impressionnant. Hamahana est debout. Sa main gauche tient son cadenas ouvert et sa main droite est toujours agrippée à la porte ouverte de son frigo juché sur la haute étagère, duquel continuent de s'égoutter lentement du sang et des morceaux de chair humaine. L'essentiel s'est déversé sur notre collègue, qui ne bouge toujours pas, tellement recouvert de ratatouille humaine qu'on devine à peine les traits de son visage souillé.

Par contre, on distingue ses yeux. Et quand il les tourne lentement vers nous, j'y décèle un orage de griefs sur le point de s'abattre sur le département…

1980

PLAN LARGE (SUITE)

Les trois cents personnes réunies pour l'ouverture officielle du cégep observaient, d'abord avec curiosité, puis avec inquiétude, le nuage de corbeaux en train d'approcher.

— Il... il y en a des centaines! répéta quelqu'un.

Sur l'estrade, le directeur pédagogique contemplait les oiseaux avec calme. Il se pencha vers son épouse et son fils de dix-sept ans inquiets et leur dit quelque chose.

— Ils descendent vers nous! cria une femme dans l'assistance.

Cette fois, des personnes commencèrent à fuir, mais pas toutes, la plupart étant trop subjuguées. C'est lorsque les premiers volatiles se mirent à attaquer quelques citoyens que la panique éclata enfin. Tous détalèrent en criant, mais déjà une quinzaine de personnes se débattaient contre des dizaines de corbeaux qui plongeaient vers elles en leur enfonçant le bec dans le cou et la tête. Sur l'estrade, le maire, le directeur général du cégep et les professeurs avaient fui à toutes jambes, sauf le directeur pédagogique, qui demeurait immobile, imperturbable, tenant contre lui sa femme terrifiée et même son fils qui, malgré ses dix-sept ans, cachait son visage dans le giron de son père. Le capitaine de la police sortit son arme et cria aux six ou sept autres flics présents :

— Tirez en l'air, vite ! Tirez en l'air !

Les policiers obéirent et firent feu dans la nuée. Quelques corbeaux tombèrent. Mais le capitaine lui-même n'eut pas le temps de se servir de son arme car une trentaine d'oiseaux s'abattirent sur lui avec une telle violence qu'il en bascula sur le dos. Les becs se mirent alors à déchirer ses vêtements, puis sa peau, jusqu'à lacérer ses jambes et ses bras, jusqu'à lui ouvrir le ventre, jusqu'à lui crever un œil et à lui charcuter le visage. Chacun des trente becs s'empara ensuite d'un lambeau de chair, d'un bout de tripe ou d'un morceau de joue, puis les oiseaux s'envolèrent sans lâcher leur prise. On vit alors cet horrible spectacle d'une marionnette humaine hurlante soulevée de terre, une marionnette dont les fils auraient été remplacés par ses propres organes étirés au maximum. Et les corbeaux, qui tenaient leur bec bien serré, montaient toujours, élevant ainsi de plus en plus haut le capitaine qui hurlait comme un damné, écartelé, produisant une véritable pluie de sang sous lui. Parmi les flics qui tiraient toujours, un jeune lieutenant de police, très grand et très baraqué, observait cette scène monstrueuse sans bouger, comme s'il en attendait le dénouement.

Enfin, lorsque les volatiles se trouvèrent à une trentaine de mètres du sol, ils s'éparpillèrent dans toutes les directions d'un seul mouvement. Tripes, chairs et ligaments se déchirèrent en un immonde éclatement gluant, et le capitaine, désarticulé, alla s'écraser au sol. Comme s'il s'agissait d'un signal, tous les autres oiseaux lâchèrent leurs victimes et s'envolèrent. Un ou deux policiers affolés tirèrent encore quelques balles vers eux puis cessèrent rapidement : la nuée était déjà hors d'atteinte.

Une trentaine de personnes qui ne s'étaient pas éparpillées trop loin revinrent sur place, déboussolées mais curieuses. Elles aidèrent la vingtaine de victimes étendues au sol qui gémissaient douloureusement, meurtries à la tête, au cou ou au visage. Les blessures, tout aussi saignantes et douloureuses fussent-elles, n'étaient pas trop graves, ce qui n'empêchait pas le flottement d'une rumeur de pleurs, de questionnements et d'appels à l'aide.

Personne n'osait aller vérifier l'état du capitaine de police, comme si la vue d'un tel martyr était insoutenable. Seul le jeune lieutenant de police s'approcha. Le capitaine était toujours vivant mais les hoquettements de son agonie annonçaient une fin imminente. Malgré tout, son œil valide reconnut son lieutenant et il trouva même la force d'articuler :

— J...Jingo...Jingo...

Le lieutenant se pencha, marmonna quelques mots à son chef, puis se releva. Après un dernier râle, le capitaine rendit l'âme.

Un hululement d'ambulance approchait. Au milieu de la confusion, le directeur pédagogique de Malphas se trouvait toujours debout sur l'estrade. Sa femme, maintenant revenue de sa peur, sembla soudain réaliser qu'elle était dans les bras de son mari. Elle s'en écarta avec dédain et descendit rapidement de l'estrade. Le directeur, entourant toujours les épaules de son fils bouleversé, ne tenta même pas de la retenir. Le garçon dégagea très légèrement son visage du cou de son père et demanda sur un ton craintif :

— C'est...c'est fini, père ?

Le directeur pédagogique observait la scène de désolation d'un air neutre, puis, levant le regard vers le nuage de corbeaux maintenant minuscule à l'horizon, il marmonna :

— Non, Junior. Ça commence.

Remerciements

Merci à Alain Roy et Karine Davidson Tremblay pour avoir lu et commenté mon manuscrit.

Merci à René Flageole et Olivier Sabino qui ont lu mon manuscrit et qui, par leurs idées, m'ont aidé à améliorer ce roman.

Merci à Jean Pettigrew, Louise Alain, Manon Ouellet et toute l'équipe d'Alire de m'appuyer, me supporter (surtout Manon !) et de croire en moi depuis tant d'années.

Merci à mes enfants, merci à ma Sophie. Je vous aime comme c'est pas permis.

PATRICK SENÉCAL...

... est né à Drummondville en 1967. Bachelier en études françaises de l'Université de Montréal, il a enseigné pendant plusieurs années la littérature et le cinéma au cégep de Drummondville. Passionné par toutes les formes artistiques mettant en œuvre le suspense, le fantastique et la terreur, il publie en 1994 un premier roman d'horreur, *5150, rue des Ormes*, où tension et émotions fortes sont à l'honneur. Son troisième roman, *Sur le seuil*, un suspense fantastique publié en 1998, a été acclamé de façon unanime par la critique. Après *Aliss* (2000), une relecture extrêmement originale et grinçante du chef-d'œuvre de Lewis Carroll, *Les Sept Jours du talion* (2002), *Oniria* (2004), *Le Vide* (2007) et *Hell.com* (2009) ont conquis le grand public dès leur sortie des presses. *Sur le seuil* et *5150, rue des Ormes* ont été portés au grand écran par Éric Tessier (2003 et 2009), et c'est Podz qui a réalisé *Les Sept Jours du talion* (2010). Trois autres romans sont présentement en développement tant au Québec qu'à l'étranger.

MALPHAS 1. LE CAS DES CASIERS CARNASSIERS
est le seizième volume de la collection «GF»
et le cent soixante-seizième titre publié
par Les Éditions Alire inc.

Il a été achevé d'imprimer
en octobre 2011 sur les presses de

Imprimé au Canada par
Transcontinental Gagné

Imprimé sur Rolland Enviro100, contenant
100% de fibres recyclées postconsommation,
certifié Éco-Logo, Procédé sans chlore, FSC
Recyclé et fabriqué à partir d'énergie biogaz.